O TEOREMA KATHERINE

DIVERTIDO, ESPIRITUOSO E FASCINANTE.
SCHOOL LIBRARY JOURNAL

DELICIOSAMENTE pretensioso e sutilmente INTELECTUALIZADO.
BOOKLIST

ROMANCE E MELANCOLIA contrabalançados pelo TOM IRÔNICO, excepcionais notas de rodapé e matemática complexa.
KIRKUS REVIEWS

AO MESMO TEMPO, UMA SÁTIRA E UM TRIBUTO A VÁRIOS E CÉLEBRES PREDECESSORES.
THE HORN BOOK

Imagine uma sala de cirurgia pronta para o início de um procedimento arriscado, porém muito bem ensaiado, e você terá uma noção da atmosfera de *O TEOREMA KATHERINE*: todos os detalhes foram pensados, a ação se desenrola com graça e inevitabilidade.
THE NEW YORK TIMES BOOK REVIEW

ENGRAÇADO, CATIVANTE E IMPREVISÍVEL.
THE MINNEAPOLIS STAR TRIBUNE

JOHN GREEN

O TEOREMA KATHERINE

Tradução de Renata Pettengill

TÍTULO ORIGINAL
An Abundance of Katherines

REVISÃO
Umberto Figueiredo Pinto

REVISÃO TÉCNICA DE MATEMÁTICA
Anna Maria Sotero da Silva Neto

ADAPTAÇÃO DE CAPA
ô de casa

DIAGRAMAÇÃO
Editoriarte

CIP-BRASIL. CATALOGAÇÃO-NA-FONTE
SINDICATO NACIONAL DOS EDITORES DE LIVROS, RJ

G83t

Green, John, 1977-

O teorema Katherine / John Green ; tradução de Renata Pettengill. - Rio de Janeiro : Intrínseca, 2013.
304 p. : 21 cm

Tradução de: An abundance of Katherines
ISBN 978-85-8057-315-2

1. Ficção americana. I. Pettengill, Renata. II. Título.

13-0828. CDD: 813
CDU: 821.111(73)-3

[2013]

Editora Intrínseca Ltda.
Rua Marquês de São Vicente, 99, 3º andar
22451-041 — Gávea
Rio de Janeiro — RJ
Tel./Fax: (21) 3206-7400
www.intrinseca.com.br

Para minha mulher, Sarah Urist Green,
anagramatizada assim:*

Her great Russian
Grin has treasure–
A great risen rush.
She is a rut-ranger;
Anguish arrester;
Sister; haranguer;
Treasure-sharing,
Heart-reassuring
Signature Sharer
Easing rare hurts.

"Mas o prazer não é ser dona da pessoa. O prazer é isso.
Ter uma concorrente no mesmo quarto com você."
– Philip Roth, *A marca humana*

* Não ousaríamos reanagramatizar em português tão poética dedicatória. (*N.E.*)

(UM)

Na manhã seguinte à formatura do ensino médio e depois de ser dispensado por sua décima nona Katherine, o célebre menino prodígio Colin Singleton tomou um banho de banheira. Colin sempre preferiu banhos de imersão; uma das regras fundamentais em sua vida era nunca fazer em pé qualquer coisa que pudesse realizar, com a mesma facilidade, deitado. Ele colocou os pés na banheira assim que a água esquentou, sentou-se e ficou observando, com o rosto estranhamente sem expressão, enquanto a água subia. Foi encobrindo suas pernas, que estavam dobradas e cruzadas. Colin percebeu, embora sem muito ânimo, que estava muito comprido e grande demais para aquele espaço – parecia uma criatura praticamente adulta brincando de ser criança.

Quando a água começou a banhar sua quase ausente mas nada definida barriga, ele pensou em Arquimedes. Quando Colin tinha uns 4 anos, leu um livro sobre Arquimedes, o filósofo grego que descobriu, ao se sentar numa banheira, que o volume de qualquer corpo poderia ser calculado com base no deslocamento da água. Ao chegar a essa conclusão, dizem, gritou "*Heúreka!*"[1] e saiu correndo pelado pela rua. O livro dizia que muitas descobertas importantes continham um "momento eureca". E mesmo então, com tão pouca idade, Colin queria muito ser o autor de descobertas importantes, o que o fez perguntar à mãe assim que ela chegou em casa aquela noite:

— Mamãe, algum dia eu vou ter um "momento eureca"?

— Ah, meu querido — ela disse, pegando sua mão. — Qual é o problema?

— Eu quero ter um *momento eureca* — ele respondeu, da mesma forma que outra criança teria expressado a vontade de ter uma das Tartarugas Ninja.

Ela encostou as costas da mão na bochecha dele e sorriu, os rostos tão próximos que dava para ele sentir o cheiro de café e maquiagem.

— Mas é claro, Colin, filhinho. É claro que você vai ter.

Só que as mães mentem. Está na descrição do cargo delas.

Colin respirou fundo e deslizou o corpo, mergulhando a cabeça. *Estou chorando*, pensou, abrindo as pálpebras para enxergar embaixo da água cheia de sabão que fazia seus olhos arderem. *Quero chorar, então devo estar chorando, mas é impossível dizer ao certo dentro d'água.* E não estava. Estranhamente, estava deprimido demais para derramar lágrimas. Magoado demais. A sensação era de que Katherine havia roubado dele a parte que chorava.

Colin destampou o ralo, ficou de pé, enxugou-se e vestiu-se. Quando saiu do banheiro, viu os pais sentados, juntos, em sua cama. Nunca era um bom sinal quando ambos estavam em seu quarto ao mesmo tempo. Historicamente, aquilo significava:

---

[1] "Eureca!" Do grego: "Achei!"

1. Sua avó/seu avô/sua tia-Suzie-que-você-não-conheceu--mas-acredite-era-legal-e-é-uma-pena morreu.
2. Você está deixando que uma garota chamada Katherine o distraia dos estudos.
3. Os nenéns são gerados por meio de um ato que em algum momento você achará interessante, mas que por enquanto só o deixará horrorizado, e, além disso, às vezes as pessoas fazem coisas que incluem algumas etapas do ato de gerar nenéns que, na verdade, não incluem a fabricação de nenéns, como beijar o outro em lugares que não ficam no rosto.

Nunca significou:

4. Uma garota chamada Katherine ligou enquanto você estava no banho. Ela sente muito. Ela ainda o ama e cometeu um erro imperdoável, e está esperando você lá embaixo.

Mas, mesmo assim, Colin não pôde evitar nutrir a esperança de que seus pais estivessem no quarto para dar uma notícia do tipo 4. Em geral, o garoto era pessimista, mas parecia fazer uma exceção para as Katherines: sempre achava que voltariam com ele. Aquela sensação de amar e ser amado invadiu seu ser, e ele pôde sentir o gosto da adrenalina no fundo da garganta – e quem sabe não acabou, e quem sabe ele iria poder sentir o toque da mão dela de novo, e ouvir aquela voz alta e aguda se transformando num sussurro na hora de dizer eu-te-amo do jeito rapidinho e baixinho como sempre fizera. Ela falava *eu te amo* como se fosse um segredo; e um dos grandes.

O pai ficou de pé e deu um passo em sua direção.

– A Katherine ligou para o meu celular – ele disse. – Está preocupada com você.

Colin sentiu a mão do pai em seu ombro e, em seguida, os dois se aproximaram e se abraçaram.

– Estamos muito preocupados – a mãe falou. Ela era baixa e tinha cabelos castanhos e encaracolados com uma única mecha branca na frente. – E surpresos – acrescentou. – O que aconteceu?

– Não sei – Colin disse, baixinho, encostado no ombro do pai. – Ela simplesmente... não me aguentava mais. Cansou de mim. Foi o que ela disse.

Aí a mãe se levantou e foi um tal de se abraçarem, braços para todo lado, até que ela começou a chorar. Colin se desvencilhou dos abraços e sentou-se na cama. Sentiu uma necessidade absurda de expulsá-los do quarto imediatamente, como se fosse explodir se não saíssem. Literalmente. As vísceras espalhadas pelas paredes; o cérebro prodigioso jogado na colcha da cama.

– Bom, em algum momento precisaremos sentar e avaliar suas opções – o pai disse. Ele era fã de avaliações. – Não estou tentando ver o lado bom, nem nada, mas parece que agora você terá tempo livre no verão. Um curso de férias na Universidade Northwestern, talvez?

– Quero muito ficar sozinho, só hoje – Colin respondeu, tentando transmitir uma aura de tranquilidade para que os dois fossem embora e ele não explodisse. – Então, podemos fazer essa avaliação amanhã?

– É claro, querido – a mãe respondeu. – Estaremos aqui o dia todo. Desça a hora que quiser, e nós o amamos, e você é tão, tão especial, Colin, e não pode de jeito nenhum deixar que essa garota o faça sentir qualquer coisa diferente disso, porque você é um garoto magnífico e genial...

E, naquele exato momento, o garoto mais especial, magnífico e genial do mundo correu para o banheiro e botou os bofes para fora. Uma explosão, por assim dizer.

— Ah, Colin! — a mãe gritou.

— Só preciso ficar sozinho — ele insistiu, do banheiro. — Por favor.

Quando saiu, os pais tinham ido embora.

Pelas quatorze horas que se seguiram, sem fazer uma pausa sequer para comer, beber ou vomitar de novo, Colin leu e releu o anuário da escola, que recebera apenas quatro dias antes. Tirando o blá-blá-blá costumeiro dos anuários, o seu continha setenta e duas assinaturas. Doze eram só as assinaturas mesmo, cinquenta e seis mencionavam sua inteligência, vinte e cinco diziam que gostariam de tê-lo conhecido melhor, onze falavam que foi legal tê-lo como colega de turma na aula de inglês, sete incluíam as palavras "esfíncter da pupila"[2] e impressionantes *dezessete* terminavam com "Fique tranquilo!". Colin Singleton não poderia *ficar* tranquilo mais que uma baleia-azul poderia *ficar* magrinha ou Bangladesh poderia *ficar* rico. Provavelmente, aquelas dezessete pessoas estavam brincando. Pensou naquilo — e refletiu sobre como vinte e cinco de seus colegas de turma, alguns dos quais haviam frequentado a escola ao seu lado doze anos seguidos, poderiam ter desejado "conhecê-lo melhor". Como se não tivessem tido oportunidade.

Mas, acima de tudo, naquelas quatorze horas, ele leu e releu a dedicatória de Katherine XIX:

Col,
A todos os lugares aonde fomos. E a todos aonde iremos.
E a mim, aqui sussurrando de novo, de novo, de novo e de novo: euteamo.

Para sempre sua, K-a-t-h-e-r-i-n-e

• • •

[2] Mais sobre isso adiante.

Por fim, Colin achou que a cama estava confortável demais para seu estado de espírito e, por isso, deitou de barriga para cima com as pernas esparramadas pelo carpete. Ele começou a criar anagramas de "para sempre sua" até que achou um que lhe agradou: *se um pesar para*. Então ficou deitado ali imaginando se o seu pesar pararia, e repetiu mentalmente a já decorada mensagem, e quis cair no choro, mas em vez disso sentiu apenas uma dor no plexo solar. Chorar é algo *a mais*: é você mais as lágrimas. Mas o sentimento que Colin carregava era um macabro choro ao contrário. Era você menos alguma coisa. Ele ficou pensando naquela expressão – *para sempre* – e sentiu uma queimação logo abaixo da caixa torácica.

Doía como a pior surra que já tomara. E ele já havia tomado muitas.

(DOIS)

Doeu desse jeito até pouco antes das dez da noite, quando um cara um tanto gordo e hirsuto de ascendência libanesa entrou de supetão no quarto de Colin sem bater. Colin virou a cabeça e olhou para ele, os olhos semicerrados.

– Que diabo é isso? – perguntou Hassan, quase gritando.

– Ela terminou comigo – respondeu Colin.

– É, fiquei sabendo. O negócio é o seguinte, *sitzpinkler*,[3] eu adoraria consolar você mas, neste exato momento, o conteúdo da minha bexiga seria suficiente para apagar o incêndio de uma casa inteira. – Hassan passou rápido pela cama e abriu a porta do banheiro. – Meu Deus, Singleton, o que você comeu? Tem cheiro de... AHHH! VÔMITO! VÔMITO! ECAAAAA!

E enquanto Hassan gritava Colin pensou: *Ah, é. A privada. Eu deveria ter dado descarga.*

– Foi mal se eu errei o vaso – Hassan disse assim que voltou. Ele se sentou na beira da cama e deu um chute de leve no corpo prostrado de Colin. – É que eu tive de tapar o nariz com

[3] Palavra alemã, gíria para "maricas", que significa literalmente "homem que mija sentado". Esses alemães excêntricos... têm sempre uma palavra para tudo.

as minhas duas *fugging** mãos, e aí o Rojão aqui ficou balançando livre, leve e solto. Um pêndulo poderoso, aquele *fugger*. – Colin não riu. – Cara, você deve estar mal mesmo, porque (a) piadas com meu Rojão são o meu forte, e (b) quem é que se esquece de dar descarga no próprio vômito?

– Eu só quero ir rastejando até um buraco, cair nele e morrer. – Colin falou com a boca encostada no carpete bege sem transmitir qualquer emoção audível.

– Ah, não – disse Hassan, expirando lentamente.

– Tudo o que eu sempre quis foi que ela me amasse e que eu pudesse fazer algo significativo nessa vida. E olhe só isso. Sério, olhe só isso – ele falou.

– Estou olhando. E tenho que admitir, *kafir*,[4] que não gosto do que estou vendo. Aliás, nem do cheiro que estou sentindo.

Hassan deitou-se na cama e deixou o sofrimento de Colin pairar no ar por um instante.

– Eu sou... Eu sou um fracasso. E se for só isso? E se, daqui a dez anos, eu estiver sentado num *fugging* cubículo processando milhares de dados numéricos e decorando estatísticas de beisebol para poder arrasar na liga virtual, e não tiver a Katherine do meu lado, e não fizer nada de significativo, e for simplesmente um desperdício completo?

Hassan tornou a se sentar, as mãos nos joelhos.

– Viu? É por isso que você precisa acreditar em Deus. Porque eu não tenho a expectativa de ter nem mesmo uma *baia* e vivo mais feliz que um porco chafurdando num monte de merda.

Colin suspirou. Mesmo não sendo *tão* religioso assim, Hassan de vez em quando brincava de tentar converter Colin.

---

* Mais sobre o *fugging* – e variações – adiante. (*N.T.*)

[4] "*Kafir*" vem de uma palavra árabe não muito simpática que significa "não muçulmano", "infiel".

— Tá. Fé em Deus. Boa ideia. Também quero acreditar que posso voar até o espaço sideral montado nas costas macias de pinguins gigantes e transar com a Katherine XIX em gravidade zero.

— Singleton, você precisa acreditar em Deus mais do que qualquer pessoa que eu conheço.

— É, e *você* precisa ir para a faculdade — Colin murmurou.

Hassan resmungou. Um ano mais adiantado que Colin na escola, Hassan tinha tirado o ano "de folga" mesmo tendo passado para a Universidade Loyola de Chicago. Como não tinha feito matrícula em nenhuma matéria para o semestre seguinte, parecia que um ano de folga logo se transformaria em dois.

— Não venha me botar na berlinda — Hassan disse com um sorriso. — Não sou eu quem está *fugged* demais para levantar do carpete, nem para dar descarga no meu próprio vômito, cara. E você sabe por quê? Porque eu tenho o meu Deus.

— Pare de tentar me converter — Colin se queixou, sem parecer achar graça naquilo.

Hassan deu um pulo, imobilizou Colin no chão, um joelho de cada lado do corpo dele, contendo os braços do amigo com as mãos, e começou a gritar:

— Não há outro deus além de Alá e Maomé é Seu Profeta! Repita comigo, *sitzpinkler! La ilaha illa-llah!*[5] — Colin começou a rir, perdendo o fôlego sob o peso de Hassan, que riu também. — Estou tentando salvar seu maldito traseiro de ir para o inferno!

— Ou você sai de cima de mim ou é lá que eu vou parar daqui a pouco — Colin arquejou.

Hassan ficou de pé e, de repente, passou para o modo sério.

— Então, qual é o problema exatamente?

---

[5] A profissão de fé dos muçulmanos, transliterada do árabe: não existe deus a não ser Alá.

— O problema exatamente é que ela *terminou* comigo. Que eu estou sozinho. Ai, meu Deus, estou sozinho de novo. E não é só isso. Eu sou um fracasso total, caso não tenha reparado. Estou em fim de carreira, sou um *ex*. Ex-namorado da Katherine XIX. Ex-prodígio. Ex-cheio de potencial. Atualmente cheio de merda.

Como Colin já explicara várias vezes a Hassan, há uma diferença enorme entre as palavras *prodígio* e *gênio*.

Prodígios conseguem aprender rapidamente o que outras pessoas inventaram; gênios descobrem o que ninguém descobriu. Prodígios aprendem; gênios realizam. A maioria das crianças prodígio não se torna um gênio na idade adulta. Colin tinha quase certeza de que fazia parte dessa maioria desafortunada.

Hassan se sentou na cama, beliscando a barba por fazer que cobria sua papada.

— Mas o verdadeiro problema aqui é o lance de ser gênio ou o lance da Katherine?

— É só que eu amo tanto a Katherine... — Foi a resposta de Colin.

O fato é que, na cabeça de Colin, as duas coisas estavam relacionadas. O problema era que o garoto mais especial, magnífico e genial do mundo era... bem, não era. O Problema mesmo era que *Ele* não era importante. Colin Singleton, célebre menino prodígio, célebre veterano de Conflitos Katherínicos, célebre nerd e *sitzpinkler*, não era importante para a Katherine XIX, e não era importante para o mundo. De repente, ele não era mais o namorado de ninguém nem o gênio de ninguém. E isso — utilizando o tipo de expressão complexa que se esperaria ouvir de um prodígio — era um saco.

— Porque o lance de ser gênio — Hassan continuou como se Colin não tivesse acabado de declarar seu amor — não é nada. Isso só tem a ver com querer ser famoso.

— Não, não é isso. Eu quero ser *importante* — ele disse.

— Certo. Como eu disse, você quer fama. O famoso é o novo popular. E já que você não vai ser uma *fugging America's Next Top Model*, sem a mais puta sombra de dúvida, quer ser o *America's Next Top Genius*, e agora está... e não leve isso para o lado pessoal... choramingando porque isso não aconteceu ainda.

— Você não está ajudando — Colin murmurou com a cara no carpete, e virou o rosto para olhar para Hassan.

— Levante daí — Hassan disse, estendendo a mão. Colin segurou-a, tomando impulso para subir, e depois tentou se desvencilhar dela. Mas Hassan apertou-a ainda mais. — *Kafir*, você está com um problema muito complicado que tem uma solução muito simples.

(TRÊS)

— U**ma viagem de carro** — Colin disse.

Aos pés dele havia uma bolsa de viagem abarrotada e uma mochila, tão cheia que parecia que ia explodir a qualquer instante, contendo apenas livros. Ele e Hassan estavam sentados em um sofá de couro preto. Os pais de Colin sentavam em um sofá idêntico, de frente para os dois.

A mãe balançava a cabeça ritmadamente, como um metrônomo, com ar de reprovação.

— Para *onde*? — ela perguntou. — E *por quê*?

— Sem querer ofender, Sra. Singleton — Hassan falou, colocando os pés em cima da mesa de centro (o que não se deve fazer) —, mas a senhora está meio que não entendendo o espírito da coisa. Não existe um onde nem um por quê.

— Pense em tudo o que você poderia *fazer* nesse verão, Colin. Você poderia aprender sânscrito — disse o pai. — Sei como vem querendo aprender sânscrito.[6] Vai ficar mesmo feliz viajando de carro por aí sem destino certo? Isso não

[6] O que, por mais patético que possa parecer, era verdade. De fato, Colin *vinha* querendo aprender sânscrito — que é tipo o monte Everest das línguas mortas.

combina com você. Francamente, dá a impressão de que está *desistindo*.

— Desistindo de quê, pai?

O homem fez uma pausa. Sempre fazia isso depois de uma pergunta e, quando então falava, as frases saíam inteiras sem "hum", nem "tipo", nem "né" — como se ele tivesse decorado a resposta.

— É doloroso para mim dizer isso, Colin, mas se você quer continuar a evoluir intelectualmente precisa se esforçar agora mais do que nunca. Do contrário, corre o risco de desperdiçar todo o seu potencial.

— Tecnicamente — Colin retrucou —, acho que já posso ter desperdiçado.

Talvez fosse porque Colin nunca tinha causado nenhum desgosto na vida dos pais: ele não bebia, não usava drogas, não fumava, não passava delineador preto nos olhos, não chegava em casa de madrugada, não tirava notas baixas, não colocou piercing na língua, não tatuou as palavras KATHERINE *LUVA 4 LIFE* de um lado a outro nas costas. Ou talvez porque se sentissem culpados, como se de alguma forma tivessem falhado com o garoto, feito ele chegar àquele ponto. Ou talvez porque simplesmente quisessem passar algumas semanas sozinhos, para reacender o romance. Mas, cinco minutos depois de reconhecer que seu potencial fora desperdiçado, Colin Singleton estava ao volante de seu Oldsmobile cinza estilo "banheira" conhecido como Rabecão de Satã.

Dentro do carro, Hassan disse:

— Tá, agora tudo o que precisamos fazer é ir até a minha casa, pegar algumas roupas e, por um milagre do destino, convencer meus pais a me deixarem cair na estrada.

— Você podia dizer que arrumou um emprego temporário esse verão. Tipo, num acampamento ou coisa assim — Colin sugeriu.

— Tá, só que não vou mentir para a minha mãe, porque... que tipo de canalha mente para a própria mãe?

— Humm.

— Mas, é... *outra pessoa* poderia mentir para ela. Eu poderia conviver com isso.

— O.k. — disse Colin.

Cinco minutos depois eles estacionaram em fila dupla numa rua do bairro de Ravenswood, em Chicago, e saltaram do carro ao mesmo tempo. Hassan entrou na casa como um furacão, Colin logo atrás. Na sala de estar lindamente mobiliada, a mãe de Hassan estava recostada em uma poltrona, dormindo.

— Ei, mama — disse Hassan. — Acorde.

Ela despertou de supetão, sorriu e cumprimentou os dois em árabe. Colin respondeu também em árabe, dizendo:

— Minha namorada terminou comigo e eu estou muito deprimido, por isso Hassan e eu vamos partir numa, numa... é... viagem que se faz de carro. Não sei qual é a palavra em árabe para isso.

A Sra. Harbish balançou a cabeça e franziu os lábios.

— Eu não lhe digo para não se meter com garotas? — começou ela, com um forte sotaque. — Hassan bom menino, não faz isso de "namorar". E veja como é feliz. Você deveria aprender com Hassan.

— É isso o que ele vai me ensinar na viagem — disse Colin, embora nada pudesse estar mais longe da verdade.

Hassan voltou rapidamente para a sala carregando uma bolsa de viagem com o zíper fechado até a metade, as roupas transbordando.

— *Ohiboke,*[7] mama — ele disse, inclinando-se para beijá-la no rosto.

De repente, um Sr. Harbish de pijama adentrou a sala de estar e disse em inglês:

---

[7] Do árabe: "Eu te amo."

— Vocês não vão a lugar nenhum.

— Ah, pai. Nós *precisamos* ir. Dê uma olhada nele. O garoto está na pior. — Colin levantou o olhar para o Sr. Harbish e tentou parecer o pior possível. — O Colin vai de qualquer jeito, mas, comigo, pelo menos vai ter alguém que tome conta dele.

— Colin é bom menino — a Sra. Harbish disse para o marido.

— Vou ligar para vocês todos os dias — Hassan acrescentou. — Nós nem vamos ficar longe muito tempo. É só até ele melhorar.

Colin teve uma ideia, totalmente de improviso.

— Vou arrumar um emprego para o Hassan — disse para o Sr. Harbish. — Acho que nós dois precisamos aprender quanto vale o suor do trabalho.

O Sr. Harbish grunhiu, concordando, e então virou-se para Hassan.

— Para começo de conversa, você precisa aprender quanto vale não assistir àquele programa de televisão horrível, da juíza Judy. Se me ligar daqui a uma semana e tiver arrumado emprego, por mim, pode ficar onde quiser e por quanto tempo quiser.

Hassan pareceu não se dar conta dos insultos, e murmurou baixinho:

— Obrigado, pai.

Ele deu dois beijinhos nas bochechas da mãe e saiu apressado pela porta.

— Que babaca! — Hassan disse quando já estavam a salvo dentro do Rabecão. — Uma coisa é me acusar de preguiçoso. Mas difamar o bom nome da melhor juíza da TV norte-americana, isso é golpe baixo.

Hassan pegou no sono por volta de uma da madrugada e Colin, um tanto embriagado pelo café servido com uma quantidade generosa de leite no posto de gasolina e pela revigorante solidão de uma autoestrada no meio da noite, seguiu para o sul pela

I-65, que cruzava Indianápolis. A noite estava quente para início de junho e, como o ar-condicionado do Rabecão de Satã ainda não havia funcionado naquele milênio, as janelas estavam um pouco abertas. E a vantagem de estar ao volante era que o ato de dirigir desviava sua atenção o suficiente – *carro parado no acostamento, talvez a polícia, reduzir para a velocidade permitida, hora de ultrapassar essa carreta, ligar a seta, olhar pelo retrovisor, esticar o pescoço e tentar enxergar o ponto cego e, agora sim, tá, faixa da esquerda* – para distraí-lo do buraco que se abrira em sua barriga.

Na tentativa de manter a mente ocupada, ele pensou em outros buracos em outras barrigas. E se lembrou do arquiduque Francisco Ferdinando, assassinado em 1914. Ao olhar para o furo sanguinolento em seu estômago, o arquiduque dissera: "Não é nada." Mas estava errado. Não há dúvida de que o arquiduque Francisco Ferdinando foi importante, embora não fosse nem prodígio, nem gênio: seu assassinato deflagrou a Primeira Guerra Mundial – sua morte resultou em 8.528.831 outras.

Colin sentia falta da Katherine. A saudade o mantinha mais desperto que o café, e quando Hassan pedira para assumir o volante, uma hora antes, Colin dissera não, porque a direção ajudava a manter sua sanidade – *não ultrapasse os 110 km/h; cara, como meu coração está disparado; odeio o gosto, mas café me deixa tão ligado; tá, e mantenha distância do caminhão; então tá; pista da direita; e agora só o que se vê é o meu farol na escuridão.* Isso evitava que a solidão causada por aquele sentimento de devastação fosse completamente devastadora. Dirigir era um tipo de raciocínio em movimento, o único tipo que Colin conseguia tolerar naquele momento. Mas, mesmo assim, o pensamento continuava à espreita em algum lugar, além do alcance dos faróis: ela havia terminado o namoro com ele. Uma garota chamada Katherine. Pela décima nona vez.

• • •

Quando se trata de garotas (e, no caso de Colin, quase sempre se tratava), todo mundo tem seu tipo. O de Colin Singleton não é físico, mas linguístico: ele gosta de Katherines. E não de Katies, nem Kats, nem Kitties, nem Cathys, nem Rynns, nem Trinas, nem Kays, nem Kates, nem – Deus o livre – Catherines. K-A-T-H-E-R-I-N-E. Já teve dezenove namoradas. Todas chamadas Katherine. E todas elas – cada uma, individualmente falando – terminaram com ele.

Colin estava convencido de que o mundo continha exatamente dois tipos de pessoas: os Terminantes e os Terminados. Muita gente poderá argumentar que se enquadra em ambos, mas quem diz isso não entende direito o "x" da questão: você é predisposto a um destino ou ao outro. Pode ser que um Terminante nem *sempre* parta o coração de alguém e um Terminado nem sempre tenha o coração partido. Mas todo mundo segue uma tendência.[8]

Talvez, àquela altura, Colin já devesse ter se acostumado a isso, à ascensão e declínio dos relacionamentos. Namoros, no fim das contas, acabam de um só jeito: mal. Se você pensar bem, e Colin sempre fazia isso, todo relacionamento amoroso termina ou em (1) rompimento, (2) divórcio ou (3) morte. Mas com Katherine XIX foi diferente – ou pareceu ser diferente, na verdade. Ela o amou, e ele também, intensamente. E ainda a amava – ele se pegou brincando com as palavras em sua cabeça enquanto dirigia: Eu te amo, Katherine. O nome parecia di-

[8] Pode ser útil pensar nisso graficamente. Colin via a dicotomia Terminante/Terminado como uma "curva de sino". A maioria das pessoas fica agrupada no meio; ou seja, são ou ligeiramente Terminados ou ligeiramente Terminantes. Mas aí há as Katherines e seus Colins:

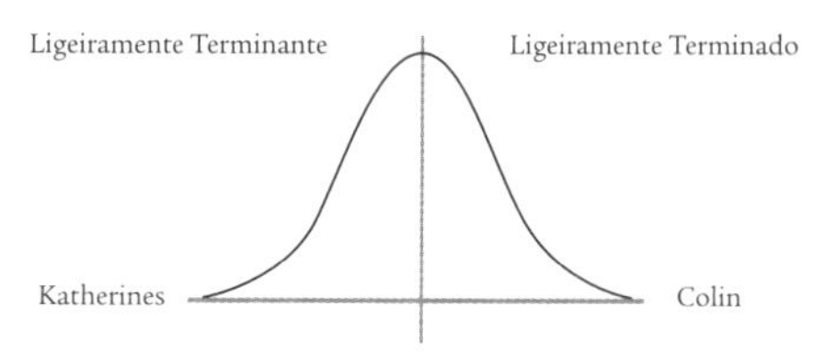

ferente quando dito para ela; deixara de ser o nome pelo qual Colin fora, por tanto tempo, obcecado e passara a ser uma palavra que descrevia exclusivamente ela, uma palavra com aroma de lilases, que capturava o azul de seus olhos e o comprimento de seus cílios.

Enquanto o vento soprava pelas janelas entreabertas, Colin pensava nos Terminantes, nos Terminados e no arquiduque. No banco de trás, Hassan roncava e fungava como se sonhasse que era um pastor alemão. Colin sentia a queimação incessante na barriga, e pensava: *Isso é tudo tão INFANTIL... PATÉTICO. VOCÊ É UMA VERGONHA. PARE COM ISSO PARE COM ISSO PARE COM ISSO.* Mas ele não sabia bem ao certo o que era "isso".

Katherine I: O Começo (do Começo)

Os pais de Colin sempre acharam que ele fosse simplesmente normal, até uma certa manhã de junho. Um Colin de 2 anos e 1 mês estava sentado em uma cadeira alta tomando um café da manhã de origem vegetal indeterminada enquanto o pai lia o jornal *Chicago Tribune* do outro lado da pequena mesa na cozinha. Colin era magrinho para a idade, mas alto, com cachinhos castanhos que brotavam da cabeça com uma imprevisibilidade einsteiniana.

— Três motos em West Side — Colin disse depois de engolir uma colherada. — Não quer mais verdinho — ele acrescentou, referindo-se à comida.

— Que foi que cê disse, garotão?

— Três motos em West Side. Eu quero batata frita por favor obrigado.[9]

O pai de Colin virou o jornal e olhou para o título enorme da matéria logo acima da dobra na primeira página. A cena é a lembrança mais antiga de Colin: o pai baixando o jornal devagarinho e sorrindo para ele. Os olhos do homem estavam arregalados de surpresa e satisfação, e ele não conseguia desfazer o largo sorriso.

— CINDY! O GAROTO ESTÁ LENDO O JORNAL! — ele gritou.

Os pais de Colin eram do tipo que gostava muito mesmo de ler. A mãe ensinava francês na prestigiosa e cara Escola Kalman, no centro da cidade, e o pai era professor de sociologia na Universidade Northwestern, na zona norte da cidade. Então, depois dos três mortos em West Side, os pais de Colin começaram a ler com ele, em qualquer lugar e a todo momento — principalmente em inglês, mas também livros ilustrados com texto em francês.

---

[9] Como um macaco sabido, Colin possuía um vocabulário extenso, mas pouco conhecimento gramatical. Além disso, não sabia pronunciar direito a palavra "mortos". Você deve perdoá-lo. Ele tinha 2 anos.

Quatro meses depois os pais o levaram a uma creche maternal para crianças superdotadas. O lugar disse que Colin estava muito adiantado para eles e que, mesmo assim, não aceitavam crianças que ainda não tivessem largado as fraldas. E encaminharam Colin para uma psicóloga na Universidade de Chicago.

E, assim, o prodígio periodicamente incontinente acabou num consultório pequeno e sem janelas no bairro South Side, conversando com uma mulher de óculos de armação grossa, que pediu a ele que encontrasse padrões num conjunto de letras e números. E pediu que ele virasse polígonos ao contrário. Perguntou qual imagem não combinava com as outras. Fez uma série interminável de perguntas maravilhosas e isso fez Colin adorá-la. Até aquele momento, a maioria das perguntas que lhe eram feitas girava em torno do fato de ele ter ou não mijado nas calças, ou de poder, por favor, comer só mais uma colherada dos verdinhos detestáveis.

Depois de uma hora de perguntas, a mulher disse:

— Quero agradecer a você por sua paciência extraordinária, Colin. Você é uma pessoa muito especial.

Você é uma pessoa muito especial. Colin ouvia muito aquela frase e, ainda assim, de alguma forma, não se cansava dela.

A mulher de óculos de armação grossa chamou a mãe dele no consultório. Enquanto dizia à Sra. Singleton que Colin era um gênio, um menino muito especial, ele brincava com blocos de madeira com as letras do alfabeto. Acabou com uma farpa no dedo enquanto rearrumava v-a-s-o em s-o-v-a — o primeiro anagrama que se lembra de ter feito.

A professora disse à Sra. Singleton que os talentos inatos de Colin deveriam ser encorajados, mas sem pressão, e advertiu-a:

— Você não deve alimentar expectativas exageradas. Crianças como Colin processam informações muito rapidamente. Elas demonstram uma capacidade admirável de se concentrar em suas tarefas. Mas as chances dele de ganhar um Prêmio Nobel não são maiores do que as de qualquer outra criança razoavelmente inteligente.

Naquela noite o pai levou para casa, de presente, um livro novo para ele: *O pedaço perdido*, de Shel Silverstein. Colin se sentou no sofá ao lado do pai e suas mãos pequenas folhearam as páginas enormes enquanto ele lia o livro rapidamente, parando apenas para perguntar se "tô" era o mesmo que "estou". Colin fechou o livro com veemência ao terminar a leitura.

— Você gostou? — o pai perguntou.

— Gostei — Colin respondeu.

Ele gostava de todos os livros, porque adorava o simples ato de ler, a magia de transformar os rabiscos de uma página em palavras dentro da cabeça.

— De que fala o livro? — o homem perguntou.

Colin colocou o exemplar no colo do pai e respondeu:

— O círculo perdeu um de seus pedaços. O pedaço perdido tem o formato de uma *pizza*.

— De uma *pizza* ou de uma *fatia* de *pizza*? — Sorrindo, o pai colocou as mãos em cima da cabeça de Colin.

— É, papai. Uma fatia. Aí o círculo sai procurando o seu pedaço. Ele acha um monte de pedaços errados. Aí encontra o pedaço certo. Mas ele acaba deixando o pedaço para trás. E aí termina.

— Às vezes você se sente como um círculo que perdeu um de seus pedaços? — o pai perguntou.

— Pai, eu não sou um círculo. Sou um menino.

E o sorriso do pai amarelou um pouco — o prodígio conseguia ler, mas não conseguia enxergar. Se pelo menos Colin tivesse percebido que um pedaço seu estava faltando, que sua incapacidade de se ver na história de um círculo era um problema insolúvel, poderia ter se dado conta de que o resto do mundo iria alcançá-lo conforme o tempo fosse passando. Pegando emprestada outra história que ele havia guardado na memória mas que não tinha entendido direito: se pelo menos tivesse sabido que a história da tartaruga e da lebre é sobre algo mais que uma tartaruga e uma lebre, poderia ter se poupado de um volume considerável de problemas.

Três anos mais tarde, ele foi matriculado no primeiro ano da Escola Kalman – como bolsista integral, porque a mãe dava aula lá –, só um ano mais novo que a maioria de seus colegas de turma. O pai o estimulou a estudar mais e com mais afinco, mas ele não era o tipo de prodígio que entra para a faculdade com 11 anos. Os pais achavam que deviam mantê-lo em uma linha educacional mais ou menos normal, para efeito do que se referiam como "bem-estar sociológico" dele.

Mas o estar sociológico dele nunca ia tão bem assim. Colin não era muito bom em fazer amigos. Ele e os colegas de turma simplesmente não gostavam das mesmas coisas. Seu passatempo preferido durante o recreio, por exemplo, era se fingir de robô. Ia andando até chegar perto de Robert Caseman, marchando com as pernas duras e esticadas, balançando os braços enrijecidos. Com uma voz monótona, Colin dizia:

– EU SOU UM ROBÔ. CONSIGO RESPONDER QUALQUER PERGUNTA. VOCÊ QUER SABER QUEM FOI O DÉCIMO QUARTO PRESIDENTE DOS ESTADOS UNIDOS?

– Tá – dizia Robert. – Minha pergunta é: por que você é tão retardado, Cólon Canceroso? – Embora o nome de Colin terminasse em "in", a brincadeira preferida de Robert Caseman no primeiro ano era chamá-lo de "Cólon", "Cólon Canceroso", até Colin chorar, o que geralmente não demorava muito a acontecer, porque Colin era o que a mãe classificava como "sensível". Pelo amor de Deus, ele só queria brincar de robô. O que havia de tão errado nisso?

No segundo ano, Robert Caseman e sua "gangue" amadureceram um pouco. Percebendo, por fim, que as palavras não machucam, mas paus e pedras podem com certeza quebrar alguns ossos, eles inventaram o Abdominável Homem das Neves.[10] Ordenavam que Colin deitasse no chão (e por algum motivo ele obedecia), e então quatro caras pegavam cada um de seus membros e puxavam. Parecia a prática medieval de evisceração e desmembramento, mas com garotos de 7 anos puxando não era fatal, só constrangedora e ridícula. Aquilo o fazia se sentir como se ninguém gostasse dele, o que, honestamente, era a mais pura verdade. Seu único consolo era que, um dia, ele seria importante. Seria famoso. E nenhum daqueles caras jamais seria. Era por isso, dizia sua mãe, que o ridicularizavam. "Eles estão é com *inveja*", ela dizia. Mas Colin sabia que não era isso. Não estavam com inveja. Ele simplesmente não era "gostável". Às vezes é simples assim.

Por isso, tanto Colin quanto os pais ficaram satisfeitos e aliviados quando, logo depois do início das aulas do terceiro ano, Colin Singleton comprovou seu bem-estar sociológico ao conquistar (por um curto período) o coração da menina de 8 anos mais bonita de toda Chicago.

---

[10] Que fique registrado que foi *Colin* quem inventou o nome. Os outros chamavam aquilo de "O Alongamento", mas aí, certa vez, quando estavam prestes a atacá-lo, Colin gritou: "Não façam o Abdominável Homem das Neves comigo!" Foi um nome tão inteligente que pegou.

(QUATRO)

Colin estacionou numa parada de beira de estrada perto de Paducah, no Kentucky, por volta das três da madrugada, baixou o encosto do banco até espremer as pernas de Hassan contra o assento traseiro e dormiu. Acordou umas quatro horas depois – Hassan o chutava pelo encosto.

– *Kafir*, estou paralisado aqui atrás. Levante essa merda desse encosto. Eu preciso rezar.

Colin estivera sonhando com seus melhores momentos junto de Katherine. Estendeu o braço para baixo e puxou a alavanca, o encosto pulando para a frente num tranco.

– *Fug* – disse Hassan. – Será que alguma coisa morreu na minha garganta ontem à noite?

– Humm, eu estou dormindo.

– Porque minha boca está com gosto de caixão destampado. Você trouxe pasta de dente?

– Existe uma palavra para isso, na verdade. *Fetor hepaticus*. Acontece nos estágios avançados de...

– Isso não é interessante – falou Hassan, que era o que ele dizia sempre que Colin saía por uma tangente aleatória. – Pasta de dente?

— Na nécessaire dentro da bolsa de viagem na mala do carro — respondeu Colin.[11]

Hassan saiu e bateu a porta, e alguns minutos depois fechou a mala do carro com um estrondo. Colin esfregou os olhos e achou que era melhor acordar de uma vez. Enquanto Hassan ajoelhava no chão de cimento do lado de fora, virado para Meca, Colin foi ao banheiro. (Alguém tinha pichado na porta do reservado: LIGUE-ME PARA CHUPETA. Colin ficou se perguntando se a pessoa estava oferecendo um boquete ou uma carga elétrica na bateria e, pela primeira vez desde que ficara deitado e imóvel no carpete do quarto, entregou-se a sua maior paixão: Ligue-me para chupeta; Um tal pica-pau herege.)

Ele saiu andando no calor do Kentucky e se sentou a uma mesa de piquenique de frente para Hassan, que parecia estar agredindo a mesa com o canivete preso no chaveiro.

— O que você está fazendo? — Colin dobrou os braços em cima da mesa e baixou a cabeça.

— Bom, enquanto você estava no banheiro, eu me sentei nesta mesa de piquenique aqui no Cu do Mundo, Kentucky, e reparei que alguém tinha entalhado DEUS ODEIA GUEI, o que, além de ser um pesadelo ortográfico, é absolutamente ridículo. Então estou mudando isso para "Deus odeia baguetes". É muito difícil discordar disso. *Todo mundo* odeia baguetes.

— *J'aime les baguettes* — murmurou Colin.

— Você *aime* muitas porcarias.

Enquanto Hassan se esforçava para escrever Deus odeia baguetes, a cabeça de Colin viajou dessa forma: (1) baguetes, (2) Katherine XIX, (3) o colar de rubis que comprara para ela cinco meses e dezessete dias antes, (4) a maioria dos rubis vem da Índia, que (5) era colônia do Reino Unido, da qual

[11] Mas o fato é que se chamava *fetor hepaticus* mesmo: um sintoma do estágio avançado de insuficiência hepática. Basicamente, o que acontece é que seu hálito fica com o cheiro de um cadáver em decomposição.

(6) Winston Churchill foi primeiro-ministro, e (7) não é interessante o fato de que vários políticos do bem, como Churchill e Gandhi, eram carecas enquanto (8) vários ditadores do mal, como Hitler, Stalin e Saddam Hussein, usavam bigode? Mas (9) Mussolini só usava bigode de vez em quando, e (10) vários cientistas de renome tinham bigode, como o italiano Ruggero Oddi, que (11) descobriu (e batizou em própria homenagem) o esfíncter de Oddi no trato gastrintestinal, que é apenas um entre vários esfíncteres menos conhecidos, como (12) o esfíncter da pupila.

E por falar nisso: quando Hassan Harbish apareceu na Escola Kalman no primeiro ano do ensino médio, depois de uma década de ensino domiciliar, ele era bastante inteligente, embora não tão prodigioso. Naquele outono, ele cursou Matemática 1 na turma de Colin, que era do nono ano. Mas os dois nunca se falavam, porque Colin havia desistido de fazer amizade com pessoas que não se chamassem Katherine. Ele odiava quase todos os alunos da Kalman, o que não chegava a ser um problema, já que a maioria também o odiava.

Depois de umas duas semanas de aula, Colin levantou a mão e a Srta. Sorenstein falou:

— Pois não, Colin?

Ele estava com a mão no olho esquerdo, por baixo da lente dos óculos, visivelmente sentindo algum tipo de desconforto.

— Posso sair da sala um instantinho? — perguntou.

— É muito importante?

— Acho que tem um cílio no esfíncter da minha pupila — respondeu Colin, e a turma inteira caiu na gargalhada.

A Srta. Sorenstein o deixou sair e ele foi ao banheiro, onde, com ajuda do espelho, tirou o cílio do olho, local onde se situa o esfíncter da pupila.

Depois da aula, Hassan achou Colin comendo um sanduíche de manteiga de amendoim sem geleia na grande escadaria de pedra da entrada dos fundos da escola.

— Olhe só... — disse Hassan. — Hoje é meu nono dia numa escola, em toda a minha vida, e mesmo assim já consegui, de alguma forma, perceber o que você pode e o que não pode falar. E você não pode falar nada a respeito de seu esfíncter.

— É uma parte do olho — Colin disse, na defensiva. — Eu estava sendo inteligente.

— Aqui, cara. Você precisa levar em conta sua plateia. Isso teria feito o maior sucesso num congresso de oftalmologia, mas, na aula de Matemática, todo mundo só ficou tentando imaginar como diabos você conseguiu enfiar um cílio *lá*.

E foi aí que os dois ficaram amigos.

— Preciso confessar, não sou muito fã do Kentucky — Hassan disse.

Colin levantou a cabeça, apoiando o queixo nos braços. Ele percorreu com os olhos a parada de beira de estrada por um instante. Seu pedaço perdido não estava ali.

— Tudo aqui também me faz me lembrar dela. Planejávamos visitar Paris. Quer dizer, eu nem quero ir a Paris, mas fico só imaginando como a Katherine ia ficar empolgada no Louvre. Nós iríamos a restaurantes finos e talvez bebêssemos vinho tinto. Chegamos até a procurar hotéis na Internet. Poderíamos ter feito isso com o dinheiro do *KranialKidz*.[12]

— Cara, se o Kentucky faz você se lembrar de Paris, nós estamos mal mesmo.

Colin se sentou e olhou para a grama malcortada da parada de beira de estrada. E então olhou para o trabalho habilidoso que Hassan havia realizado na mesa.

— *Baguetes* — Colin explicou.

— Ai, meu Deus! Dá essas chaves aqui.

---

[12] Mais sobre isso adiante, mas, basicamente: um ano antes, mais ou menos, Colin tivera acesso a uma certa quantia em dinheiro.

Colin colocou a mão no bolso e jogou as chaves displicentemente para o outro lado da mesa. Hassan apanhou-as enquanto se levantava e foi na direção do Rabecão de Satã. Colin o seguiu, desanimado.

Sessenta quilômetros adiante na estrada, ainda no Kentucky, Colin havia se aconchegado junto à janela do carona e estava começando a pegar no sono quando Hassan anunciou:

– O Maior Crucifixo de Madeira do Mundo: Próxima Saída!

– Nós não vamos parar para ver o Maior Crucifixo de Madeira do Mundo.

– Ah, se vamos – disse Hassan. – Deve ser enorme!

– Hass, por que nós pararíamos para ver o Maior Crucifixo de Madeira do Mundo?

– Essa é uma *viagem de carro*! É uma *aventura*! – Hassan bateu no volante para enfatizar sua empolgação. – Não é como se tivéssemos um lugar para *ir*. Você quer mesmo morrer sem nunca ter visto o Maior Crucifixo de Madeira do Mundo?

Colin ponderou sobre aquilo.

– Quero. Em primeiro lugar, nem eu nem você somos cristãos. Em segundo, passar o verão inteiro correndo atrás de atrações turísticas idiotas de beira de estrada não vai ajudar em nada. E, em terceiro, crucifixos me fazem me lembrar dela.

– Quem?

– *Ela*.

– *Kafir*, ela era *ateia*!

– Nem sempre – Colin disse baixinho. – Ela usava um pingente de crucifixo, há muito tempo. Antes de a gente namorar.

Ele olhou pela janela, pinheiros passavam depressa. Sua memória imaculada invocou o crucifixo de prata.

– Seu nível de *sitzpinklerice* me dá nojo – disse Hassan, mas pisou fundo no acelerador do Rabecão e continuou em frente, passando batido pela saída.

(CINCO)

Duas horas depois de terem desistido de ver o Maior Crucifixo de Madeira do Mundo, Hassan tocou de novo no assunto.

— Você já sabia que o Maior Crucifixo de Madeira do Mundo ficava no Kentucky? — gritou, a janela aberta, a mão esquerda balançando em ondas com a força do vento.

— Só descobri isso hoje — Colin respondeu. — Mas sei que a maior *igreja* de madeira do mundo fica na Finlândia.

— Isso não é interessante — disse Hassan.

Cada "isso não é interessante" de Hassan havia ajudado Colin a perceber o que as outras pessoas gostavam e o que não gostavam de ouvir. Colin nunca tivera essa percepção antes de Hassan, porque todo mundo ou fingia que estava interessado ou o ignorava. Ou então, no caso das Katherines, fingia e depois ignorava. Graças à lista compilada por Colin de coisas que não eram interessantes,[13] ele conseguia manter diálogos razoavelmente normais.

---

[13] Entre muitos e muitos outros, os itens a seguir, definitivamente, não são interessantes: o esfíncter da pupila, a mitose, a arquitetura barroca, piadas que terminavam com equações físicas, a monarquia britânica, a gramática russa e o papel significativo que o sal desempenhou na história da humanidade.

Depois de trezentos quilômetros e uma parada para abastecer, tendo saído a salvo do Kentucky, eles estavam a meio caminho entre Nashville e Memphis. O vento que entrava pelas janelas abertas havia secado o suor dos dois sem chegar exatamente a refrescá-los, e Colin se perguntava como poderiam encontrar um lugar com ar-condicionado quando reparou num letreiro pintado à mão acima de uma plantação de algodão, milho, soja ou algo do gênero.[14] SAÍDA 212 — VISITE O TÚMULO DO ARQUIDUQUE FRANCISCO FERDINANDO — O CADÁVER QUE DEFLAGROU A PRIMEIRA GUERRA MUNDIAL.

— Isso simplesmente não parece plausível – Colin comentou, baixinho.

— Só estou dizendo que deveríamos ir *a algum lugar* – Hassan falou, sem dar ouvidos a ele. – Quer dizer, eu gosto dessa interestadual tanto quanto qualquer outra pessoa, mas se continuarmos seguindo para o sul, vai ficar cada vez mais quente, e eu já estou suando como uma prostituta dentro de uma igreja.

Colin esfregou a mão no pescoço dolorido, pensando que de jeito nenhum passaria outra noite no carro se tinha dinheiro suficiente para pagar um quarto de hotel.

— Você viu aquela placa? – ele perguntou.

— Que placa?

— Aquela falando do túmulo do arquiduque Francisco Ferdinando.

Desviando completamente os olhos da estrada, Hassan virou-se para Colin, abriu um amplo sorriso e deu um soquinho no ombro do amigo.

— Excelente. *Excelente*. E, de qualquer forma, é hora do almoço.

• • •

[14] Identificar plantações não está entre os talentos de Colin.

Assim que Colin saltou do carro no estacionamento da lanchonete Hardee's, na Saída 212, no condado de Carver, Tennessee, ligou para a mãe.

— Oi, estamos no Tennessee.

— E como você está se sentindo agora, querido?

— Melhor, acho. Não sei. Está quente aqui. Alguém, humm, alguém ligou?

A mãe fez uma pausa, e Colin pôde *sentir* a desagradável piedade que havia nela.

— Sinto muito, meu amor. Vou dizer para, humm, alguém, ligar para o seu celular.

— Obrigado, mãe. Preciso ir agora. Vou almoçar no Hardee's.

— Parece uma boa ideia. Não se esqueça do cinto de segurança! Amo você!

— Eu também.

Após um implacavelmente gorduroso Monster Thickburger na lanchonete vazia, Colin perguntou para a mulher da caixa registradora, cujo corpo parecia ter sofrido os efeitos da ingestão de uma quantidade talvez grande demais de refeições no local de trabalho, como chegar ao túmulo do Francisco Ferdinando.

— Quem? — ela perguntou.

— O arquiduque Francisco Ferdinando.

A mulher ficou olhando para ele sem esboçar qualquer reação por um instante, mas então seus olhos se arregalaram.

— Ah, cês tão procurando Gutshot. Garoto, cê tá indo pra roça, hem?

— Gutshot?

— É. Bem, o que cê precisa fazer agora é sair do estacionamento e virar à direita, quer dizer, saindo da autoestrada. E aí, uns três quilômetros daqui, a rua vai fazer um T. Tem um posto de gasolina Citgo abandonado por lá. Cê pega a direita naquela rua e aí cê vai dirigir um tempão sem ver nada de um lado nem de outro por uns quinze ou vinte quilômetros. Cê vai subir um pedacinho de uma colina e aí cê chega em Gutshot.

— Gutshot?

— Gutshot, Tennessee. Foi pra lá que levaram o arquiduque.

— Então eu pego a direita e depois viro à direita de novo.

— Isso aí. Espero que cês se divirtam por lá, viu?

— Gutshot — Colin repetiu baixinho. — Tá, obrigado.

Parecia que a tal estrada de quinze a vinte quilômetros tinha ficado bem no epicentro de um terremoto, e depois nunca mais foi asfaltada. Colin dirigia com cuidado, mas, ainda assim, os amortecedores gastos do Rabecão rangiam e gemiam nos intermináveis buracos e ondulações do asfalto.

— Talvez a gente não precise ver o arquiduque — disse Hassan.

— Essa é uma *viagem de carro*. É uma *aventura* — Colin respondeu, imitando-o.

— Você acha que os moradores de Gutshot, Tennessee, já viram um árabe de carne e osso na frente deles?

— Ah, não seja tão paranoico.

— Ou então, por falar nisso, acha que já viram alguém assim como você, com esse cabelo cacheado tipo judeu-afro?

Colin ponderou sobre aquilo por um momento e então disse:

— Bem, a mulher do Hardee's foi legal com a gente.

— Tá, mas a moça no Hardee's chamou Gutshot de "roça" — Hassan argumentou, imitando o sotaque da mulher. — Quer dizer, se o Hardee's é urbano, não sei se quero ver o que é rural.

Hassan continuou com sua diatribe e Colin sorriu e deu risadinhas nas horas certas, mas simplesmente continuou dirigindo, calculando a probabilidade de o arquiduque, que havia morrido em Sarajevo mais de noventa anos antes, e que havia surgido do nada na cabeça de Colin na noite anterior, acabar entre ele e qualquer que fosse o lugar para onde estava indo. Aquilo era irracional, e Colin odiava pensar irracionalmente, mas não pôde evitar cogitar se o fato de estar na presença do arquiduque talvez pudesse lhe revelar algo a respeito de seu pedaço perdido. Mas Colin sabia que o universo não conspirava para colocar uma pessoa em um local em vez de em outro. E pensou em Demócrito: "Em todo lugar o homem culpa a natureza e o destino, embora seu destino seja nada mais que o eco de seu caráter e suas paixões, seus erros e suas fraquezas."[15]

Então não foi uma obra do destino, mas sim o caráter e as paixões de Colin Singleton, seus erros e suas fraquezas que o levaram a Gutshot, Tennessee — POPULAÇÃO 864, como se podia ler na placa à beira da estrada. Num primeiro momento, Gutshot se pareceu com tudo o que veio antes dela, a única diferença era a estrada, mais bem-asfaltada. Dos dois lados do Rabecão, campos de abóbora, plantas luminosamente verdes que se estendiam num cinza infinito, interrompidas apenas por um eventual pasto de cavalos, um celeiro ou grupos isolados de árvores. Depois de algum tempo, Colin viu à sua frente, na beira da estrada, uma construção de dois andares feita de tijolos de cimento pintados de um cor-de-rosa pavoroso.

— Acho que Gutshot é aqui — ele disse, balançando a cabeça na direção do prédio.

Ao lado, uma placa pintada a mão dizia:

REINO DE GUTSHOT — LOCAL DO DESCANSO ETERNO DO ARQUIDUQUE FRANCISCO FERDINANDO / CERVEJA GELADA / REFRIGERANTES / ISCAS.

---

[15] Em grego, para os curiosos: Οπου το άτομο κατηγορεί τη φύση και τη μοίρα, όμως η μοίρα του είναι συνήθως αλλά η ηχώ του χαρακτήρα και των παθών του, των λαθών και των αδυναμιών του.

Colin manobrou o carro para entrar no estacionamento de cascalho da loja. Enquanto soltava o cinto de segurança, falou para Hassan:

– Só queria saber se eles guardam o arquiduque com o refrigerante ou com a isca.

A gargalhada sonora de Hassan ecoou pelo carro.

– Merda, Colin fez uma piadinha. Esse lugar é mágico para você. Só é uma pena o jeito como vamos morrer aqui. Tipo, falando sério. Um árabe e um meio-judeu entram numa loja no Tennessee. É o começo de uma piada, e no final vai ter a palavra "sodomia".

Mesmo assim, Colin ouvira Hassan atrás dele, arrastando os pés pelo cascalho do estacionamento.

Os dois passaram por uma porta de tela e entraram na Mercearia Gutshot. De trás do balcão, uma garota de nariz longilíneo e empinado e olhos castanhos que deviam ser do tamanho de alguns planetas menores levantou o olhar de um exemplar da revista *Celebrity Living* e disse:

– Como cês tão?

– Bem. E você? – Hassan perguntou enquanto Colin ponderava se em toda a história da humanidade alguma alma que valesse a pena teria lido um exemplar sequer da *Celebrity Living*.[16]

– Tô bem – disse a garota.

Eles ficaram explorando a loja por um tempo, andando pelo piso empoeirado de madeira envernizada, fingindo estar escolhendo entre os vários pacotes de biscoitos salgados, as bebidas e os peixinhos nadando em tanques de iscas. Meio

[16] Traduzindo isso Venn-diagramaticamente, Colin teria argumentado que o mundo é dividido assim:

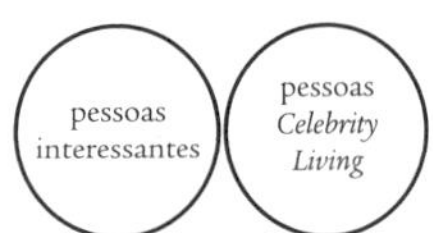

agachado atrás de uma prateleira de sacos de batatas fritas que ia até a altura do peito, Colin puxou a camisa de malha de Hassan, colocou a mão em forma de concha no ouvido do amigo e sussurrou:

— *Fale* com ela.

Só que, na verdade, Colin não sussurrou, porque nunca dominara a arte de sussurrar — ele meio que falou com um tom de voz ligeiramente mais baixo bem no tímpano de Hassan.

Hassan se encolheu e balançou a cabeça negativamente.

— Qual é a superfície total, em quilômetros quadrados, do estado do Kansas? — ele sussurrou.

— Humm, uns 211.800. Por quê?

— Nada. É que eu acho interessante o fato de você saber isso mas não conseguir encontrar um jeito de falar sem usar as cordas vocais.

Colin começou a explicar que até mesmo um sussurro envolve a *utilização* das cordas vocais, mas Hassan só revirou os olhos. Então levou a mão até o rosto e mordiscou a almofada do polegar enquanto olhava para Hassan, esperançoso, mas o amigo já havia desviado sua atenção para os sacos de batata frita e, por isso, acabou sobrando para Colin. Ele andou até o balcão e disse:

— Oi, nós estamos querendo saber a respeito do arquiduque.

A leitora da *Celebrity Living* abriu um sorriso. As bochechas salientes e o nariz longilíneo desapareceram. Ela possuía o tipo de sorriso largo e matreiro que não lhe deixa opção senão acreditar — só dava vontade de fazê-la feliz para poder continuar vendo aquele sorriso. Mas ele sumiu de repente.

— As visitas começam de hora em hora, custam 11 dólares e, pra ser sincera, não valem o ingresso — ela respondeu num tom de voz monótono.

— Vamos pagar — Hassan disse, aparecendo atrás de Colin de repente. — O garoto precisa ver o arquiduque. — E então

Hassan inclinou o corpo para a frente e fingiu sussurrar: – Ele está à beira de um ataque de nervos. – Hassan colocou 22 dólares no balcão, os quais a garota prontamente deslizou para dentro do bolso do short, ignorando solenemente a caixa registradora à sua frente.

A menina soprou um cacho do cabelo castanho-avermelhado da frente do rosto e suspirou.

– Tá quente lá fora – ela comentou.

– Vai ser, tipo, uma visita guiada? – Colin perguntou.

– É. E pra minha infelicidade eterna sou eu a guia turística.

Ela saiu de trás do balcão. Baixa. Magra. O rosto mais interessante que bonito.

– Meu nome é Colin Singleton – ele disse para a guia turística/caixa de mercearia.

– Lindsey Lee Wells – ela falou, estendendo a mão pequena, as unhas com um esmalte cor-de-rosa cintilante descascado.

Ele apertou a mão dela, que então se virou para Hassan.

– Hassan Harbish. Muçulmano sunita. Não terrorista.

– Lindsey Lee Wells. Metodista. Também não.

A garota sorriu de novo. Colin não estava pensando em nada além dele mesmo, da K-19 e do pedaço de sua barriga que fora tirado do lugar, mas não havia como negar o sorriso dela. Aquele sorriso seria capaz de pôr fim a guerras e curar o câncer.

Por um bom tempo eles seguiram atravessando o terreno atrás da loja, com o mato na altura dos joelhos – o que causou irritação na pele sensível das panturrilhas expostas de Colin. Ele pensou em mencionar isso e perguntar se, quem sabe, não haveria algum trecho recém-aparado pelo qual pudessem andar, mas sabia que Hassan acharia que aquilo era *sitzpinklerice*, então permaneceu calado enquanto o capim lhe dava comichões. Ele pensou em Chicago, onde uma pessoa pode passar dias sem pisar uma vez sequer num trecho de terra de verdade. Aquele mundo perfeitamente asfaltado o atraía, e Colin sentia falta dele quando seus pés pousavam nos desníveis da terra batida, que podiam fazê-lo torcer o tornozelo.

Enquanto Lindsey Lee Wells andava à frente dos dois (numa atitude típica de uma leitora da *Celebrity Living*; evitando falar com eles), Hassan simplesmente seguiu ao lado de Colin. E ainda que Hassan, tecnicamente falando, não o tenha chamado de *sitzpinkler* por ser alérgico ao mato, Colin sabia que o amigo teria feito isso, o que o incomodou. E então Colin, mais uma vez, puxou o assunto que menos agradava a Hassan:

— Eu já falei hoje que você deveria ir para a faculdade?

Hassan revirou os olhos.

— Tá, eu sei. Quer dizer, veja só aonde a excelência acadêmica levou você.

Colin não conseguiu pensar numa resposta à altura.

— Bem, mas você deveria ir esse ano. Não dá para você não ir para sempre. Você só precisa se inscrever nas matérias a partir de 15 de julho.

(Colin checara isso.)

— Na verdade eu *posso* não ir para sempre, sim. Já disse antes e vou dizer de novo: gosto de ficar coçando o saco, vendo TV e engordando. Esse é o grande trabalho da minha vida, Singleton. E é por isso que adoro viagens de carro, cara. É como estar fazendo alguma coisa sem, na verdade, fazer nada. De qualquer forma, meu pai não fez faculdade e é rico que nem um porco.

Colin ficou se perguntando como porcos podem ser ricos, mas apenas disse:

— Tá, mas também seu pai não fica coçando o saco. Ele trabalha, tipo, umas cem horas por semana.

— Verdade. Verdade. E é graças a ele que eu não tenho que trabalhar *nem* fazer faculdade.

Colin não tinha reposta para aquilo. Mas simplesmente não conseguia entender a apatia de Hassan. Qual o sentido de estar vivo se você nem ao menos tenta fazer algo extraordinário? Que estranho acreditar que um Deus lhe deu a vida e, ao mesmo tempo, achar que a vida não espera de você nada mais que ficar vendo TV.

Mas, pensando bem, alguém que acabou de cair na estrada para fugir das lembranças de sua décima nona Katherine, e que está se arrastando pelo centro-sul do Tennessee a caminho do túmulo de um falecido arquiduque austro-húngaro, talvez não tenha o direito de sair por aí achando nada estranho.

E Colin estava ocupado criando anagramas para *nada estranho — santa ordenha, tá nada senhor, DNA nesta hora* — quando deixou o próprio DNA orgulhoso: tropeçou num montículo de terra e caiu. Ele ficou tão desorientado com a visão do solo se aproximando depressa que nem chegou a esticar os braços para a frente e tentar aparar a queda com as mãos. Apenas caiu para a frente como se tivesse levado um tiro nas costas. A primeira coisa que tocou o chão foram seus óculos, seguidos imediatamente pela testa, que bateu em uma pequena pedra pontuda.

Colin rolou para o lado e parou de barriga para cima.

— Eu caí — anunciou em alto e bom som.

— Merda! — Hassan gritou, e quando Colin abriu os olhos, viu a imagem embaçada do amigo e de Lindsey Lee Wells se ajoelhando e olhando para ele.

O perfume dela era forte e frutado, e Colin presumiu que se chamava Curve. Ele havia comprado um vidro desse para a Katherine XVII, mas ela não gostou da fragrância.[17]

---

[17] "Parece que eu esfreguei no pescoço chiclete de framboesa mastigado", ela disse, mas não era isso — não exatamente. O cheiro era de *perfume* de chiclete sabor framboesa, que, na verdade, era um aroma muito gostoso.

— Estou sangrando, não estou? — Colin perguntou.

— Como um porco no abate — Lindsey disse. — Fica quieto. — Ela virou-se para Hassan e disse: — Dá aqui sua camisa. — Ao que o garoto imediatamente respondeu "não", o que Colin deduziu ter algo a ver com os peitinhos protuberantes de Hassan. — A gente precisa fazer pressão no machucado — Lindsey explicou para Hassan, que calmamente negou-se, de novo, e ela retrucou: — Jesus Cristo... tá bem. — Ela tirou a própria camisa.

Colin apertou os olhos, forçando a vista na embaçada ausência dos óculos, mas não conseguiu ver muito.

— Acho que deveríamos deixar isso para o segundo encontro — Colin disse.

— Tá, seu tarado — ela retrucou, mas ele pôde ouvi-la sorrindo.

Enquanto Lindsey passava a camisa devagar pela testa e pela bochecha de Colin e depois pressionava com bastante força uma região macia acima da sobrancelha direita dele, continuou falando.

— Que grande amigo esse que cê tem, hein? Para de mexer o pescoço. Nossas duas preocupações aqui são algum tipo de lesão vertebral ou um hematoma subdural. Quer dizer, as chances são bem pequenas, mas é preciso tomar todas as precauções, porque o hospital mais próximo fica a uma hora daqui.

Ele fechou os olhos e tentou não se encolher enquanto ela fazia uma pressão enorme no corte. Lindsey falou para Hassan:

— Faz pressão aqui com a camisa. Volto em oito minutos.

— Deveríamos ligar para um médico ou coisa assim — Hassan disse.

— Sou paramédica — Lindsey respondeu ao se virar.

— Que diabo de idade você tem? — ele perguntou.

— Dezessete. Tá. Tudo bem. Paramédica *em fase de treinamento*. Oito minutos. Juro.

Ela saiu correndo. O que Colin mais gostou não foi do cheiro do Curve — não exatamente. Foi do cheiro do ar logo que Lindsey começou a se afastar correndo. O aroma do perfume que ficou para trás. Não há palavra em inglês que descreva isso, mas Colin conhecia o termo em francês: *sillage*. O que lhe agradava no Curve não era o aroma que ficava na pele, mas o *sillage*, o cheiro doce e frutado que ele deixava ao se afastar.

Hassan sentou-se no mato alto, ao lado de Colin, pressionando bastante o corte.

— Foi mal não ter tirado a camisa.

— Os peitinhos? — perguntou Colin.

— É, pois é. Só acho que é preciso conhecer melhor a garota antes de mostrar meus peitinhos. Cadê seus óculos?

— Foi isso que fiquei me perguntando quando ela tirou a camisa — Colin disse.

— Então você não conseguiu enxergar direito?

— Não consegui. Só vi que o sutiã era roxo.

— Era mesmo? — Hassan retrucou, com ironia.

E Colin se lembrou da K-19 sentada em cima dele na cama, o sutiã roxo, enquanto terminava o namoro. E se lembrou da Katherine XIV, o sutiã preto e todo o resto preto também. E se lembrou da Katherine XII, a primeira que usou sutiã, e de todas as Katherines cujos sutiãs ele vira (quatro, a menos que se contem as alças, o que, no caso, elevaria o total para sete). As pessoas achavam que ele gostava de sofrer, que gostava de levar o fora das namoradas. Mas não era bem assim. Ele só não conseguia antever que isso estava por vir, e ali, deitado no chão duro e irregular, com Hassan pressionando demais sua testa, a distância que separava Colin e seus óculos permitiu que ele percebesse qual era o problema: miopia. Ele tinha a vista curta. O futuro jazia à sua frente, inevitável mas invisível.

— Achei — Hassan disse, e tentou colocar os óculos no rosto do amigo, meio desajeitadamente.

Mas é difícil encaixar os óculos em outra pessoa e, por fim, Colin levantou a mão e ajeitou a armação no nariz, conseguindo enxergar.

— *Eureca* — falou, baixinho.

Katherine XIX: O Fim (do Fim)

Ela terminou com ele no oitavo dia do décimo segundo mês, vinte e dois dias antes de completarem um ano de namoro. Ambos tinham se formado naquela manhã, mas em escolas diferentes, então os pais de Colin e os de Katherine, que eram velhos amigos, marcaram um almoço de comemoração. E a noite ficou reservada só para os dois. Colin se preparou fazendo a barba e colocando o desodorante Wild Rain, do qual ela gostava tanto que chegava a se aninhar em seu peito para sentir o aroma.

Ele a buscara no Rabecão de Satã e os dois seguiram na direção sul pela avenida Lakeshore, as janelas abertas, por onde podiam ouvir, mais alto que o ronco do motor, o barulho das ondas do lago Michigan açoitando o litoral rochoso. À frente, uma visão aérea da cidade. Colin sempre amara aquela vista panorâmica de Chicago. Embora não fosse religioso, a visão do panorama urbano provocava nele o que em latim se chama de *mysterium tremendum et fascinans* – uma mistura de medo aterrorizante com fascínio arrebatador, do tipo que dá frio na barriga.

Eles continuaram até o centro da cidade, um trajeto cheio de curvas à direita e à esquerda, passando em frente aos arranha-céus do centro comercial de Chicago, e já estavam atrasados, porque Katherine sempre se atrasava para tudo. Então, depois de dez minutos procurando uma vaga com parquímetro, Colin pagou dezoito dólares para parar num estacionamento rotativo, o que deixou Katherine irritada.

– Só estou dizendo que poderíamos ter achado uma vaga na rua – ela disse ao apertar o botão para chamar o elevador na garagem do estacionamento.

– Mas eu tenho dinheiro para isso. E nós estamos atrasados.

– Você não deveria gastar sem necessidade.

– Estou prestes a gastar cinquenta pratas em sushi – ele respondeu. – Por *você*.

A porta se abriu. Exasperado, ele encostou no revestimento de madeira do elevador e suspirou. Eles mal se falaram até estarem dentro do restaurante, sentados a uma mesa minúscula perto do banheiro.

– À formatura e a um jantar maravilhoso – ela disse, levantando o copo de Coca.

– Ao fim da vida como a conhecemos – Colin completou, e os dois brindaram encostando os copos.

– Jesus, Colin, não é o fim do mundo.

– É o fim de *um* mundo – ele argumentou.

– Está preocupado com a possibilidade de não ser o cara mais inteligente da Northwestern? – Ela sorriu e então suspirou.

Colin sentiu uma pontada repentina na barriga. Pensando em retrospecto, essa foi a primeira dica de que alguma parte dele logo estaria faltando.

– Por que você suspirou? – ele perguntou.

A garçonete chegou nessa hora, interrompendo a conversa com um prato retangular de sushis Califórnia e de salmão. Katherine separou os pauzinhos e Colin pegou o garfo. Ele sabia falar um pouco de japonês, para um diálogo simples, mas os pauzinhos eram motivo de frustração para ele.

– Por que você suspirou? – perguntou de novo.

– Jesus, por nada.

– Não, diga por quê – ele insistiu.

– É que você... você fica o tempo todo se preocupando com o fato de deixar de ser prodígio ou de levar o fora de alguma namorada ou com sei lá mais o quê, e nunca, nem por um segundo, fica agradecido. Você foi o orador da turma. Você vai para uma faculdade excelente ano que vem, de graça. E daí que talvez você não seja uma criança prodígio? Isso é *bom*. Pelo menos não é mais *criança*. Ou pelo menos não era mais para ser.

Colin mastigava. Ele gostava da alga que se usa para enrolar o sushi: de como era difícil mastigá-la, da sutileza da água do mar.

— Você não entende — ele disse.

Katherine apoiou os pauzinhos na pequena vasilha com molho de soja e encarou-o de um jeito que ia além da frustração.

— Por que você sempre tem que dizer isso?

— É verdade — ele falou simplesmente, e Katherine *não* entendia.

Ela continuava linda, engraçada, sabendo comer com os pauzinhos. Ser prodígio era tudo o que Colin tinha, da mesma forma que um idioma tem suas palavras.

No meio de todo esse vaivém de perguntas e respostas, Colin tentava controlar o ímpeto de perguntar se ela ainda o amava, porque a única coisa que Katherine odiava mais do que Colin dizendo que ela não entendia era Colin perguntando se ela ainda o amava. Ele tentou e tentou se controlar. Por sete segundos.

— Você ainda me ama?

— Ai, meu Deus, Colin! Por favor. Nós nos formamos. Estamos felizes. Comemore!

— Por quê? Está com medo de dizer?

— Eu te amo.

Ela nunca mais — nem uma vez sequer — diria essas palavras nessa ordem novamente.

— Dá para criar um anagrama para sushi? — perguntou.

— Ih, sus — ele respondeu imediatamente.

— Sus tem três letras; sushi tem cinco — ela disse.

— Não. "Ih, Sus." O Ih e o Sus. Dá para fazer outros, mas eles não fazem sentido, gramaticalmente falando.

Ela sorriu.

— Às vezes você se cansa de tanto eu perguntar se dá para criar anagramas?

— Não. Não. Eu nunca me canso de nada que você faz — disse, e aí ficou com vontade de pedir desculpas, e de explicar que às vezes se sentia incompreendido, às vezes ficava preocupado quando os dois discutiam e ela ficava um tempo sem dizer que o amava, mas se conteve. — Além do mais, eu gosto que sushi vire "Ih, Sus". Crie uma história.

"Crie uma história" era um jogo que ela inventara no qual Colin formava os anagramas e Katherine inventava uma cena anagramática.

— Tá — ela disse. — Tá. Aí um cara vai pescar no píer e pega uma carpa. E é claro que ela está toda cheia de pesticidas, esgoto e todas as porcarias nojentas do lago Michigan, mas ele leva a carpa para casa mesmo assim porque imagina que se fritá-la por tempo suficiente não vai ter problema. Ele limpa o peixe, corta em filés e aí o telefone toca, então tudo fica na bancada da cozinha. Ele fala ao telefone por um tempo e, quando volta, vê que a irmã menor, Susana, está segurando um grande pedaço cru da carpa do lago Michigan. E está mastigando. Ela levanta os olhos para o irmão, e diz: "Sushi!" E ele exclama: "Ih, Sus..."

Eles riram. Ele nunca a amou tanto quanto naquele momento.

Mais tarde, depois que os dois entraram no apartamento na ponta dos pés e Colin subiu a escada para dizer à mãe que chegara em casa — deixando de fora a informação, provavelmente relevante, de que não estava sozinho —, e depois que haviam pulado na cama, no andar de baixo, e depois que ela tirara a camisa dele, e ele, a dela, e depois que se beijaram até os lábios dele ficarem dormentes e formigando, ela perguntou:

— Você está mesmo triste por se formar?

— Não sei. Se eu tivesse feito diferente... Se tivesse entrado na faculdade com 10 anos, ou coisa assim... Não dá para saber se minha vida seria melhor. Nós provavelmente não estaríamos juntos. Eu não teria conhecido Hassan. E muitos prodígios que se esforçam, se esforçam e se esforçam acabam ainda mais *fugged up* que eu. Mas outros acabam sendo um John Locke[18] ou um Mozart ou sei lá quem mais. E as minhas chances de "Mozartidade" acabaram.

— Col, você tem *17* anos. — Ela suspirou de novo.

Ela suspirava muito, mas não devia haver nada de errado, porque a sensação de tê-la aninhada ao corpo dele era tão boa, a cabeça dela em seu ombro, sua mão afastando os cabelos loiros e macios da frente do rosto dela. Ele olhou para baixo e pôde ver a alça do sutiã roxo.

— Mas é como a tartaruga e a lebre, K.[19] Eu aprendo mais rápido que as outras pessoas, mas elas continuam aprendendo. Meu ritmo diminuiu e agora elas estão me alcançando. Sei que tenho 17 anos. Mas já passei do meu ápice.

Ela riu.

— Sério. Existem estudos sobre essa merda. Os prodígios tendem a atingir seu ápice aos, tipo, 12 ou 13 anos. E o que foi que eu fiz? Eu venci um *fugging* de um programa de televisão um ano atrás? É essa a minha marca indelével na história da humanidade?

Katherine se sentou olhando para ele. Colin pensou nos outros suspiros dela, melhores e diferentes, pensou no corpo dele roçando no dela. Ela o encarou por um bom tempo, aí mordeu o lábio inferior e disse:

---

[18] Filósofo e cientista político britânico que já sabia ler e escrever em latim e em grego numa idade em que o resto de nós não consegue nem amarrar os sapatos sozinho.

[19] Embora você vá perceber que Colin ainda não entendeu direito do que exatamente se trata a história da tartaruga e da lebre, ele já havia deduzido que não era apenas sobre uma tartaruga e um coelho correndo. Com certeza.

— Colin, talvez o problema seja nós dois.

— Ai. Merda — ele disse.

E foi aí que tudo começou.

O fim consistiu basicamente em sussurros dela e silêncio dele — porque Colin não sabia sussurrar e os dois não queriam acordar os pais dele. Conseguiram não fazer barulho, em parte porque parecia que todo o ar havia sido tirado dele. Paradoxalmente, Colin sentia como se o término do namoro fosse a única coisa acontecendo em todo o planeta escuro e silencioso, e, ao mesmo tempo, parecia que aquilo não estava acontecendo de fato. Ele sentiu sua atenção se desviar da conversa unilateral e sussurrada e começou a se perguntar se talvez todas as coisas grandes, dolorosas e incompreensíveis seriam paradoxais.

Ele era um homem à beira da morte olhando para os cirurgiões que tentavam salvá-lo. A uma distância quase confortável da coisa em si, do que estava realmente acontecendo, Colin pensou no mantra dos fracotes apatetados: paus e pedras podem quebrar meus ossos, mas palavras nunca vão me machucar. Que mentira deslavada! Aquilo, ali e naquele instante, era o verdadeiro Abdominável Homem das Neves: parecia que havia algo congelando em seu estômago.

— Eu te amo tanto... e só quero que você me ame do mesmo jeito que eu te amo — ele disse, o mais baixo que conseguiu.

— Você não precisa de uma namorada, Colin. Você precisa de um robô que não diga nada além de "eu te amo".

E parecia que pedras e paus o estavam atingindo de dentro para fora, era uma dor palpitante e depois aguda logo abaixo da caixa torácica, e foi aí que ele sentiu, pela primeira vez, que parte de suas vísceras lhe havia sido arrancada.

Katherine tentou ir embora da forma mais rápida e indolor possível, mas assim que declarou que precisava sair de qualquer jeito, pois tinha hora para chegar em casa, Colin começou a chorar. Ela segurou a cabeça dele encostada em sua clavícula.

E mesmo se sentindo patético e ridículo, Colin não queria que aquilo acabasse, porque sabia que a ausência dela doeria mais que qualquer fim de namoro.

Mas Katherine foi embora mesmo assim e ele ficou sozinho no quarto, tentando encontrar anagramas para *meupedaçoperdido* na vã tentativa de pegar no sono.

(SEIS)

E**ra sempre assim:** ele procurava a chave do Rabecão de Satã em todos os lugares e, depois de um tempo, desistia, dizendo: "Tá. Vou pegar o *fugging* do ônibus", e aí, quando já ia em direção à porta, ela aparecia. A chave aparece quando você faz as pazes com o ônibus; as Katherines aparecem quando você começa a acreditar que não há mais nenhuma Katherine no mundo; e como não poderia deixar de ser, o momento eureca se deu exatamente quando Colin começou a aceitar o fato de que jamais aconteceria.

Ele sentiu a empolgação do momento se propagar como uma onda por seu corpo, os olhos piscavam rapidamente enquanto ele se esforçava para se lembrar da ideia em toda a sua completude. Deitado ali, de costas, naquele ambiente quente e empoeirado, a sensação provocada pelo momento eureca equivalia à de mil orgasmos ao mesmo tempo, só que sem tanta lambança.

— Eureca? — perguntou Hassan, a empolgação evidente em sua voz.

Hassan também vinha esperando por aquilo.

— Preciso colocar isso no papel — Colin disse, se sentando.

A cabeça dele doía muito, mas ele colocou a mão no bolso e tirou o caderninho que carregava para todo lado, além do lápis nº 2, que estava quebrado ao meio por causa do tombo, mas ainda dava para escrever. Ele rascunhou:

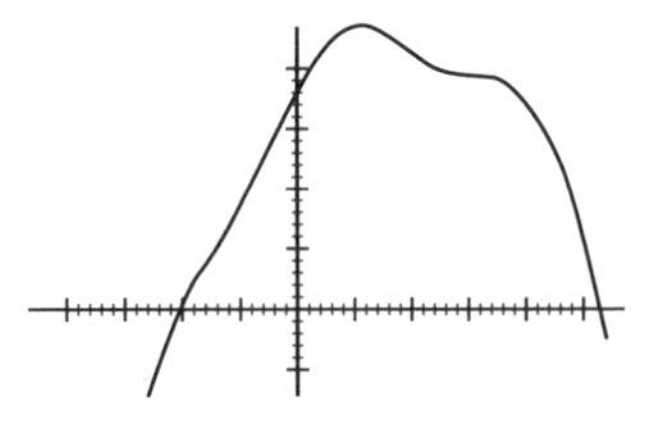

Onde x = tempo e y = felicidade, y = 0: o início e o término do relacionamento; y negativo: quando o h termina; y positivo: quando a m termina — meu relacionamento com K-19.

Ele ainda estava rascunhando quando escutou Lindsey Lee Wells chegando. Arregalou os olhos e a viu com outra camisa de malha (em que se lia GUTSHOT!), carregando uma caixa de primeiros socorros com uma, juro por Deus, cruz vermelha pintada.

Lindsey ajoelhou-se ao lado de Colin, tirou a camisa da cabeça dele com cuidado e falou:

— Vai doer.

Ela encostou um cotonete comprido no corte, embebido no que parecia ser molho de pimenta.

— *FUG!* — Colin gritou, se encolhendo, e olhou para cima, vendo os grandes olhos castanhos dela piscarem por causa do suor que pingava enquanto a garota agia.

— Eu sei. Foi mal. Tá, acabou. Cê não precisa levar ponto, mas aposto que vai ficar com uma cicatrizinha. Tudo bem?

— O que é mais uma cicatriz? — Colin disse, distraído, enquanto ela pressionava a testa dele com uma atadura de gaze enorme. — Sinto como se alguém tivesse me dado um soco no cérebro.

— Possível concussão cerebral — Lindsey observou. — Que dia é hoje? Onde cê tá?

– Hoje é terça-feira e eu estou no Tennessee.

– Quem era senador de New Hampshire em 1873? – Hassan perguntou.

– Bainbridge Wadleigh – respondeu Colin. – Não acho que eu tenha uma concussão cerebral.

– Isso é sério? – perguntou Lindsey. – Quer dizer, cê sabe isso de verdade?

Colin fez que sim com a cabeça, devagar.

– É – respondeu. – Eu sei o nome de todos os senadores. Além do mais, esse é fácil de lembrar, porque sempre penso em como seus pais devem *fugging* odiar você para colocar o nome de Bainbridge Wadleigh.

– Sério – disse Hassan. – Tipo, a pessoa já nasceu com o sobrenome Wadleigh. Só o fato de ser um Wadleigh já é ruim o suficiente. Mas aí você pega esse Wadleigh e o promove a Bainbridge. Não é de admirar que o pobre coitado nunca tenha conseguido se eleger presidente.

Lindsey acrescentou:

– Mas, por outro lado, um cara chamado Millard Fillmore foi presidente. Nenhuma mãe que se preze botaria Millard num Fillmore também.

Ela entrou na conversa tão rapidamente e de um jeito tão natural que Colin já estava revendo sua teoria sobre a *Celebrity Living*. Ele sempre achou que as pessoas de Lugar Nenhum, Tennessee, seriam *mais burras* que Lindsey Lee Wells.

Hassan sentou-se ao lado de Colin e pegou o caderninho do amigo. Ele o segurou no alto, contra o sol, que havia saído de trás de uma nuvem para continuar castigando o solo rachado e alaranjado.

Deu uma olhada rápida no papel e disse:

– Você me fez ficar aqui todo empolgado e na expectativa e a grande descoberta é que você gosta de levar o fora das suas namoradas? Merda, Colin. Eu mesmo poderia ter dito isso. Para falar a verdade, eu disse.

– O amor pode ser representado graficamente! – Colin disse, na defensiva.

– Peraí. – Hassan deu mais uma olhada no papel e depois olhou para Colin. – Universalmente? Você está querendo dizer que isso vai funcionar para qualquer um?

– Isso. Porque relacionamentos são muito previsíveis, não são? Bem, estou desenvolvendo uma forma de fazer isso. Pegue quaisquer duas pessoas e, mesmo que elas ainda não se conheçam, a fórmula vai mostrar quem vai terminar com quem se vierem a namorar e aproximadamente quanto tempo o relacionamento vai durar.

– Impossível – disse Hassan.

– Não, não é, porque é possível supor um futuro quando se tem um entendimento básico de como é provável que as pessoas ajam.

O suspiro longo e lento de Hassan terminou num sussurro.

– É. Tá. Isso é interessante.

Ele não poderia ter feito elogio maior a Colin.

Lindsey Lee Wells se abaixou e pegou o caderninho da mão de Hassan. Leu devagar. Por fim, perguntou:

– O que diabos é K-19?

Colin apoiou a mão na terra seca e empurrou o corpo para cima, para se levantar.

– O "o que" é "quem" – ele respondeu. – Katherine XIX. Eu namorei dezenove garotas chamadas Katherine.

Lindsey Lee Wells e Colin ficaram se encarando por um bom tempo até que, por fim, o sorriso dela deu lugar a uma risadinha.

– O que foi? – Colin perguntou.

Ela balançou a cabeça, mas não conseguiu parar de rir.

– Nada. Vamos ver o arquiduque.

– Não, diga – ele insistiu.

Colin não gostava que guardassem segredos dele. Estar por fora de alguma coisa o irritava mais do que deveria, na verdade.

– Não é nada. É só que... eu só namorei um garoto.

– E por que isso é engraçado? – perguntou Colin.

– É engraçado – ela explicou – porque o nome dele é Colin.

O Meio (do Começo)

Lá pelo terceiro ano a incapacidade de Colin de alcançar um bem-estar sociológico havia se tornado tão óbvia para todos que ele só assistia às aulas da Kalman três horas por dia. O restante, passava com seu tutor vitalício, Keith Carter, que tinha um Volvo cujas letras da placa eram LOOOUCO. Keith era um daqueles caras que não passou da fase do rabo de cavalo. Também tinha (ou, no caso, tentava ter) um bigode espesso e volumoso, que tocava o lábio inferior quando a boca estava fechada – o que era muito raro. Keith adorava falar, e sua plateia preferida era Colin Singleton.

O tutor era amigo do pai de Colin e professor de psicologia. Seu interesse no garoto não era exatamente altruísta – no decorrer dos anos, Keith publicou vários artigos sobre a prodigiosidade de Colin. E Colin gostava de ser assim, tão especial que até os estudiosos ficavam interessados. Além disso, Keith Louco era o mais próximo que Colin tinha de um melhor amigo. Todo dia Keith ia dirigindo até a cidade e encontrava Colin numa sala pequena como um armário de vassouras, no terceiro andar da Escola Kalman. Colin basicamente podia ler o que quisesse em silêncio durante quatro horas, e Keith o interrompia de vez em quando para debater algum tema, e então, às sextas-feiras, eles passavam o dia falando sobre o que Colin havia aprendido. Colin gostava mais disso que das aulas normais. Principalmente porque Keith nunca aplicou nele um Abdominável Homem das Neves.

Keith Louco tinha uma filha, Katherine, que estava no mesmo ano de Colin na escola mas era oito meses mais velha. Ela frequentava um colégio na zona norte da cidade, mas, de vez em quando, os pais de Colin convidavam Keith Louco, a mulher dele e Katherine para jantar e falar sobre o "progresso" de Colin e coisas do gênero.

Depois do jantar, os pais se sentavam na sala de estar, rindo cada vez mais alto conforme o tempo ia passando, e Keith falava alto que não tinha a *menor condição* de voltar dirigindo até em casa, que precisaria de uma xícara de café depois de tanto vinho – "Sua casa é o paraíso dos enófilos", ele dizia.

Certa noite em novembro, quando Colin estava no terceiro ano e o tempo já havia esfriado apesar de a mãe dele ainda não ter decorado a sala para o Natal, Katherine foi até sua casa. Depois de um jantar de frango ao molho de limão e arroz integral, Colin e Katherine foram para a sala de estar, onde Colin se deitou atravessado no sofá e ficou estudando latim. Ele havia acabado de descobrir que o presidente Garfield, que não era particularmente conhecido por sua inteligência, tinha a habilidade de escrever simultaneamente em latim e em grego – latim com a mão esquerda e grego com a direita. Colin tinha a intenção de igualar o feito.[20] Katherine, uma loirinha pequenininha que compartilhava com o pai tanto o rabo de cavalo quanto o fascínio por prodígios, ficou sentada observando Colin em silêncio. Ele estava consciente da presença dela, mas aquilo não o distraiu, porque as pessoas com frequência ficavam observando enquanto ele estudava, como se houvesse algum segredo em seu modo de tratar a vida acadêmica. O segredo, na verdade, era apenas o fato de ele passar mais tempo que todo mundo estudando e prestando atenção.

– Como é que você já sabe latim?

– Eu estudo muito – ele respondeu.

– Por quê? – ela perguntou, chegando perto e se sentando no sofá ao lado dos pés dele.

– Porque eu gosto.

---

[20] Mas nunca conseguiu, porque, por mais que tentasse, ele simplesmente não era ambidestro.

— Por quê?

Ele fez uma pausa por um instante. Não familiarizado com o "jogo do por quê", estava levando a sério cada uma das perguntas.

— Eu gosto porque isso faz eu me sentir diferente e melhor. E porque sou muito bom nisso.

— Por quê? — ela perguntou, a voz melodiosa, quase sorrindo.

— Seu pai diz que é porque sou melhor que os outros em me lembrar das coisas, isso porque presto muita atenção e dou muita importância a tudo.

— Por quê?

— Porque é importante saber as coisas. Por exemplo, há pouco tempo eu aprendi que, certa vez, o imperador romano Vitélio comeu mil ostras em um só dia, o que foi um ato impressionante de *abliguritio*[21] — ele disse, usando uma palavra que tinha certeza de que Katherine não conhecia. — Saber também é importante porque faz você se sentir especial, e você pode ler livros que as pessoas normais não conseguem, como a obra *Metamorfoses,* de Ovídio, que foi escrita em latim.

— Por quê?

— Porque ele morava em Roma quando lá se falava e se escrevia em latim.

— Por quê?

E essa o pegou de jeito. Por que Ovídio viveu na Roma Antiga em 20 AEC,[22] e não em Chicago em 2006 EC? Será que Ovídio ainda teria sido Ovídio se vivesse nos Estados Unidos da América? Não, claro que não, porque ele seria um nativo americano ou talvez um ameríndio ou um dos primeiros habitantes ou um indígena, que não tinham o latim nem qualquer outro tipo de linguagem escrita naquela época. Então, será que

---

[21] Termo em latim que significa "gastar uma enorme quantia em dinheiro com comida".

[22] Ninguém mais diz a.C. nem A.D. Isso saiu de moda. Agora ou se diz EC (Era Comum) ou AEC (Antes da Era Comum).

Ovídio se tornou importante porque era Ovídio ou porque viveu na Roma Antiga?

— Essa é uma ótima pergunta e eu vou tentar descobrir a resposta para você — ele concluiu, que era o que Keith Louco falava quando não tinha resposta.

— Quer ser meu *namorado*? — Katherine perguntou.

Colin se sentou rapidamente e a encarou, os olhos azuis da menina voltados para o colo. Tempos depois, ele viria a chamá-la de Katherine, a Grande. Katherine I. Katherine, a Magnífica. Ela era visivelmente mais baixa que ele, mesmo sentado, e parecia estar falando sério, um pouco nervosa até, os lábios comprimidos enquanto olhava para baixo. Alguma coisa foi se propagando pelo corpo de Colin. Suas terminações nervosas explodiram em arrepios na pele. Seu diafragma vibrou. E, obviamente, não devia ser paixão, nem amor, e não parecia ser amizade, então devia ser o que os garotos na escola chamavam de *estar a fim*. E ele respondeu:

— Sim, sim, quero.

Ela virou-se para ele, o rosto arredondado, as bochechas fofas e sardentas, e se inclinou para a frente, os lábios num biquinho, e beijou-o na bochecha. Esse foi o primeiro beijo de Colin, e os lábios dela lembravam o inverno — frios, secos e rachados —, então ocorreu a Colin que a sensação despertada pelo beijo não fora nem de perto tão boa quanto o som da voz dela perguntando se ele queria ser seu namorado.

(SETE)

De repente, do nada, logo depois de uma pequena encosta, o capinzal desembocou num cemitério. Continha mais ou menos quarenta túmulos e era rodeado por uma mureta de pedra que batia no joelho, coberta de musgo e escorregadia.

— E aqui tá o último e derradeiro local de descanso do arquiduque Francisco Ferdinando — disse Lindsey Lee Wells, a voz repentinamente afetada por uma nova cadência: a da guia turística entediada que há tempos decorou sua fala.

Colin e Hassan a seguiram até um obelisco de quase dois metros — parecia o Monumento a Washington, só que em miniatura —, diante do qual havia uma abundância de rosas de seda já meio antigas, todas cor-de-rosa. Embora obviamente não fossem de verdade, as flores, ainda assim, pareciam murchas.

Lindsey se sentou na mureta com musgo.

— Ah, pros diabos com o texto decorado. Cê já deve saber tudo isso mesmo — ela disse, balançando a cabeça na direção de Colin. — Mas vou contar a história: o arquiduque nasceu em dezembro de 1863, na Áustria. O imperador Francisco José era tio dele, mas ser sobrinho de um imperador austro-húngaro não queria dizer muita coisa. *A menos que*, digamos, o filho único do imperador, Rodolfo, acabasse dando um tiro na própria cabeça, o que, na verdade, aconteceu, em 1889. De uma hora pra outra, Francisco Ferdinando passou a ser o próximo na linha de sucessão ao trono.

— As pessoas diziam que Francisco Ferdinando era o homem mais solitário de Viena — Colin falou para Hassan.

— É, ninguém gostava dele porque era um tremendo nerd — disse Lindsey —, só que ele era um daqueles nerds que não são nem muito inteligentes. Era do tipo fraquinho de nascença e pesava só 45 quilos. A família achava que ele era um covarde liberal; a sociedade vienense achava que era um abobado, mesmo, daqueles que ficam com a língua pendurada na boca. E aí, então, pra piorar as coisas, ele se casou por amor, com uma garota chamada Sofia, em 1900, que todo mundo considerava uma desclassificada. Mas, cê sabe, em defesa do cara, ele realmente amava a moça. Eu nunca digo isso no *tour*, mas, de tudo o que li sobre o Chico, a Sofia e ele tiveram o casamento mais feliz de toda a história da realeza. A história deles é fofa, tirando que, no 14º aniversário de casamento, em 28 de junho de 1914, os dois foram assassinados a tiros em Sarajevo. O imperador mandou que fossem sepultados fora de Viena. E nem se deu o trabalho de ir ao enterro. Mas se importou o bastante pra seguir em frente e começar a Primeira Guerra Mundial, o que fez quando declarou guerra à Sérvia um mês depois. — Ela se levantou. — E assim termina o *tour*. — E abriu um sorriso. — Gorjetas são bem-vindas.

Colin e Hassan bateram palmas educadamente e Colin andou até o obelisco, em que se lia apenas: ARQUIDUQUE FRANCISCO FERDINANDO. 1863-1914. COBRE-O SUAVEMENTE, Ó, TERRA, EMBORA / ESTE TENHA LANÇADO UM PESADO FARDO SOBRE TI. Fardos pesados, sem dúvida — milhões deles. Colin estendeu a mão e apoiou-a no granito, frio apesar do sol quente. E o que foi que o arquiduque

Francisco Ferdinando fez que poderia ter sido feito diferente? Se ele não tivesse ficado tão obcecado por causa de um amor, se não tivesse sido tão sem tato, tão chorão, tão nerd – talvez se não tivesse sido, pensou Colin, tão como *eu*...

No fim das contas, o arquiduque enfrentou dois problemas: ninguém dava a menor bola para ele (pelo menos, não até seu cadáver deflagrar uma guerra) e um dia um pedaço dele foi arrancado.

Mas Colin agora preencheria o próprio buraco *e* faria as pessoas se levantarem e prestarem atenção nele. Continuaria sendo especial e usaria seu talento para fazer algo mais interessante e importante do que criar anagramas e traduzir do latim. E, sim, novamente o momento eureca o invadiu, o é-isso-é-isso-é-isso dele. Colin usaria seu passado – além do passado do arquiduque e todo o passado infinito – para informar o futuro. Colin impressionaria Katherine XIX – ela sempre adorara a ideia de ele ser um gênio – e tornaria o mundo mais seguro para Terminados em toda parte. Ele seria importante.

E foi despertado desse devaneio por Hassan perguntando:

– E então como é que um *fug* arquiduque austríaco de verdade acabou em Merdasburgo, Tennessee?

– A gente comprou o cadáver dele – disse Lindsey Lee Wells. – Foi por volta de 1921. O dono do castelo onde ele tava enterrado precisava de dinheiro e colocou o corpo à venda. A gente comprou.

– Quanto custava um arquiduque morto naquela época? – indagou Hassan.

– Uns 3.500 dólares, pelo que dizem.

– É um bom dinheiro – disse Colin, a mão ainda apoiada no obelisco de granito. – Agora o dólar vale dez vezes mais que em 1920, o que dá um total de 35 mil nos dias de hoje. Um monte de visitas guiadas a 11 dólares cada.

Lindsey Lee Wells revirou os olhos.

— Tá, tá. Já tô bastante impressionada. Agora chega. Sabe, a gente tem uma coisa por aqui, não sei se cês têm isso lá de onde cês vêm, mas se chama calculadora, e ela faz todo esse trabalho pra gente.

— Eu não estava tentando impressionar ninguém — Colin insistiu, na defensiva.

Nessa hora os olhos de Lindsey se arregalaram, ela colocou as mãos em concha em volta da boca e gritou.

— Ei!

Três caras e uma garota vinham subindo a encosta lentamente, só dava para ver as cabeças.

— O povo da escola — explicou Lindsey. — E meu namorado.

Lindsey Lee Wells saiu correndo na direção deles. Hassan e Colin permaneceram imóveis e começaram um diálogo acelerado.

Hassan:

— Eu sou um aluno de intercâmbio kuwaitiano; meu pai é um barão do petróleo.

Colin fez que não com a cabeça.

— Óbvio demais. Eu sou espanhol. Refugiado. Meus pais foram assassinados por separatistas bascos.

— Eu não sei se basco é uma coisa ou uma pessoa, e eles também não vão saber, então: não. Tá, eu acabei de chegar aos Estados Unidos vindo de Honduras. Meu nome é Miguel. Meus pais ficaram ricos com plantações de bananas e você é meu guarda-costas porque o sindicato dos trabalhadores dos bananais me quer morto.

Colin retrucou de bate-pronto.

— Essa é uma boa ideia, mas você não fala espanhol. Tá, eu fui sequestrado por esquimós no território Yukon... não, essa não cola. Nós somos primos franceses em visita aos Estados Unidos pela primeira vez na vida. Essa é nossa viagem de formatura do ensino médio.

— Isso é meio sem graça, mas estamos sem tempo. Só eu falo inglês? — Hassan perguntou.

— Tá. Pode ser.

Àquela altura Colin já conseguia ouvir o grupo conversando e ver os olhos de Lindsey Lee Wells grudados num garoto alto e musculoso com uma camisa do time de futebol americano Tennessee Titans. O cara era uma massa compacta de músculos, com cabelo espetado e um sorriso que mostrava os dentes superiores e a gengiva. O sucesso da brincadeira dependia de Lindsey não ter falado nada sobre Colin e Hassan, mas Colin presumiu que isso não seria problema, já que ela parecia hipnotizada pelo garoto.

— Tá, eles estão vindo — disse Hassan. — Qual é o seu nome?

— Pierre.

— Tá. O meu é Salinger e a pronúncia é SalANGÊ.

— Cês tão aqui pra visita guiada, num tão? — o namorado da Lindsey disse.

— Estamos. Meu nome é Salangê — Hassan disse, a pronúncia passável, quiçá magnífica. — Este é meu primo Pierre. Estamos visitando seu país pela primeira vez e queremos ver o arquiduque que deflagrou nossa... como vocês dizem... Primeira Guerra da Terra.

Colin deu uma olhada em Lindsey Lee Wells, que tentou não rir enquanto estourava uma bola do chiclete de laranja.

— Meu nome é Colin — disse o namorado, a mão estendida.

Hassan se inclinou na direção de Pierre/Colin e cochichou:

— O nome dele é "O Outro Colin". — Continuando: — Meu primo não fala sua língua muito bem. Eu sou o tradutor dele.

O Outro Colin riu, assim como os outros dois garotos, que rapidamente se apresentaram: Chase e Fulton.

— Vamos chamar Chase de Jeans Apertados Demais e Fulton de Baixinho Mascando Tabaco — Hassan cochichou novamente.

— *Je m'appelle Pierre* — Colin falou assim que os garotos terminaram de dizer seus nomes. — *Quand je vais dans le métro, je fais aussi de la musique de prouts.*[23]

— A gente recebe muito turista estrangeiro por aqui — disse a única menina além de Lindsey, uma garota alta de camiseta justa, totalmente Abercrombiezada. A menina também tinha... como dizer isso de um jeito educado... dois air bags gigantescos. Era incrivelmente gata, com aquele jeito de garota-popular-de-dentes-clareados-e-com-anorexia, que era o jeito de ser gata menos preferido de Colin. — Ah, meu nome é Katrina.

Ufa, essa passou perto, pensou Colin.

— *Amour aime aimer amour!*[24] — Colin anunciou bem alto.

— Pierre — disse Hassan. — Ele tem uma doença da fala. A, humm, com as palavras feias. Na França nós chamamos de *Toorettes*. Não sei como vocês chamam aqui.

— Ele tem aquela síndrome de Tourette? — perguntou Katrina.

— *MERDE!*[25] — gritou Colin.

— Isso — disse Hassan animado. — A mesma palavra nas duas línguas, como hemorroida. Isso nós aprendemos ontem porque Pierre estava com o traseiro ardendo. Ele tem *Toorettes*. E hemorroida. Mas é um bom menino.

— *Ne dis pas que j'ai des hémorroïdes! Je n'ai pas d'hémorroïde*[26] — Colin gritou, querendo, ao mesmo tempo, continuar com a brincadeira e fazer Hassan mudar de assunto.

Hassan olhou-o e balançou a cabeça mostrando que havia entendido, mas então falou para Katrina:

---

[23] "Meu nome é Pierre. Quando vou ao metrô, também faço a música de peidos."
[24] "O amor ama amar o amor." Uma citação, vertida para o francês, de *Ulysses*, de James Joyce.
[25] "Merda!"
[26] "Não diga que tenho hemorroida! Eu não tenho hemorroida!"

— Ele acabou de dizer que seu rosto é lindo como a hemorroida.

Com isso Lindsey Lee Wells caiu na gargalhada e falou:

— Tá. Tá. Já chega.

Colin virou-se para Hassan e reclamou:

— Por que tinha de ser hemorroida? De onde raios você tirou essa ideia?

Aí O Outro Colin (OOC), o Jeans Apertados Demais (JAD), o Baixinho Mascando Tabaco (BMT) e a Katrina ficaram todos animados, conversando, rindo e fazendo perguntas a Lindsey.

— Meu pai foi à França ano passado, cara — explicou Hassan —, e contou a história de quando teve crise de hemorroida e precisou apontar para a bunda e dizer "fogo" em francês várias vezes até descobrirem que a palavra "hemorroida" era igual nas duas línguas. E eu não conhecia mais nenhuma *fugging* de palavra em francês. Além disso, é muito hilário você ter síndrome de Tourette *e* hemorroida.

— Ah, tanto faz — disse Colin, o rosto vermelho.

E escutou quando OOC disse:

— Isso é engraçado demais da conta. Hollis ia adorar os dois, né?

Lindsey riu, ficou na ponta dos pés para beijá-lo e disse:

— Peguei ocê direitinho, neném.

E ele retrucou:

— Nada disso, foram *eles* que me pegaram.

Lindsey fez biquinho, de brincadeira, OOC se inclinou para beijar sua testa e o rosto dela se iluminou. Essa mesma cena havia ocorrido com frequência na vida de Colin — embora, em geral, fosse ele quem fazia o biquinho.

Na volta eles atravessaram o campo em grupo, a camisa de malha de Colin empapada de suor, grudenta e colada nas costas, o olho ainda latejando. O *Teorema Fundamental da Previsibilidade das Katherines*, pensou. Até o nome soava perfeito.

Ele havia esperado tanto por sua descoberta, tantas vezes se desesperado, que só queria ficar sozinho por alguns instantes com um lápis, algumas folhas de papel, uma calculadora e o silêncio. Dentro do carro seria uma boa. Colin deu uma puxadinha na camisa de Hassan e lançou um olhar expressivo para o amigo.

– Só preciso tomar um Gatorade – Hassan comentou. – Depois nós vamos.

– Vou ter que abrir a loja procês, então – Lindsey disse. Ela virou-se para OOC. – Vem comigo, neném.

A suavidade melosa da voz dela fez Colin se lembrar de K-19.

– Eu até que queria ir – disse OOC –, só que a Hollis tá sentada ali fora na escada. Eu e Chase devia tá no trabalho, mas a gente faltou.

OOC ergueu Lindsey do chão e lhe deu um abraço apertado, os bíceps dele se enrijecendo. Ela se contorceu um pouquinho mas o beijou de um jeito ardente, de boca aberta. Em seguida OOC a soltou, piscou para ela e bateu em retirada com seu séquito em direção a uma picape vermelha.

Quando Lindsey, Hassan e Colin chegaram de volta à Mercearia Gutshot, uma mulher grandona com um vestido cor-de-rosa de estampa florida estava sentada nos degraus falando com um homem de barba cheia e castanha. Quando se aproximaram, Colin pôde ouvir a mulher contando uma história.

– Então o Starnes tá lá fora aparando a grama – ela ia dizendo. – Ele desliga o cortador, olha pra frente, avalia a situação um instante e aí grita pra mim: "Hollis! O que é que tem de errado com esse cachorro?", e eu digo que o cachorro tá com as glândulas anais inflamadas, que eu acabei de drenar. O Starnes rumina isso um instante e diz: "Eu acho que cê podia ir em frente e atirar nesse cachorro e arrumar outro com essas glândulas aí funcionando direitinho e ninguém ia notar a diferença." E aí eu digo pra ele: "Starnes, essa cidade não tem um homem que preste pra amar, então é melhor eu amar meu cachorro."

O barbudo envergou de tanto rir, e foi então que a contadora de histórias olhou para Lindsey.

— Cê tava numa visita guiada? — perguntou. Quando Lindsey fez que sim com a cabeça, Hollis prosseguiu. — Dá pra perceber que cê nem viu a hora passar.

— Foi mal — murmurou Lindsey. Balançando a cabeça na direção dos dois, ela disse: — Hollis, esse é o Hassan, e o Colin. Meninos, essa é a Hollis.

— Também conhecida como mãe da Lindsey — Hollis explicou.

— Credo, Hollis. Não precisa ficar se gabando — Lindsey disse.

Ela passou pela mãe, destrancou a porta da loja e todos deram um passo para dentro do doce ambiente com ar condicionado. Quando Colin ia passando, Hollis colocou a mão no ombro dele, virou-o e ficou olhando fixamente para seu rosto.

— Eu conheço ocê — ela disse.

— Eu não conheço você — Colin retrucou, e então acrescentou, a fim de se justificar: — Não esqueço muitos rostos.

Hollis Wells continuou a encará-lo, mas ele tinha certeza de nunca tê-la visto.

— Ele quis dizer "literalmente" — Hassan acrescentou, espiando de trás de uma prateleira de revistas em quadrinhos. — Vocês recebem jornais impressos por aqui?

De trás do balcão, Lindsey Lee Wells tirou um exemplar do *USA Today*. Hassan folheou o primeiro caderno e, por fim, dobrou o jornal com cuidado, deixando à mostra apenas uma foto em preto e branco, pequena, de um homem branco de óculos e cabelos espessos.

— Conhece esse cara? — Hassan perguntou.

Colin virou-se para o jornal, estreitou os olhos e ficou pensando por um instante.

— Não pessoalmente, mas o nome dele é Gil Stabel e ele é o CEO de uma empresa chamada Fortiscom.

— Bom trabalho. Só que ele não é isso.

— É, sim — Colin disse, bastante confiante.

— Não, não é. Ele não é CEO de nada. Ele está morto.

Hassan desdobrou o jornal e Colin se inclinou para ler a legenda: CEO DA FORTISCOM MORRE EM ACIDENTE DE AVIÃO.

— *KranialKidz!* — Hollis gritou, triunfante.

Colin virou-se para ela, os olhos arregalados. E suspirou. *Ninguém* assistia àquele programa. O índice de audiência era 0,0. O programa só ficou no ar por uma temporada e nem uma alma sequer entre os três milhões de moradores de Chicago jamais reconheceu Colin. E ainda assim, ali em Gutshot, Tennessee...

— Ai, meu Deus! — Hollis gritou. — O que cê tá fazendo aqui?

Colin corou por um momento por causa da sensação de ser famoso e pensou um pouco antes de responder.

— Eu surtei; aí nós saímos numa viagem de carro; aí nós vimos a placa do arquiduque; aí eu cortei a testa; aí eu tive um momento eureca; aí nós conhecemos os amigos dela, e agora nós estávamos voltando para o carro, mas não fomos embora ainda.

Hollis deu um passo à frente e examinou o curativo. Ela sorriu e levou uma das mãos até o cabelo estilo judeu-afro dele, como se fosse sua tia e ele, uma criança de 7 anos que acabara de fazer algo extremamente fofo.

— E cês não vão embora ainda não — ela disse —, porque eu vou preparar um jantar.

Hassan bateu palmas.

— Eu estou *mesmo* com fome.

— Feche a loja, Linds.

Lindsey revirou os olhos e saiu devagar de trás da caixa registradora.

— Cê vai no carro com o Colin pro caso dele se perder — Hollis disse para Lindsey. — E eu vou levar o... como é mesmo seu nome?

— Eu não sou terrorista — Hassan disse, como resposta.

— Ai, que alívio. — Hollis sorriu.

Hollis dirigia uma picape novinha, impressionantemente rosa, e Colin a seguia no Rabecão com Lindsey no banco da frente.

— Carro bonito — ela comentou, sarcasticamente.

Colin não disse nada. Gostava de Lindsey Lee Wells, mas em alguns momentos parecia que ela estava tentando deixá-lo uma arara.[27] Ele tinha o mesmo problema com Hassan.

— Obrigado por não dizer nada quando eu era Pierre e Hassan, Salinger.

— É, bem. Aquilo foi engraçado. Além disso, o Colin tava dando uma de metido e precisava descer do pedestal.

— Entendi — disse Colin, que foi o que ele aprendeu a falar quando não tinha nada a dizer.

— Então — ela disse. — Cê é um gênio.

— Sou um menino prodígio em fim de carreira — Colin disse.

— Em que mais cê é bom, além de já saber tudo?

— Humm, línguas. Jogos de palavras. Conhecimentos gerais. Nada muito útil.

Colin continuava sentindo o olhar dela.

— Línguas são úteis. Quais línguas cê fala?

---

[27] Que era o que a mãe de Colin dizia quando alguém estava de provocação ou de implicância, ainda que a expressão nunca tenha feito muito sentido para Colin.

— Sou bem fluente em onze. Alemão, francês, latim, grego, holandês, árabe, espanhol, russo...

— Já deu pra ter uma ideia — ela o interrompeu. — Acho que *meine Mutter denkt, daß sie gut für mich sind*[28] — completou. — É por isso que a gente tá junto neste carro.

— *Warum denkt sie das?*[29]

— Tá, a gente já mostrou que sabe falar alemão. Ela fica pegando no meu pé que nem uma doida pra eu fazer faculdade e virar, sei lá, médica ou coisa assim. Só que eu não vou. Vou ficar aqui. Já decidi. Então acho que talvez ela queira que cê me sirva de inspiração ou algo parecido.

— Médicos ganham mais que paramédicos em treinamento — Colin ponderou.

— Tá, mas eu não preciso de dinheiro.

Ela fez uma pausa e pôde-se ouvir um ruído vindo de baixo do carro. Por fim, ele virou o rosto para olhá-la.

— Eu preciso da minha vida — ela explicou —, que é boa e que é aqui. Mas, de qualquer forma, pode ser que eu vá pra faculdade comunitária em Bradford só pra calar a boca da Hollis, mas só isso.

A estrada fez uma curva acentuada para a direita e, logo após passarem por um grupo de árvores, uma cidade surgiu. Casas pequenas, mas bem-cuidadas, margeavam a rua. Todas tinham varanda, pelo menos era o que parecia, e várias pessoas ficavam sentadas nelas, mesmo naquele verão mais quente que o inferno. Na rua principal, Colin avistou um centro comercial relativamente novo, com um posto de gasolina, um Taco Bell, um salão de beleza e a agência dos correios de Gutshot, TN, que, vista dali da rua, parecia ser do tamanho de um bom *closet*. Lindsey apontou pela janela de Colin.

---

[28] "Minha mãe acha que vocês fazem bem para mim."

[29] "Por que ela acha isso?"

— É ali que é a fábrica — ela disse, e, à meia distância, Colin avistou um complexo de prédios baixos.

Aquilo não se parecia muito com uma fábrica. Não havia silos de aço enormes, nem chaminés expelindo monóxido de carbono, só alguns prédios que lembravam vagamente hangares para aviões.

— O que ela produz? — Colin perguntou.

— Empregos. Ela gera os melhores empregos dessa cidade. Foi fundada por meu bisavô em 1917.

Colin reduziu a velocidade e foi para o acostamento, deixando um SUV que vinha em alta velocidade ultrapassá-los enquanto ele e Lindsey olhavam a fábrica pela janela do carro.

— Tá, mas o que é *produzido* lá? — ele perguntou.

— Cê vai rir.

— Não vou rir.

— Promete que não vai rir — ela disse.

— Prometo.

— É uma indústria têxtil. Hoje a gente faz mais, humm, cordinhas para absorventes internos.

Colin não riu. Em vez disso, pensou: *Absorventes internos têm cordinhas? Por quê?* De todos os grandes mistérios da humanidade — Deus, a natureza, o universo etc. —, esse era o que ele menos conhecia. Para Colin, esses absorventes eram um pouco como os ursos-pardos: estava ciente da existência deles, mas nunca tinha visto um solto por aí, e também não fazia muita questão.

Em vez da risada de Colin o que se seguiu foi um período de silêncio inquebrável. Ele acompanhou a picape rosa de Hollis por uma rua secundária, de asfalto novo, que de repente virou uma ladeira íngreme, forçando o motor fatigado do Rabecão a aumentar o giro para conseguir subir. Conforme avançavam, ficou claro que a rua era, na verdade, uma comprida entrada de veículos, que terminava em frente à maior residência de uma só família na qual Colin já pusera os olhos. Além disso, era ofuscantemente, chicletemente e Pepto-Bismolicamente cor-de-rosa. Ele foi adiante. Colin olhava fixamente para a casa, um tanto boquiaberto, quando Lindsey cutucou de leve seu braço. Ela encolheu os ombros, como se estivesse constrangida.

— Não é muito — falou. — Mas é o nosso lar.

Uma sequência de degraus largos abria caminho até uma varanda com muitas colunas. Hollis destrancou a porta e Colin e Hassan entraram numa sala de estar ampla e mobiliada com um sofá grande o suficiente para ambos deitarem nele sem nem se encostarem.

— Cês fiquem à vontade. Eu e a Lindsey, a gente vai preparar o jantar.

— Acho que cê consegue cuidar disso sozinha — Lindsey disse, recostando na porta da casa.

— Também acho, mas num quero.

Hassan se sentou no sofá.

— Essa Hollis é uma figura, cara. Na vinda pra cá, ela me contou que é dona de uma fábrica que produz cordinhas para absorventes.

Colin ainda não conseguia ver graça naquilo.

— Sabe — Colin disse —, a atriz de cinema Jayne Mansfield morava numa mansão cor-de-rosa.

Ele andou pela sala de estar, lendo a lombada dos livros da Hollis e vendo as fotos nos porta-retratos. Uma foto apoiada na lareira atraiu o olhar de Colin e ele se aproximou. Uma Hollis ligeiramente mais jovem e ligeiramente mais magra estava de pé em frente às Cataratas do Niágara. Ao lado dela havia uma menina que se parecia um pouco com Lindsey Lee Wells, só que a garota usava um sobretudo preto por cima de uma camisa de malha velha e surrada do Blink-182. O delineador fazia uma linha grossa em volta dos olhos e se alongava até as têmporas, a calça jeans preta era colada ao corpo e bem justa nas pernas, as botas Doc Martens bem engraxadas.

— Ela tem uma irmã? — perguntou Colin.

— O quê?

— Lindsey — Colin complementou. — Venha ver isso aqui.

Hassan andou até ele e analisou a foto brevemente antes de dizer:

— Essa é a tentativa mais patética de parecer gótico que eu já vi. Góticos não gostam do Blink-182. Cara, até eu sei disso.

— Humm, cês gostam de vagem? — Lindsey perguntou, e Colin de repente se deu conta de que ela estava atrás deles.

— Essa aqui é sua irmã? — perguntou Colin.

— Ah, não — ela respondeu. — Sou filha única. Não deu pra perceber pelo meu jeito adoravelmente egocêntrico?

— Ele estava ocupado demais sendo adoravelmente egocêntrico para notar isso — Hassan comentou.

— Então quem é essa? — Colin perguntou para Lindsey.

— Sou eu no oitavo ano.

— Ah — fizeram Colin e Hassan ao mesmo tempo, ambos constrangidos.

— Sim, eu gosto de vagem — Hassan disse, tentando mudar de assunto o mais rápido possível.

Lindsey foi para a cozinha e fechou a porta, e Hassan deu de ombros para Colin com um sorrisinho afetado, voltando, então, para o sofá.

— Eu preciso trabalhar — Colin disse.

Ele seguiu sozinho por um corredor todo forrado de papel de parede cor-de-rosa e entrou num cômodo no qual havia uma enorme escrivaninha de madeira. Parecia o tipo de lugar em que um presidente poderia sancionar uma lei. Colin se sentou, tirou do bolso o lápis nº 2 quebrado e o caderninho onipresente e começou a escrever.

O teorema se baseia na validade do meu antigo argumento de que o mundo contém, precisamente, dois tipos de pessoas: Terminantes e Terminados. Todo mundo está predisposto a ser um ou outro, mas, obviamente, nem todas as pessoas são Terminantes ou Terminados COMPLETOS. Daí a curva de sino:

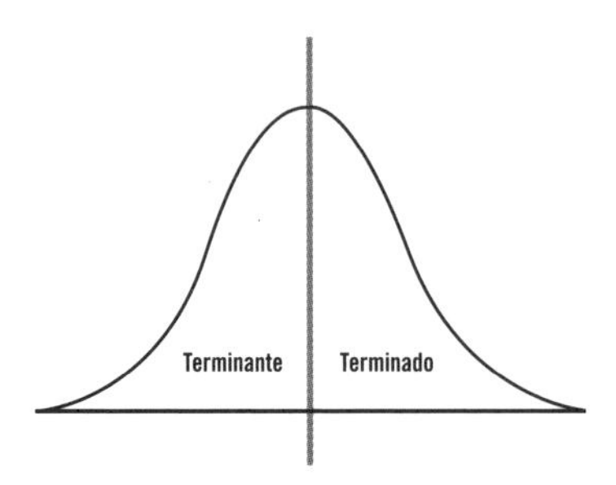

A maioria das pessoas fica em algum ponto perto da linha divisória vertical, com o eventual desgarrado estatístico (p.ex., eu) representando uma pequena porcentagem do total de indivíduos. Na expressão numérica do gráfico devemos ter algo próximo do 5 representando um Terminante extremo e 0 representando a minha pessoa. Logo, se Katherine, a Grande, era um 4 e eu sou um 0, o tamanho total da diferencial Terminante/Terminado = –4. (Considerando números negativos se o cara estiver mais para Terminado; positivos se for a menina.)

E então ele buscou criar uma equação que pudesse ser representada graficamente e que fosse a expressão de seu relacionamento com Katherine, a Grande (o mais simples de todos os seus romances), como ele foi de fato: desagradável, brutal e curto.

Por algum motivo, enquanto descartava equações a torto e a direito, o cômodo parecia ficar cada vez mais quente. O suor minava do curativo acima de seus olhos, por isso Colin o arrancou. Tirou a camisa, limpando o sangue escorrido e ressecado no rosto. Nu da cintura para cima, as vértebras saltavam das costas magras conforme ele se curvava na escrivaninha, trabalhando. Colin experimentou algo que nunca havia sentido – estava perto de um conceito original. Muitas pessoas, ele inclusive, já haviam percebido a existência da dicotomia

Terminante/Terminado. Mas ninguém jamais havia usado isso para demonstrar o arco dos relacionamentos românticos. Ele duvidava que alguém sequer tivesse imaginado que uma simples fórmula pudesse prever a ascensão e a queda dos romances em caráter universal. Ele sabia que não seria fácil. Para começar, transformar conceitos em números era um tipo de anagramatização à qual não estava acostumado. Mas ele se sentia confiante. Nunca fora tão bom assim em matemática,[30] mas era um maldito de um especialista mundialmente famoso em levar o fora das namoradas.

Ele perseverou na fórmula, assombrado pela sensação de que sua mente estava prestes a alcançar algo grande e significativo. E quando Colin provasse que era importante, ela sentiria sua falta, ele sabia. Ela o veria como no início: como um gênio.

Em uma hora ele já tinha uma equação:

$$f(x) = T^3x^2 - T$$

o que fez com que a Katherine I tivesse esta aparência:

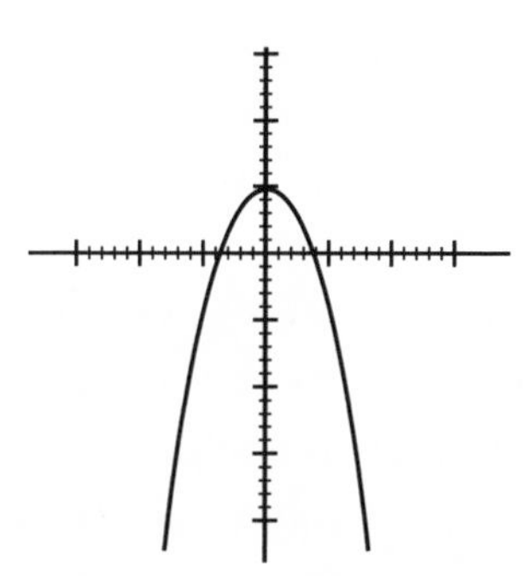

Aquilo estava bem próximo da perfeição — uma representação gráfica descomplicada de um relacionamento descomplicado, que capturava até mesmo a brevidade do relacionamento. Grá-

[30] Embora, é claro, ele certamente fosse melhor que a maioria das pessoas.

ficos não precisam representar o tempo com precisão, mas apenas dar uma ideia dele *por comparação*, ou seja: ela vai me namorar mais tempo que a K-14, mas não tanto tempo quanto a K-19.[31]

Com a Katherine II, porém, o resultado foi completamente errado – o gráfico só tocava o eixo x uma vez. Obviamente, aquilo ainda não estava refinado o suficiente para ele enviar aos *Anais da matemática* nem nada, mas Colin se sentiu bem o bastante para vestir de novo a camisa. Mais feliz do que já estivera em, bem, pelo menos dois dias, Colin percorreu apressado o corredor e adentrou como um raio no frescor da sala de estar, de onde viu por uma porta aberta que Lindsey, Hassan e Hollis estavam sentados na sala de jantar. Ele seguiu até lá e se sentou diante de um prato com arroz, vagem e o que pareciam ser frangos muito pequenos.

Hassan estava rindo de alguma coisa, assim como as duas Wells. Elas já pareciam apaixonadas por ele. As pessoas simplesmente gostam de Hassan, do mesmo jeito que gostam de fast food e de celebridades. Aquele era um dom que Colin achava louvável.

Na hora que Colin se sentou, Hollis perguntou a Hassan:

– Cê gostaria de fazer uma oração?

– Claro. – Hassan pigarreou. – *Bismillah.* – E pegou o garfo.

– Só isso? – Hollis perguntou, curiosa.

– Só. Somos um povo conciso. Conciso e faminto.

O árabe pareceu fazer com que todo mundo ficasse constrangido ou algo assim, porque ninguém mais falou nada durante alguns minutos, só Hassan, que ficava dizendo que a

[31] Uma explicação mais completa da matemática por trás disso aqui seria algo muito entediante e também muito demorado. Em livros há uma parte especificamente designada para explicações muito demoradas e muito entediantes, chamada "Apêndice", que é exatamente lá que você poderá encontrar uma explicação quase exaustiva da matemática a que recorremos aqui. No tocante a esta história em si: não haverá mais matemática. Nenhuma. Prometo.

codorna (eram codornas, e não frangos muito pequenos) estava *excelente*. E estava boa mesmo, Colin presumiu, para quem gosta de ficar procurando, em meio a um labirinto infindável de ossos e cartilagens, um pedaço eventual de carne. Ele caçou as partes comestíveis com a ajuda do garfo e da faca e, por fim, localizou uma garfada inteira de carne. Mastigou devagar, a fim de saboreá-la, mastigando, mastigando e *ai. Credo. O que diabos foi isso?* Mastiga. Mastiga. Mastiga. E *de novo. Fug. Isso é um osso?*

— Ai — falou baixinho.

— Chumbo de caça — Lindsey disse para ele.

— Chumbo de caça?

— Chumbo de caça — Hollis confirmou.

— Essa codorna foi abatida a tiros? — Colin perguntou, cuspindo uma minúscula bolinha de metal.

— Foi.

— E eu estou comendo as *balas*?

Lindsey sorriu:

— Não. Cê tá cuspindo elas.

E foi assim que Colin jantou, naquela noite, basicamente arroz e vagem.

Logo que todos terminaram, Hollis perguntou:

— Então, como foi vencer o *KranialKidz*? Eu lembro que no programa cê não pareceu assim, humm, muito animado.

— Eu me senti muito mal pela garota que perdeu. Ela era bem legal, a menina com quem disputei a final. E reagiu muito mal à derrota.

— Eu fiquei feliz o suficiente por nós dois — disse Hassan. — Fui o único integrante da plateia que fez a dancinha da vitória. Singleton castigou aquela pequena *fugger* como se ela roubasse alguma coisa.[32]

---

[32] *Tivesse roubado* alguma coisa, Colin teve vontade de dizer. Mas gramática não é interessante.

O *KranialKidz* fazia Colin se lembrar da Katherine XIX, então ele olhou fixamente para a frente e se esforçou muito para pensar o mínimo possível. Quando Hollis falou, a voz dela pareceu quebrar um longo período de silêncio, como os despertadores fazem.

— Acho que cês deviam trabalhar pra mim esse verão em Gutshot. Tô começando um projeto e cês seriam perfeitos pra ele.

No decorrer dos anos, em determinadas ocasiões, algumas pessoas tentaram empregar Colin de uma forma condizente com seus talentos. Mas, (a) os verões, ele dedicava aos acampamentos de superdotados, a fim de poder aprofundar seus conhecimentos; (b) um trabalho de verdade o distrairia de seu trabalho verdadeiro, que era o de se tornar um repositório ainda maior de conhecimento, e (c) Colin não tinha, de fato, nenhuma habilidade que servisse a qualquer fim comercial. É raro alguém deparar, por exemplo, com o seguinte anúncio de emprego:

> *Prodígio*
>
> *Empresa de grande porte, megalítica, procura prodígio talentoso e ambicioso para se juntar a nosso dinâmico Departamento de Prodígios. São pré-requisitos pelo menos quatorze anos de experiência comprovada como criança prodígio, capacidade de anagramatizar habilmente (e aliterar agilmente), fluência em onze idiomas. As responsabilidades do cargo incluem ler; decorar enciclopédias, livros de ficção e poesia, e memorizar os primeiros 99 dígitos de pi.*[33]

---

[33] O que Colin fez quando tinha 10 anos, ao criar uma frase de 99 palavras na qual a primeira letra de cada uma correspondia ao dígito de pi equivalente (a=1, b=2 etc.; j=0). A frase, caso você esteja curioso: "Costumam adorar doses alcoólicas esses inconsequentes bagres, fanfarrões embriagados, cometendo excessos hepáticos, instigando grandes indulgências com benefícios calamitosos. Heroicamente, dedicadas focas babás fazem das crias carentes habilidosas crianças bagres, garantindo incondicionalmente educação justa,

E, assim, todo verão Colin ia para o acampamento de superdotados e, a cada ano que passava, ia ficando cada vez mais claro que ele não tinha qualificação para fazer *nada*. E foi o que disse para Hollis Wells.

— Só o que preciso é que cês sejam razoavelmente inteligentes e que não sejam de Gutshot, e os dois preenchem os requisitos. Quinhentos dólares por semana, mais casa e comida de graça. Tão contratados! Bem-vindos à família da Indústria Têxtil Gutshot!

Colin lançou um olhar expressivo para o amigo, que segurava delicadamente uma codorna com ambas as mãos, os dentes atacando o osso na vã tentativa de achar um pedaço um tanto decente de carne. Hassan devolveu a codorna ao prato devagar e retribuiu o olhar de Colin.

Hassan fez um sutil movimento afirmativo com a cabeça; Colin franziu os lábios; Hassan passou a mão na barba malfeita; Colin mordiscou a almofada do polegar; Hassan sorriu; Colin fez que sim.

— Tá — disse Colin finalmente.

Eles haviam decidido ficar. *Goste você ou não*, Colin pensou, *viagens de carro têm destino certo*. Ou pelo menos o tipo dele de viagem de carro sempre teria. E aquele parecia um destino justo — acomodações confortáveis, apesar de infinitamente cor-de-rosa; pessoas razoavelmente legais, uma das quais o fez sentir-se ligeiramente famoso, e o local do seu pri-

---

básica, honesta, harmoniosa, dando auxílio integralmente gratuito à família. Inspiram confiança imensa, inclusive cultivando generosidade e alegria. Já esses horríveis baiacus joviais insultam garoupas domésticas inadequadamente, demonstrando demérito e incomodando bastante cada jovem garoupa. Humilham as feiosas damas, justamente fazendo brincadeiras horrendas, falando baboseiras jocosas. Hostilidades irritantemente inescrupulosas, habitualmente ferinas, bestiais, horripilantes. Jovens crianças declaram hostilizar baiacus enquanto causadores de baderna. Aprendei a glorificar jubilosamente fantásticas garoupas!"

meiro momento eureca. Colin não precisava do dinheiro, mas sabia o quanto Hassan odiava ter de implorar para gastar o dinheiro dos pais. Além disso, um emprego seria bem-vindo. Nenhum dos dois, Colin se deu conta, jamais havia, tecnicamente, trabalhado em troca de salário. A única preocupação de Colin era com o Teorema.

Hassan disse:

— *La ureed an uz'ij rihlatik — wa lakin min ajl khamsu ma'at doolar amreeki fil usbu', sawfa afa'al.*[34]

— *La ureed an akhsar kulla wakti min ajl watheefa. Yajib an ashtaghil ala mas'alat al-riyadiat.*[35]

— Daria só para garantir que o Singleton terá tempo para trabalhar nos rabiscos dele? — perguntou Hassan.

— Isso foi algum tipo de língua inventada? — Lindsey interrompeu, incrédula.

Colin a ignorou, respondendo a Hassan:

— Não são rabiscos, e você saberia disso se...

— Fosse para a faculdade, tá. Cara, você é tão previsível... — Hassan falou. E virou-se para Lindsey: — Não estamos falando uma língua inventada. Estamos falando a língua sagrada do Alcorão, a língua do grande califa e de Saladino, o mais bonito e intricado de todos os idiomas dos homens.

— Pra mim parece o barulho de um texugo com pigarro — Lindsey observou.

Colin ponderou sobre aquilo por um instante. Depois disse:

— Preciso de tempo para trabalhar nas minhas coisas.

Hollis só assentiu com a cabeça.

— Esplêndido — Lindsey disse, e parecia sincera. — Esplêndido. Mas cês não podem ficar com meu quarto.

---

[34] "Eu não quero arruinar sua viagem — mas por 500 dólares norte-americanos por semana vou fazer isso."

[35] "Eu não quero ocupar todo o meu tempo com trabalho. Preciso dele para fazer o Teorema."

Com a boca cheia de arroz, Hassan disse:

— Acho que vamos conseguir achar um lugarzinho para dormir em algum canto dessa casa.

Depois de um tempo, Hollis anunciou:

— Vamos jogar Scrabble.

Lindsey soltou um gemido.

— Eu nunca joguei isso — Colin disse.

— Um gênio que nunca jogou Scrabble? — Lindsey perguntou.

— Eu não sou gênio.

— Tá. Um *sabichão*?

Colin riu. Aquilo lhe caía como uma luva. Não era mais um prodígio, não tinha virado gênio — mas ainda era um sabichão.

— Eu não jogo nada — Colin disse. — Na verdade, eu não *brinco* muito.

— Mas deveria. Jogar é divertido. Embora o Scrabble não seja a melhor diversão do mundo — Lindsey disse.

Placar Final:
Hollis: 158
Colin: 521
Lindsey: 293
Hassan: 0[36]

Depois de ligar para os pais e lhes contar que estava numa cidade chamada Gutshot, mas sem mencionar que se hospedara na casa de desconhecidos, Colin ficou acordado até tarde trabalhando no Teorema em seu novo quarto no segundo andar, no qual havia uma bela escrivaninha de carvalho com gavetas vazias. Colin, por algum motivo que

---

[36] "Eu não vou jogar *Scrabble* contra o *Singleton*. Cara, se eu quiser ser lembrado do tamanho da minha burrice é só olhar a minha nota no SAT."

desconhecia, sempre amara escrivaninhas com gavetas vazias. Mas o Teorema não ia bem; Colin estava começando a temer que talvez não tivesse o conhecimento matemático necessário para a tarefa quando levantou os olhos e viu a porta do quarto se abrir. Lindsey Lee Wells, vestida com um pijama de lã estampado.

— Como tá a cabeça? – ela perguntou, sentando-se na cama dele.

Colin fechou o olho direito, depois o abriu e então apalpou o corte com um dos dedos.

— Dói – respondeu. – Mas muito obrigado pelo curativo.

Ela se sentou com as pernas cruzadas, sorriu e disse, cantarolando:

— É pra isso que servem os amigos. – Mas logo em seguida ficou séria, parecendo meio envergonhada até. – Olha, eu só queria dizer uma coisa pra você. – E mordiscou a almofada do polegar.

— EiEuFaçoIsso! – Colin disse, apontando.

— Ah, que esquisito. É tipo uma versão meio fajuta de chupar o dedo, né? Mas, de qualquer maneira, só faço isso quando tô sozinha – Lindsey disse, e passou pela cabeça de Colin que estar a seu lado não era estar "sozinha", mas ele não chamou a atenção dela para isso. – Tá, então. Sei que vai parecer um pouco retardado da minha parte, mas será que eu posso falar uma coisa sobre aquela foto, pra cê não pensar que sou uma completa idiota? Porque fiquei deitada na cama pensando que cê provavelmente acha que eu sou uma idiota e que cês dois devem tá comentando o fato de eu ser uma idiota e tal...

— Ahn, tá – disse, embora, francamente, Hassan e ele tivessem muitas outras coisas de que falar.

— Então, eu era feia. Nunca fui gorda, na verdade, e nunca usei boné, nem tive espinhas nem nada. Mas eu era feia. Nem sei como se escolhe quem é feia e quem é bonita, talvez tenha, tipo, uma sociedade secreta de garotos que se encontram no vestiário e decidem quem é feia e quem é gostosa, porque, que eu me lembre, nenhuma menina no quarto ano pode ser considerada gostosa.

— Você com certeza não conheceu a Katherine I — interrompeu Colin.

— Regra número 1 da contação de histórias: nada de interrupções. Mas, rá, rá. Tarado. Mesmo assim, eu era feia. Implicavam comigo o tempo todo. Não vou chatear ocê com histórias de como isso era infernal, mas só digo que era bem ruim. Eu era infeliz. Então no oitavo ano eu adotei um estilo alternativo. A Hollis e eu, a gente foi de carro até Memphis e renovou meu guarda-roupa, e eu acabei escolhendo um corte tipo Zelda, pintei o cabelo de preto, parei de pegar sol e era tipo metade emo, metade gótica, metade punk e metade nerd chic. Basicamente, eu não tinha a menor ideia do que tava fazendo, mas não importava porque naquela escola de segundo segmento do ensino fundamental em Milan, Tennessee, ninguém nunca tinha visto nada parecido com emo, gótico, punk ou nerd chic. Eu era *diferente*, só isso. Odiava todo mundo, e todos me odiaram durante um ano inteirinho. E aí começou o ensino médio e eu resolvi fazer com que gostassem de mim. Simplesmente decidi que ia fazer isso. E foi fácil, garoto. Foi tão, tão fácil! Eu apenas fiquei assim. Se uma coisa anda como um adolescente maneiro, fala como um adolescente maneiro, se veste como um adolescente maneiro e tem a dose certa da combinação de safadoemalvadoelegal, como qualquer adolescente maneiro, essa coisa se torna um adolescente maneiro. Mas eu não sou babaca com os outros. Não existe nem esse negócio de *popularidade* na minha escola...

— Essa — Colin disse enfaticamente — é uma frase que, até hoje, só foi dita por pessoas populares.

— Tá, tá bem. Mas eu não sou só uma garota qualquer que era feia e vendeu a alma pra namorar caras gatos e ir às melhores chopadas que a cidade de Gutshot tem a oferecer. — Ela repetiu, quase na defensiva: — Eu não vendi minha alma.

— Humm, tá. Eu não me importaria se você tivesse vendido — Colin admitiu. — Os nerds sempre dizem que não dão a mínima para a popularidade, mas... não ter amigos é uma droga. Pessoalmente, jamais gostei de, abre aspas, adolescentes maneiros, fecha aspas. Achava que eram todos uns merdinhas ignorantes. Mas é possível que eu seja igual a eles em alguns aspectos. Tipo, outro dia, eu disse para o Hassan que queria *ser importante*, ser lembrado. E ele disse: "O famoso é o novo popular." Talvez ele esteja certo, e talvez eu só queira ser famoso. Estava pensando nisso agora à noite, na verdade, que talvez eu queira que as pessoas que não me conhecem me achem maneiro, já que quem conhece, não acha. Eu fui ao zoológico uma vez, quando tinha 10 anos, num passeio da escola, e estava realmente com vontade de mijar, sabe? Para falar a verdade, fiquei apertado várias vezes naquele dia, provavelmente porque me hidratei demais. Por acaso, você sabia que aquela história toda de oito copos de água por dia é uma bobagem sem tamanho e que não tem nenhuma base científica? Tantas coisas são assim! Todo mundo acredita porque as pessoas são basicamente preguiçosas e incuriosas, o que, por acaso, é uma daquelas palavras que soam como se não existissem, mas existem.[37]

— É muito estranho ver sua mente funcionando — Lindsey disse, e Colin suspirou.

---

[37] Isso é absolutamente verdadeiro, o lance dos oito copos por dia. Não há necessidade alguma de se beber oito copos de água por dia a menos que você, por algum motivo, tenha uma preferência especial pelo gosto da água. A maioria dos especialistas concorda que, a menos que haja algo terrivelmente errado com seu organismo, você só deve beber água quando estiver — preste bem atenção — com sede.

Ele sabia que não conseguia contar histórias, que sempre incluía detalhes extrínsecos e tangentes que só eram interessantes para ele.

– Bem, o fim da história é que eu cheguei relativamente perto de ter meu pênis arrancado por uma mordida de leão. E o que eu queria dizer era que merdas como essa nunca acontecem com pessoas populares. Jamais.

Lindsey riu.

– Essa seria uma história danada de boa se você soubesse contar direito. – Ela mordiscou o polegar novamente. Seu hábito secreto. Com a mão na frente da boca, disse: – Pois é. Eu acho você maneiro e quero que você me ache maneira, e é a isso que se resume ser popular.

O Fim (do Começo)

Depois do primeiro beijo, Colin e Katherine I ficaram sentados em silêncio por mais ou menos uns dois minutos. Katherine o observava atentamente e ele tentou continuar traduzindo Ovídio. Mas se viu com um problema sem precedentes. Não conseguia se concentrar. Ele ficava levantando os olhos para vê-la. Os grandes olhos azuis da menina, na verdade grandes demais para o rosto tão jovem, o encaravam sem parar. Ele presumiu que estivesse apaixonado. Por fim, ela falou.

— Colin.

— Oi, Katherine?

— Estou terminando com você.

Naquela hora, é claro, Colin não compreendeu totalmente o significado daquele momento. Mergulhou em Ovídio, vivenciando o luto da perda em silêncio, e Katherine continuou a observá-lo durante os trinta minutos seguintes, até que os pais dela chegaram na sala de estar para levá-la embora. Só foram necessárias mais algumas poucas Katherines para que ele olhasse nostalgicamente para Katherine, a Grande, como a porta-voz perfeita do Fenômeno Katherine. O relacionamento de três minutos deles foi o acontecimento em si, em sua forma mais legítima. Foi o tango imutável entre a Terminante e o Terminado: a chegada, a contemplação, a conquista e a volta para casa.

(OITO)

O **problema é que**, quando você passa a vida inteira na cidade de Chicago e arredores, não consegue apreender completamente certas facetas da vida rural. Tomemos, por exemplo, o caso perturbador do galo. Na cabeça de Colin, o galo cantando de manhãzinha não passava de um clichê literário e cinematográfico. Sempre que um autor queria que um personagem fosse despertado ao alvorecer, Colin achava que ele simplesmente recorria à tradição literária do galo cantando para fazer aquilo acontecer. Era algo, ele pensava, que os escritores sempre faziam: escrever as coisas de um jeito diferente do que são na verdade. Os escritores nunca contavam a história toda; simplesmente iam direto ao ponto. Para Colin, a verdade deveria importar tanto quanto o ponto, e ele imaginou que devia ser por isso que não conseguia contar histórias direito.

Naquela manhã ele aprendeu que, no fim das contas, os galos *não* começam a cantar à primeira luz do dia. Começam bem *antes*, lá pelas cinco horas. Colin rolou na cama com a qual não estava acostumado e por uns poucos e lentos segundos, enquanto tentava enxergar na escuridão, ele se sentiu bem. Cansado e irritado com o galo. Mas bem. Mas aí se lembrou de que ela havia terminado com ele, e pensou nela, adormecida em sua cama enorme e macia, não sonhando com ele. Colin rolou de novo e deu uma olhada no celular. Nenhuma ligação não atendida.

O galo cantou de novo.

– Co-co-ri-có-não, *motherfugger* – Colin murmurou.

Mas o galo continuou com o co-co-ri-có-sim e, depois que o sol nasceu, o canto criou um tipo de sinfonia dissonante, esquisito quando misturado aos sons abafados da reza matinal de um muçulmano. Aquelas horas de ruídos que não o deixavam dormir lhe deram bastante tempo para se questionar sobre tudo, de quando a Katherine pensou nele pela última vez até a quantidade de anagramas gramaticalmente corretos para galo cantando.[38]

Por volta das sete da manhã, quando o galo (ou, quem sabe, houvesse mais de um, talvez eles cantassem em turnos) entrou em sua terceira hora de gritos estridentes, Colin foi cambaleando até o banheiro, que também tinha ligação com o quarto de Hassan. O amigo já estava no banho. Mesmo sendo tudo muito luxuoso, não havia banheira.

– Bom dia, Hass.

– Oi! – Hassan gritou por causa do barulho da água. – Cara, a Hollis está dormindo na sala de estar com a televisão ligada no canal de compras. Ela tem uma casa de 1 bilhão de dólares e dorme no sofá.

– Efas fefoas são estranhas – Colin disse, tirando a escova de dentes da boca no meio da frase.

– Não importa. A Hollis me adora. Ela acha que eu sou o máximo. E que você é um gênio. E a 500 dólares por semana eu nunca mais vou precisar trabalhar na vida. Quinhen-

[38] Ele achou vinte, dos quais só gostou mesmo de dois: "o tal candonga" e "canal do tango".

tos dólares dão para cinco meses na minha casa, cara. Eu posso viver com o dinheiro desse verão até, tipo, os 30 anos.

— Sua falta de ambição é verdadeiramente admirável.

Hassan estendeu o braço para fora do box e pegou uma toalha bordada com o monograma HLW. Ele surgiu alguns instantes depois e andou até o quarto de Colin, a toalha enrolada na cintura de diâmetro considerável.

— Olha aqui, *kafir*. Falando sério. Larga do meu pé com essa história de eu ir para a faculdade. Você me deixa ser feliz; eu deixo você ser feliz. Ficar enchendo a merda do saco um do outro faz parte, mas tem limite.

— Foi mal. Eu não sabia que tinha chegado ao limite.

Colin se sentou na cama. Estava vestido com a camisa de malha do *KranialKidz*.

— Pois é. Você tocou nesse assunto, tipo, uns 284 dias consecutivos.

— Talvez a gente devesse escolher uma palavra — Colin disse. — Para quando já tiver ido longe demais. Tipo, uma palavra aleatória, e aí vamos saber que é para parar de encher o saco.

Parado ali, em pé, enrolado na toalha, Hassan olhou para o teto e, por fim, disse:

— Badalhoca.

— Badalhoca — Colin concordou, tentando formar anagramas para ela na cabeça, e só gostou de dez.[39]

— Você está fazendo anagramas, não está, *motherfugger*? — perguntou Hassan.

— Estou — Colin disse.

— Deve ter sido por isso que ela terminou com você. Sempre criando anagramas, nunca escutando.

---

[39] Bolachada; chá da bola; cada bolha; alba do chá; acha baldo; o chá balda; da bolacha; bala do chá; dá cá bolha; chá da loba.

— Badalhoca — disse Colin.

— Só quis dar a chance de você usar nosso código. Tá, vamos comer. Estou mais faminto que uma criança no terceiro dia do acampamento para gordos.

Enquanto eles percorriam um corredor que terminava numa escada em espiral a caminho da sala de estar, Colin perguntou, o mais próximo que conseguiu chegar de um sussurro:

— Por que você acha que a Hollis quer nos dar um emprego, de verdade?

Hassan parou no meio da escada e Colin também.

— Ela quer me fazer feliz. Nós, gordinhos, temos um laço afetivo, cara. Somos tipo uma Sociedade Secreta. Temos vários lances que nem passam pela cabeça de vocês. Apertos de mão, danças especiais para gordos, umas cavernas *fugging* secretas no centro da Terra para onde descemos no meio da noite, quando todos os magros estão dormindo, para comer bolo, frango assado e altas paradas. Por que acha que a Hollis ainda está dormindo, *kafir*? Porque ficamos acordados a noite toda na caverna secreta injetando cobertura de bolo na veia. Ela está nos dando emprego porque um gordinho sempre confia em outro gordinho.

— Você não é gordo. É *rechonchudo.*

— Cara, você acabou de ver meus peitinhos quando saí do banho.

— Eles não são tão grandes assim — disse Colin.

— Ah, então é assim? Foi você quem pediu!

Hassan levantou a camisa até o pescoço e Colin deu uma olhada no tórax cabeludo, que tinha — tá, não há como negar — pequenos peitos. Tamanho PP de sutiã, mas mesmo assim. Com um largo sorriso de satisfação, Hassan baixou a camisa e seguiu escada abaixo.

Demorou uma hora para Hollis se arrumar, período no qual Hassan e Lindsey jogaram conversa fora e assistiram ao *Today*

Show, enquanto Colin ficou sentado no canto mais distante do sofá lendo um dos livros que enfiara na mochila – uma antologia de Lord Byron que continha os poemas *Lara* e *Don Juan*, dos quais Colin gostava muito. Quando Lindsey o interrompeu, ele havia acabado de chegar a um verso que adorava em *Lara*: "A eternidade ordena a ti que esqueça."

– Que é que cê tá lendo aí, sabichão? – perguntou Lindsey.

Colin levantou o livro para mostrar a capa.

– Don Juan – ela disse, pronunciando *Juan* rapidinho, tipo *Jwan*, como se fosse um monossílabo. – Tentando aprender como não levar o fora das namoradas?

– *Ju-an* – Colin corrigiu. – São duas sílabas: Don *Ju-an* – ele disse.[40]

– Isso não é interessante – Hassan observou.

Mas Lindsey pareceu achar aquilo mais irritante que desinteressante. Ela revirou os olhos e começou a tirar a mesa do café da manhã. Hollis Wells desceu a escada envolta no que parecia, juro por Deus, uma toga florida.

– O que a gente tá fazendo – falou rapidamente –, a gente tá registrando a história oral de Gutshot, pras gerações do futuro. Eu vinha chamando o pessoal da linha de produção pra entrevista nas últimas duas semanas, mas não tenho mais que fazer isso agora que cês estão aqui. Bem, o problema de toda essa operação até aqui tem sido a fofoca... todo mundo falando sobre o que os outros dizem ou não dizem. Mas cês não têm nenhum motivo nesse mundo pra opinar se Ellie Mae gostava ou não do marido quando casou com ele em 1937. Então, vão cês dois. E Linds, porque todo mundo confia...

– Eu sou muito sincera – Lindsey explicou, interrompendo a mãe.

---

[40] É verdade. A maior parte da métrica nos versos originais do *Don Juan* de Byron só funciona se você enfatizar bem a pronúncia das duas sílabas de *Juan*.

— Até demais, querida. Mas, é. Então, cê bota esse pessoal pra falar e eles num param mais. Verdade verdadeira. Eu quero seis horas de gravação nova na minha mão todo santo dia. Mas façam de um tudo pra eles falarem da verdadeira *história*, se cês conseguirem. Tô fazendo isso pros meus netos, não pra um festival de fofoca.

Lindsey tossiu, murmurou "babaquice", e então tossiu de novo.

Hollis arregalou os olhos.

— Lindsey Lee Wells, bote agorinha mesmo uma moeda de 25 centavos no pote do palavrão!

— Merda — Lindsey disse. — Caralho. Porra. — Ela foi lentamente até a moldura da lareira e colocou uma nota de 1 dólar num pote de vidro com tampa. — Tô sem moeda, Hollis — ela disse.

Colin não conseguiu conter o riso; Hollis lançou um olhar ferino para ele.

— Bom — ela disse —, cês devem ir agora. Seis horas de fita, e voltem pro jantar.

— Peraí, quem vai abrir a loja? — perguntou Lindsey.

— Vou pôr o Colin lá um tempo.

— Eu vou sair para entrevistar pessoas desconhecidas — Colin argumentou.

— O outro Colin — Hollis disse. — O — e aí ela suspirou — namorado da Lindsey. Ele tem matado o trabalho metade do tempo, de qualquer jeito. Agora, fora daqui.

No Rabecão, com Hassan ao volante descendo a excessivamente comprida entrada de veículos da Mansão Cor-de-rosa, Lindsey disse:

— O, suspiro, namorado da Lindsey. É sempre o, suspiro, namorado da Lindsey. Jesus Cristo. Tá, escute aqui, é só me deixar lá na loja.

Hassan olhou para cima e falou com Lindsey pelo espelho retrovisor.

– De jeito *fugging* nenhum. É assim que começam os filmes de terror. Nós deixamos você lá, entramos na casa de algum desconhecido e cinco minutos depois tem um psicopata fatiando os meus ovos com um facão enquanto a esposa esquizofrênica dele obriga o Colin a fazer flexões de braço numa cama de carvão em brasa. Você vai com a gente.

– Não quero ofender cês dois não, mas não vejo o Colin desde ontem.

– Não quero ofender aquele *fugger,* não – Hassan retrucou –, mas o *Colin* está sentado aqui no banco da frente lendo Don JU-AN. Você namora *O Outro Colin*, vulgo OOC.

Colin já não estava mais lendo – prestava atenção em Hassan agindo em sua defesa. Ou, pelo menos, achava que ele o estava defendendo. Não dava nunca para saber ao certo, quando se tratava de Hassan.

– Quer dizer, meu garoto aqui é claramente o Colin Original. Não há outro igual a ele. Colin, diga "único" na maior quantidade de línguas que conseguir.

Colin foi rápido. Era uma palavra que ele conhecia.

– Humm, único,[41] *unico,*[42] *einzigartig,*[43] *unique,*[44] *уникальный,*[45] *μοναδικός,*[46] *singularis,*[47] *farid.*[48]

Hassan era bom naquilo, sem a menor dúvida – Colin sentiu uma onda de afeição por ele, e a recitação das palavras fez

[41] Português e espanhol.
[42] Italiano.
[43] Alemão.
[44] Inglês e francês.
[45] Russo.
[46] Grego.
[47] Latim.
[48] Árabe.

com que algo preenchesse o buraco onipresente. Funcionou, ainda que só por um instante, como remédio.

Lindsey sorriu para Colin pelo espelho retrovisor.

— Senhor, meu cálice de Colins transborda. Um pra me ensinar línguas, outro pra me beijar de língua. — Ela riu da própria piada, e falou: — Tá, tudo bem. Eu vou. Não quero ver o Colin tendo seus ovos fatiados, no fim das contas. Nenhum dos Colins, na verdade. Mas cês têm de me levar até a loja depois.

Hassan concordou e então Lindsey os guiou até uma ruela cheia de casas pequenas de apenas um andar, depois de passarem em frente ao que ela chamou de "Taco Hell". Eles estacionaram na entrada de veículos.

— A maioria do pessoal tá no trabalho — ela explicou. — Mas Starnes deve tá em casa.

O homem os recebeu à porta. A mandíbula inferior de Starnes parecia não existir; ele parecia ter um tipo de bico de pato coberto de pele, em vez de queixo ou mandíbula ou dentes. E, mesmo assim, ainda tentou sorrir para Lindsey.

— Docinho — ele disse —, como cê tá?

— Fico sempre bem quando vejo ocê, Starnes — ela devolveu, dando um abraço no homem.

Os olhos dele brilharam e, em seguida, Lindsey o apresentou a Colin e a Hassan. Quando o velho reparou que Colin olhava fixamente para ele, explicou:

— Câncer. Agora, cês todos entrem e sentem.

A casa cheirava a sofás mofados e velhos, e a madeira rústica. Cheirava, Colin pensou, a teias de aranha ou a lembranças nebulosas. Tinha o mesmo cheiro do porão da K-19. E aquele odor fez com que ele voltasse no tempo tão visceralmente, para uma época em que ela o amava — ou pelo menos ele achava isso —, que sua barriga começou a doer de novo. Ele fechou bem os olhos por um segundo e esperou a sensação passar, mas não passou. Para Colin, nada nunca passava.

O Começo (do Fim)

Katherine XIX ainda não era exatamente a XIX quando eles saíram juntos, sozinhos, pela terceira vez. Embora os sinais parecessem favoráveis, ele não poderia simplesmente perguntar a ela se queria namorá-lo, e certamente não poderia simplesmente aproximar seu rosto do dela e beijá-la. Com frequência Colin vacilava quando se tratava da hora do beijo. Ele tinha uma teoria a esse respeito, na verdade, intitulada Teoria da Minimização da Rejeição (TMR):

O ato de aproximar o rosto para beijar alguém, ou de perguntar se pode beijar alguém, carrega o risco da possibilidade de rejeição; assim, a pessoa menos propensa a ser rejeitada deveria fazer a aproximação do rosto ou a pergunta. E essa pessoa, pelo menos em relacionamentos heterossexuais no ensino médio, *definitivamente é a garota.* Pense bem: garotos, basicamente, querem beijar garotas. Os meninos querem beijar, abraçar, apalpar. Sempre. Tirando Hassan, raramente acontece de um garoto pensar algo como: "Humm, acho que prefiro não beijar hoje." Talvez, se um cara estiver pegando fogo, literalmente, não vá pensar em dar uns pegas. Mas só nesse caso. Ao passo que as garotas são bastante inconstantes quando se trata desse negócio de beijo. Às vezes elas querem dar uns pegas; às vezes, não. Elas são uma fortaleza impenetrável de incognoscibilidade, na verdade.

Logo: as garotas deveriam sempre tomar a iniciativa, porque (a) elas são, em geral, menos propensas a serem rejeitadas que os garotos e (b) dessa forma elas nunca serão beijadas, a menos que queiram.

Infelizmente para Colin, não há nada lógico no negócio do beijo e, por causa disso, sua teoria nunca funcionou. Mas, por ele sempre ter esperado um tempo tão inacreditavelmente grande para beijar uma garota, raramente teve de lidar com a rejeição.

Ele ligou para a futura Katherine XIX naquela sexta-feira depois da aula e convidou-a para sair e tomar um café no dia seguinte, e ela aceitou. Foi a mesma cafeteria dos dois primeiros encontros – ocasiões perfeitamente agradáveis e cheias de tanta tensão sexual que ele não pôde evitar ficar um pouco excitado só com o toque fortuito da mão dela na sua. Ele colocou as mãos em cima da mesa, na verdade, porque queria que estivessem ao alcance dela.

A cafeteria ficava a alguns quilômetros da casa da Katherine e a quatro prédios da de Colin. Chamava-se Café Sel Marie e servia um dos melhores cafés de Chicago, o que não fazia muita diferença para Colin, porque Colin não gostava de café. Ele gostava muito da *ideia* do café – uma bebida quente que fornecia energia e tinha sido associada, durante vários séculos, a pessoas sofisticadas e a intelectuais. Mas, para ele, o gosto do café em si parecia bílis cafeinada. Então Colin amenizou aquele sabor desagradável afogando seu café em leite, o que fez Katherine delicadamente mexer com ele naquela tarde. Seria desnecessário dizer que Katherine bebeu café puro. As Katherines, geralmente, tomam café assim. Elas gostam do café da mesma forma que gostam de seus ex-namorados: amargos.

Algumas horas e quatro xícaras depois, ela quis que Colin visse um filme.

– O título é *Os Excêntricos Tenenbaums* – falou. – É sobre uma família de prodígios.

Colin e Katherine pegaram a linha castanha do metrô sentido sudeste, na direção de Wrigleyville, e depois andaram cinco quarteirões até a casa dela, uma construção estreita de dois andares. Katherine levou-o até o porão. Com piso de linóleo num padrão em ondas, o cômodo abafado e úmido continha um sofá antigo, não possuía janelas e o teto era bem baixo (o pé-direito tinha 1,90m, e Colin, 1,85m). Não era um lugar muito propício para se viver, mas como cinema era fantástico. Tão escuro que você podia afundar no sofá e entrar pela tela da TV.

Colin bem que gostou do filme; pelo menos riu à beça e encontrou consolo num mundo em que todos os personagens que tinham sido crianças superdotadas cresceram e se tornaram adultos verdadeiramente fascinantes e únicos (mesmo sendo todos meio doidos). Quando o filme terminou, Katherine e Colin ficaram sentados no escuro. O porão era o único lugar genuinamente escuro que Colin já vira em Chicago – de dia e de noite, uma luz laranja-acinzentada se infiltrava por qualquer lugar com janelas.

– Eu adoro a trilha sonora – disse Katherine. – É tão maneira!

– É – Colin disse. – E eu gostei dos personagens. Até daquele pai terrível eu gostei um pouquinho.

– É, eu também.

Ele conseguia ver o cabelo loiro dela e o contorno de seu rosto, mas quase nada mais. A mão dele, que tinha ficado segurando a dela desde que haviam se passado uns trinta minutos de filme, estava com cãibra e suada, mas ele não quis ser o primeiro a soltar a mão. Ela continuou:

– Quer dizer, ele é egoísta, mas todo mundo é egoísta.

– É – Colin disse.

– Então é assim? É assim que é ser um, humm, prodígio ou sei lá o quê?

– Humm, não exatamente. Por exemplo, todos os prodígios no filme eram lindos – ele brincou.

Ela riu e disse:

– Assim como todos os que eu conheço.

Ele expirou audivelmente, olhou para ela e quase... mas não. Não tinha certeza, e não conseguia nem pensar na possibilidade de ser rejeitado.

— Mesmo assim, nesse filme parece que todos já nasceram talentosos. Eu não sou assim, sabe? Quer dizer, eu trabalho pelo menos dez horas por dia, todos os dias, desde que tinha 3 anos — disse, sem falsa modéstia.

Ele pensava *mesmo* naquilo como um trabalho. As leituras e a prática de idiomas e da pronúncia, a recitação dos fatos, a análise cuidadosa de todos os textos postos à sua frente.

— Então, no fim das contas, em que você é bom exatamente? Quer dizer, eu sei que você é bom em tudo, mas no que você é *muito* bom além de em outras línguas?

— Sou bom em códigos e coisas assim. E sou bom em, tipo, truques linguísticos, como anagramas. Para falar a verdade, isso é o que eu mais gosto de fazer. Posso criar anagramas para qualquer coisa.

Ele ainda não havia falado para nenhuma das Katherines sobre seus anagramas. Sempre imaginou que isso fosse entediá-las.

— Qualquer coisa?

— Que caqui solar — ele respondeu de bate-pronto.

Ela riu e disse:

— Katherine Carter.

Ele queria tanto colocar a mão na nuca da Katherine, puxá-la para perto e provar o gosto da sua boca, macia e carnuda, na escuridão... Mas ainda não. Não tinha certeza. Seu coração saltava no peito.

— Humm, tá. A ti reencher, kart... humm, ah. Gosto desse aqui: Ir te rechear, Kant.

Ela riu, largou a mão de Colin e colocou a dela espalmada no joelho dele. Seus dedos eram macios. De repente, Colin sentiu o perfume dela sobressaindo ao odor do porão úmido. Cheirava a lilases, e foi aí que ele soube que estava quase na hora. Mas não ousou encará-la. Ainda não. Só ficou olhando para a tela escura da TV. Queria prolongar o momento antes da hora H – porque, por melhor que seja a sensação do beijo, nada é melhor que a expectativa do beijo.

– Como é que você *faz* isso? – ela perguntou.

– É questão de prática, basicamente. Venho praticando há muito tempo. Eu pego as letras e primeiro formo uma palavra legal, como kart ou Kant, e depois tento usar as letras que sobram para fazer... ai, cara, isso é chato – ele disse, torcendo para que não fosse.

– Não é, não.

– Eu só tento achar uma combinação que seja gramaticalmente correta com as letras que sobram. Mas, de qualquer forma, é só um macete.

– Tá, então há os anagramas. Esse é um deles. Você possui algum outro talento fascinante? – ela perguntou, e naquele momento ele ficou confiante.

Finalmente, Colin virou-se, reunindo o pouco de coragem disponível em seu âmago, e disse:

– Bom, eu beijo relativamente bem.

(NOVE)

— **Cês podem ficar à vontade**. Hollis disse que cês iam vir aqui pra me entrevistar e perguntar tudo sobre a minha belezura de vida – Starnes falou.

Colin se sentou num sofá bolorento não muito diferente daquele no qual K-19 e ele haviam trocado o primeiro beijo.

Lindsey apresentou Colin e Hassan a Starnes e, então, Colin começou a fazer perguntas. O cômodo não tinha ar condicionado, e quando Colin apertou o botão de gravar do minigravador digital e colocou-o na mesa de centro sentiu a primeira gota de suor brotando em seu pescoço. O dia ia ser longo.

– Quando foi que cê veio para Gutshot? – Lindsey perguntou.

– Eu nasci aqui na nação[49] em 1920. Nasci aqui, cresci aqui, sempre morei aqui e vou morrer aqui, isso é certo – ele disse, e então piscou para Lindsey.

– Ah, Starnes, não diz uma coisa dessa não – Lindsey falou. – O que raio eu ia fazer aqui sem ocê?

---

[49] Em determinado momento ficou claro para Colin que Starnes não estava se referindo aos "Estados Unidos da América", mas, em vez disso, àquela "região centro-sul do Tennessee".

— Cê ficaria por aí com aquele guri do Lyford — Starnes respondeu, virou-se para os garotos e comentou: — Não vou muito com a fuça do pai daquele guri.

— Cê me quer todinha procê, né? — Lindsey disse, rindo. — Conte da fábrica, Starnes. Esses guri nunca foram lá.

Por algum motivo, enquanto falava com Starnes, a caipirice de Lindsey ficava mais carregada.

— A fábrica abriu três anos antes deu nascer e eu trabalhei lá desde que tinha uns 14 anos. Acho que se não tivesse sido assim, eu tinha ido trabalhar na roça. Foi o que meu pai fez até a fábrica aparecer aqui. Nós fazia de tudo naquela época: camisa, lenço, bandana, e o trabalho era puxado. Mas sua família sempre foi boa pra nós. Primeiro o Dr. Dinsanfar e depois o genro dele, o Corville Wells. Aí depois veio aquele filho da mãe do Alex, e eu sei que ele era seu pai, Lindsey, então cê vai ter que me perdoar. E depois veio a Hollis, que cuidou muito bem de nós tudo. Eu trabalhei naquela fábrica sessenta anos. O recorde mundial é meu. Eles deram o meu nome pra sala de descanso dos funcionários, porque era lá que eu passava a maior parte do meu tempo.

O lábio superior de Starnes sorriu, mas o queixo sem mandíbula não teve como acompanhar o movimento.

Àquela altura, a casa parecia uma banheira quente, só que sem água nem espuma.

Esse é um jeito bastante penoso de ganhar 100 dólares, Colin pensou.

— Cês quer chá? — Starnes perguntou.

Sem esperar pela resposta, o velho se levantou e foi andando até a cozinha.

Doce e amargo ao mesmo tempo, o gosto parecia com o da limonada, só que de certa forma mais "adulto". Colin adorou — aquilo era tudo o que havia esperado que o café fosse — e se serviu várias vezes enquanto Starnes falava, parando apenas para tomar seu remédio (uma vez) e ir ao banheiro (quatro vezes; gente idosa faz isso — eles parecem adorar banheiros).

— Bem, a primeira coisa que cês precisa entender é que nós nunca fomo pobre nessa nação. Nem na Depressão, eu nunca fiquei com fome, porque quando o Dr. Dinsanfar tinha que demitir uns pessoal, ele num mandava embora mais que um da mesma família.

Algo na menção ao Dr. Dinsanfar fez Starnes se desviar do assunto.

— Cê sabe que o pessoal vem chamando essa nação de Gutshot tem um tempão e, Lindsey, aposto que cê nem sabe por quê.

Lindsey balançou a cabeça negativamente, por educação, e Starnes desencostou da poltrona, falando:

— Ah, já vi tudo. Cês num sabem nada do lugar! Muito tempo atrás, há tanto tempo que esse velho aqui nem era nascido, o boxe sem as luva era contra a lei. E quando alguém queria desobedecer a lei, Gutshot era o lugar certo pra isso.

"Sempre foi, na verdade. Eu mesmo vi o lado de dentro da prisão do condado de Carver umas vezes, sabe? Fiquei bêbado em público em 1948; perturbei a ordem pública em 1956; e depois fiquei dois dia preso por disparo ilegal de arma de fogo quando matei a cobra da Caroline Clayton em 1974. A Mary não queria pagar a fiança pra me tirar da cadeia depois que acabei com a raça daquela cobra maldita, sabe? Mas como é que diabo eu ia saber que aquilo era um bicho de estimação? Eu entrei na casa da Caroline Clayton procurando o martelo que ela pegou emprestado de mim seis meses antes e lá estava, por Deus, aquela cobra se arrastando pela cozinha. O que cê faria, filho?"

A pergunta foi para Colin.

Ele ponderou sobre a situação.

— Você entrou na casa de outra pessoa sem bater? — perguntou.

— Não, eu bati, mas ela num tava em casa.

— Isso também é crime — Colin observou. — Invasão de domicílio.

— É, graças a Deus que num foi *ocê* que me prendeu, guri — Starnes disse. — Mesmo assim, cê vê uma cobra, cê mata a cobra. Foi isso o que aprendi desde que eu era pequenininho. Então atirei nela. Parti a bicha em dois. E naquela noite a Caroline Clayton veio aqui na minha casa. Ela já morreu, que Deus a tenha. Chegou aqui chorando, gritando e dizendo que eu tinha matado o Jake, e eu disse pra ela que outra pessoa devia ter matado o Jake, quem quer que fosse esse sujeito, porque só o que eu fiz foi matar uma maldita de uma cobra. Só que acontece que o Jake era a cobra, e ela amava aquela cobra como o filho que nunca teve. Ela nunca se casou, claro. Mais feia que o diabo, que Deus a tenha.

— A cobra provavelmente não ligava para o fato de ela ser feia — Colin observou. — As cobras não enxergam muito bem.

Starnes olha para Lindsey Lee Wells.

— Seu amigo aqui é uma danada de uma fonte de conhecimento.

— Nem me diga — ela disse, a voz arrastada.

— Do que é mesmo que eu tava falando? — perguntou Starnes.

— Gutshot. Boxe. Os velhos tempos — Colin respondeu rapidamente.

— É, tá, bem. Naquele tempo essa cidade era pra quem queria arrumar encrenca, antes da fábrica trazer as famílias pra cá. Só uma cidade cheia de arrendatário e mais nada. Minha mãe dizia que a cidade num tinha nome nenhum. Mas aí eles começaram a trazer pra cá os boxeadores. Meninos de toda a nação vinham e lutavam por 5 ou 10 dólares, o vencedor levava tudo, e ganhavam um dinheiro a mais apostando neles mesmo. Mas, pra driblar as leis que proibia o boxe sem luvas, eles tinha uma regra: ninguém podia acertar o outro debaixo do umbigo nem pra cima do ombro. Era o boxe do soco no estômago. O "boxe *gutshot*", como eles chamavam. A cidade ficou famosa por isso, e foi assim que ficamo conhecido.

Colin passou o dorso da mão suada pela testa suada, espalhando as gotas de suor, em vez de resolver o problema, e tomou várias goladas de chá.

— A Mary e eu se casamo em 1944 — Starnes continuou —, quando eu devia ter ido pra guerra.

E Colin pensou que Starnes bem que poderia ter uma aula com o professor deles de inglês do segundo ano do ensino médio, o Sr. Holtsclaw, que lhes ensinou tudo sobre elementos de transição. Colin não conseguia contar uma história nem se fosse para salvar a própria vida, e admitia isso, mas pelo menos *sabia da existência* dos elementos de transição. Mesmo assim, era divertido ouvir o Starnes falando.

— Bem, eu num fui pra guerra porque arranquei dois dedo do pé com um tiro, porque sou covarde. Sou um velho agora, então posso ser franco com ocês. Eu num tinha medo da guerra, sabe? A guerra nunca me assustou. Eu só num queria ir lá no fim do mundo pra lutar nela. Fiquei malfalado depois. Fingi que tinha atirado em mim mesmo por acidente, mas todo mundo soube. Nunca me livrei dessa má reputação, mas agora a maioria do pessoal tá morto, e cês não têm a versão deles da história, então vão ter que acreditar na minha: eles também era um bando de covarde. Todo mundo é.

"Mas se casamo e, meu Deus do céu, nós se amava de verdade. Até o fim. Ela nunca gostou muito de mim, mas com certeza me amava, se é que cê me entende."

Colin deu uma olhada em Hassan, que se virou para ele, os olhos arregalados de horror. Infelizmente ambos pareciam entender *exatamente* o que o Starnes estava dizendo.

— Ela morreu em 1997. Ataque do coração. Ela era tudo de bom e eu era tudo de ruim, mas aí ela morreu, e eu, não.

Naquela hora ele mostrou algumas fotos; os três se juntaram em volta da poltrona do velho enquanto as mãos enrugadas passavam as páginas de um álbum repleto de memórias. As fotos mais antigas já estavam desbotadas e amareladas, e Colin refletiu sobre o fato de que mesmo nas fotografias da juventude os mais velhos já parecem velhos. Ele observou quando as fotos passaram a um preto e branco mais nítido e depois à cor sem graça das Polaroids, viu quando as crianças nasceram e depois cresceram, quando os cabelos caíram e vieram as rugas. E, todo esse tempo, Starnes e Mary estiveram juntos nas fotos, do casamento aos cinquenta anos de casados. *Eu vou ter isso*, Colin pensou. *Eu vou ter. Eu vou. Com a Katherine. Mas não vou ser só isso*, ele decidiu. *Vou deixar para trás algo mais que um álbum de fotografias no qual sempre pareço velho.*

Mais tarde Colin soube que as seis horas deles tinham acabado quando Lindsey Lee Wells levantou-se e disse:

– Bom, a gente tem que ir, Starnes.

– Tá bem – ele disse. – Gostei da visitinha de ocês. E, Lindsey, cê tá cada vez mais formosa.

– Cê precisa de um ar-condicionado, véi? Tá um calor dos inferno aqui, e Hollis podia comprar um procê sem problema – Lindsey disse.

– Eu me viro bem. Ela tem sido bondosa comigo.

Starnes se levantou e os levou até a porta. Colin apertou a mão trêmula do velho.

No Rabecão, Colin dirigiu o mais rápido que pôde, no limite de velocidade das vias, e de janelas abertas para tentar se refrescar.

Hassan disse:

– Acho que acabei de perder trinta quilos de suor.

– Então cê deveria aguentar ficar no calor por mais tempo – Lindsey disse. – Aqueles foram os 100 dólares mais fáceis que alguém já ganhou em Gutshot. Ei, não, não vire. Preciso que cê me leve até a loja.

— Para nós três podermos fazer companhia para O Outro Colin naquele ambiente doce e agradável com ar condicionado?

Lindsey balançou a cabeça.

— Na-na-ni-na-não. Cês me deixam lá, dão o fora e depois me buscam em duas horas, e aí a gente diz pra Hollis que ficou a tarde toda passeando pela nação.

— Bom — disse Hassan, parecendo um pouco aborrecido —, com certeza vamos sentir falta do seu charme abundante e da sua personalidade magnética.

— Ah, foi mal — ela disse. — Tô só de onda. Mas, então, eu gosto docê, Hassan; é só o sabichão ali que eu acho insuportável.

Colin olhou de relance pelo espelho retrovisor para o banco de trás. Lindsey sorria para ele com os lábios cerrados. Colin sabia que ela estava brincando, ou pelo menos achava isso, mas ainda assim sentiu a raiva lhe subir pela garganta, e teve a consciência de que seu olhar o traía, revelando sua irritação.

— Jesus, Singleton, só tô brincando.

— Você precisa ter em mente que, em geral, quando o Colin ouve uma garota dizendo que ele *é* insuportável, essas são as últimas palavras de uma Katherine — explicou Hassan, falando como se Colin não estivesse ali. — Ele fica bastante sensível com esse papo todo de ser insuportável.

— Badalhoca — disse Colin.

— Falou.

Depois de deixarem Lindsey na loja, eles acabaram voltando ao Hardee's e comeram um almoço tardio composto por cheeseburgers duplos e batatas fritas, molengas de tão engorduradas. Colin ficou lendo Byron pelos primeiros trinta minutos enquanto Hassan suspirava e repetia: "Cara, você é um tédio." Até que, por fim, Colin fechou o livro.

Eles ainda tinham que matar o tempo por uma hora quando terminaram o almoço. De pé no estacionamento, o calor irradiando em ondas do asfalto, Hassan limpou o suor da testa e disse:

— Acho que deveríamos dar uma passadinha na Mercearia Gutshot.

Eles embicaram o carro no estacionamento da loja cinquenta minutos antes da hora, subiram os degraus e adentraram o ambiente, recebidos por uma lufada de ar condicionado. Atrás do balcão, Lindsey Wells estava sentada em cima do que parecia ser um garoto, com um braço atravessado no colo dela.

— Oi — disse Colin.

OOC espiou por trás de Lindsey. Cumprimentou Colin com a cabeça, sem sorrir, nem piscar, nem mexer de forma alguma nenhum dos músculos do rosto robusto e arredondado.

— Qual é? — disse OOC.

— E aí? — disse Colin.

— Cês são uns caras de sorte, por ficar na casa da Lindsey.

Lindsey soltou uma risadinha e se contorceu toda para dar um beijo carinhoso no pescoço do namorado.

— Ah, mas a gente vai morar junto um dia — ela disse.

— Se cês encostarem um dedo nela — OOC disse, do nada. — Mato os dois.

— Isso é meio clichê — Hassan bradou do corredor dos doces. — E se nós *encostarmos* nela? Tipo, e se eu esbarrar nela quando estivermos passando por um corredor?

OOC lançou um olhar ferino para Hassan e disse:

— Bom, a prosa tá boa, mas Lindsey e eu tamo no meio de uma conversa importante, então, se cês não se importam...

Para diminuir a tensão, Colin disse:

— Ah, foi mal. É, nós vamos, só, dar uma volta, ou coisa assim.

— Aqui — Lindsey disse, e jogou para eles um molho de chaves. — A caminhonete do Colin tem ar condicionado.

— Não tire do ponto morto — OOC disse rispidamente.

Quando passavam pela porta da loja, Colin ouviu OOC perguntar para Lindsey:

— Qual dos dois é o gênio? O gordo ou o magro?

Mas não ficou esperando para ouvir a resposta.

Enquanto os dois caminhavam pelo estacionamento na direção da caminhonete de OOC, Hassan disse:

— Cara, a droga do corpo dele parece uma parede de tijolo, não parece? Aí: o Gordo vai mijar no campo.

— O Magro vai esperar o Gordo na caminhonete — Colin disse.

Ele entrou no carro, virou a chave e colocou o ar-condicionado na potência máxima, embora, no começo, só tenha saído ar quente.

Hassan abriu a porta do carona e começou imediatamente a falar.

— Ela fica toda cheia de nhem-nhem-nhem quando está na frente dele, mas aí, quando está com a gente, ela é como nós, falando merda, e então, na frente do Starnes, fica falando que nem uma caipirona do sul.

— Você está a fim dela ou algo parecido? — perguntou Colin de repente.

— Não. Só estava pensando alto. Pela última vez, eu não tenho interesse em namorar uma garota com quem não vá me casar. Namorar Lindsey seria *haram*.[50] Além disso, o nariz dela é enorme. Eu não sou chegado a nariz grande.

— Bem, não quero botar lenha na fogueira, mas você faz várias merdas que são *haram*.

Hassan concordou com a cabeça.

---

[50] *Haram* é uma palavra em árabe que significa "proibido pelo Islã".

— É, mas a merda de *haram* que eu faço é, tipo, ter cachorro. Não é usar crack nem falar mal das pessoas pelas costas nem roubar nem mentir para a minha mãe nem transar com garotas.

— Relativismo moral — Colin disse.

— Não, não é. Eu não acho que Deus dê a menor importância a nós termos um cachorro ou a uma mulher usar short. Acho que Ele dá importância a se você é ou não uma pessoa boa.

As palavras "pessoa boa" fizeram Colin se lembrar imediatamente de Katherine XIX. Ela devia estar prestes a viajar de Chicago para o acampamento no Wisconsin onde todo verão trabalhava como instrutora. Era um acampamento exclusivo para crianças com necessidades especiais. Eles as ensinavam a andar a cavalo. Ela era uma pessoa muito boa, e ele sentia em todo o seu corpo a falta dela. Ele tinha saudade de seu amoreco.[51] Mas sentia, no pedaço latejante que lhe faltava, que ela não ansiava por ele desse jeito. Devia era estar aliviada. Se estivesse pensando nele, ligaria. *A menos que...*

— Acho que vou ligar para ela.

— Essa é a pior ideia que você já teve na vida — Hassan retrucou imediatamente. — A. Pior. Ideia. Da. Sua. Vida.

— Não é, não. E se ela só estiver esperando que eu ligue, da mesma forma que eu estou esperando que ela ligue?

— Tá, mas você é o Terminado. Terminados não ligam. Você sabe disso, *kafir*. Terminados não devem ligar nunca, em hipótese alguma. Não há exceção para essa regra. Nenhuma. Nunca ligar. Nunca. Você não pode ligar.

Colin colocou a mão no bolso.

— Não faça isso, cara. Você está tirando o pino de uma granada. Você está coberto de gasolina e o celular é um fósforo aceso.

[51] É brega, mas eles sempre diziam isso um para o outro. "Eu te amo, amoreco"; "Estou com saudade de você, amoreco" etc.

Colin abriu o *flip* do celular.

— Badalhoca — ele disse.

Hassan levantou os braços.

— Você não pode usar badalhoca nesse caso! Essa é uma utilização flagrantemente errada da badalhoca! Eu badalhoco você ligar para ela!

Colin fechou o celular e ponderou sobre a situação. Pensativo, ele mordiscou a almofada do polegar.

— Tá — ele disse, colocando o celular de volta no bolso. — Não vou ligar.

Hassan suspirou pesadamente.

— Essa passou perto. Graças a Deus pela existência da Badalhoca Dupla Reversa.

Eles ficaram sentados em silêncio por um momento e então Colin disse:

— Quero ir para casa.

— Para Chicago?

— Não, para a casa da Lindsey. Mas ainda temos quarenta minutos para matar.

Hassan olhou para fora, pelo para-brisa, e balançou a cabeça devagar. Depois de passar alguns instantes em silêncio, falou:

— Tá. Tá. Ataque de asma do gordinho. Essa é velha, mas é boa.

— O quê?

Hassan revirou os olhos.

— O quê, você é surdo? Ataque de asma do gordinho. É o truque mais antigo do livro dos gordinhos. É só me seguir.

Eles saltaram do carro e Hassan começou a simular uma crise asmática, bem alto. Cada vez que inspirava, parecia um pato agonizando. *RAAHHNHH*; expirava; *RAAHHNHH*; expirava. Ele colocou a mão no peito e correu para dentro da Mercearia Gutshot.

— Qual é o problema dele? — Lindsey perguntou para Colin.

Antes que Colin pudesse responder, Hassan começou a falar em meio aos chiados.

— *RAAHHNHH.* Ataque. *RAAHHNHH.* De asma. *RAAHHNHH.* Muito forte. *RAAHHNHH.*

— Ai, merda — disse Lindsey.

Ela pulou do colo de OOC, deu meia-volta, pegou a caixa de primeiros socorros e começou a vasculhá-la à procura de remédios para asma, em vão. O Outro Colin continuou sentado em silêncio no banco, certamente nada feliz com a interrupção.

— Ele vai ficar bem — Colin disse. — Isso acontece. Só preciso levá-lo para casa, para ele pegar a bombinha.

— Hollis não gosta que ninguém chegue lá quando ela tá trabalhando — Lindsey disse.

— Bem, ela vai fazer uma exceção — disse Colin.

Hassan continuou com o chiado por todo o percurso de carro até a Mansão Cor-de-rosa, e depois escada acima, correndo até o quarto. Colin e Lindsey se sentaram na sala de estar. Ambos podiam ouvir Hollis, na cozinha, dizendo:

— Este é um produto norte-americano. É feito com mão de obra norte-americana. Esse é um argumento de venda. É uma vantagem comercial e boa pra promoção do nosso produto. As pessoas compram produtos nacionais. Tenho um estudo aqui comigo...

Colin havia se perguntado se Hollis só ficava mesmo assistindo ao canal de compras da TV o dia todo e deixava outras pessoas tocarem o negócio, mas ficou claro que *ela mesma* trabalhava.

Ela saiu da cozinha naquele momento e a primeira coisa que disse foi:

— Não venham me interromper no meu horário de expediente, por favor.

Lindsey contou que Hassan estava tendo um ataque de asma e que havia esquecido a bombinha, o que levou Hollis a bater em retirada escada acima.

Mais que depressa, Colin seguiu-a, gritando: "Espero que você esteja melhor, Hassan!", para que o amigo soubesse que ela estava a caminho. Quando chegaram ao quarto, ele estava deitado placidamente na cama.

— Foi mal, eu esqueci minha bombinha — disse. — Não vai acontecer mais.

Eles jantaram hambúrgueres e aspargos cozidos no vapor no quintal da família Wells. O quintal de Colin em Chicago media 3,5m x 3m; mas no delas cabiam alguns campos de futebol. À esquerda, uma colina ascendia até o cume, a floresta interrompida apenas por uns poucos afloramentos rochosos. À direita, um gramado bem-cuidado se estendia pela colina até uma plantação de soja (ele havia descoberto, com a ajuda de Starnes, que aquilo era soja). Enquanto o sol se punha atrás deles, uma vela de citronela ia queimando num baldinho no centro da mesa, para afastar os mosquitos. Colin gostava daquela sensação de amplitude e espaço infinito de Gutshot.

Assim que terminou de comer, o pensamento de Colin se voltou novamente para Katherine XIX. Ele deu uma olhada no celular para ver se ela havia ligado e percebeu que era hora de telefonar para os pais.

Por algum motivo inexplicável, Colin nunca conseguia sinal de celular na sua casa, que ficava na terceira maior cidade dos Estados Unidos, mas o visor mostrava as cinco barras cheias em Gutshot, Tennessee. O pai atendeu.

— Ainda estou na mesma cidade de ontem, Gutshot, Tennessee — Colin começou. — Estou hospedado na casa de uma mulher chamada Hollis Wells.

— Obrigado por ligar na hora combinada. Esse nome deveria me dizer alguma coisa? — perguntou o pai.

— Não, mas o nome dela aparece na lista telefônica. Eu conferi. Ela é dona de uma fábrica. Acho que vamos ficar aqui alguns dias — Colin disse, mentindo de leve. — Por incrível que pareça, o Hassan adorou esse lugar e, além disso, nós arrumamos um emprego.

— Você não pode simplesmente *ficar na casa de desconhecidos*, Colin.

Colin tinha pensado em mentir de verdade. Dizer que estava hospedado em um hotel. Trabalhando em um restaurante. Que estava se ambientando ao lugar. Mas disse a verdade.

— Ela é legal. Eu confio nela.

— Você confia em todo mundo.

— Pai, eu sobrevivi dezessete anos em Chicago sem nunca ter sido roubado, esfaqueado, nem sequestrado, e sem ter caído nos trilhos do metrô ou...

— Fale com sua mãe — ele disse, o que era sempre o que seu pai dizia.

Depois de alguns instantes (dava para imaginar os dois conversando enquanto o pai cobria o bocal do telefone), a mãe pegou o aparelho.

— Filho, você está feliz?

— Eu não diria tanto.

— Mais feliz? — tentou a mãe.

— Ligeiramente — ele admitiu. — Não estou deitado com a cara no carpete.

— Deixe eu falar com essa mulher — a mãe pediu.

Colin entrou, viu Hollis no sofá e passou o celular para ela.

Depois da conversa ficou decidido: ele poderia ficar. Colin sabia que a mãe queria que ele vivesse uma aventura. Ela sempre desejou que ele conseguisse ser um garoto normal. Colin achava que, no fundo, ela ficaria feliz se um dia ele chegasse em casa às três da manhã com bafo de bebida, porque isso seria *normal*. Garotos normais chegam em casa tarde; garotos normais tomam litros de cerveja quente nos becos com os amigos (garotos normais têm mais de um amigo). O pai queria que Colin transcendesse todas essas coisas, mas talvez até ele estivesse começando a enxergar a improbabilidade de Colin se tornar um ser extraordinário algum dia na vida.

Colin foi até o quarto de Hassan para lhe contar que os pais o haviam deixado ficar, mas Hassan não estava lá. Saiu à procura do amigo pela casa monstruosa e, por fim, desceu a escada e achou uma porta fechada, a voz da Lindsey vindo de trás dela. Colin parou em frente à porta fina e ficou escutando.

– Tá, mas como ele *faz* isso? Ele simplesmente *decora* tudo? – Lindsey perguntava.

– Não, não é assim. É, tipo, se você ou eu nos sentarmos e pegarmos um livro sobre, digamos, os presidentes, e lermos que William Howard Taft foi o presidente mais gordo dos Estados Unidos e que uma vez ficou preso numa banheira,[52] isso poderia ser percebido pelo nosso cérebro como algo interessante e nós lembraríamos depois, certo?

Lindsey riu.

– Eu e você vamos ler um livro e achar, tipo, três coisas interessantes das quais nos lembraremos. Mas Colin acha *tudo* intrigante. Ele lê um livro sobre os presidentes e se lembra de mais coisas que estão ali porque tudo é percebido pela mente dele como *fugging* interessante. Falando sério, eu já o vi fazer isso com a lista telefônica. Ele fica, tipo: "Há 24 pessoas com o sobrenome Tischler. Não é *fascinante*?"

Sentimentos estranhos e contraditórios invadiram Colin, como se seu talento estivesse ao mesmo tempo sendo enaltecido e ridicularizado. Aquilo era verdade, ele pensou. Mas não

---

[52] É verdade.

era só achar as coisas fascinantes em si e conseguir decorar a lista telefônica porque é uma ótima literatura. Ele achava as coisas fascinantes por um *motivo*. Veja, por exemplo, a questão dos Tischler, que por acaso aconteceu (e Hassan se lembrou corretamente do episódio). "Tischler", em alemão, significa carpinteiro, e quando estava consultando a lista telefônica naquele dia com Hassan, Colin pensou: *Que estranho o fato de haver exatamente 24 carpinteiros alemães em Chicago e o salão de manicures que fica aberto a noite toda na esquina da Oakley com a Lawrence se chamar "Nails 24/7"*.* E aí ele começou a imaginar se haveria exatamente sete carpinteiros em alguma outra língua na lista telefônica, e acontece que havia precisamente sete *Carpinteros*. Então ele não achava as coisas interessantes só porque não conseguia distinguir o que era um tédio e o que não era – a questão eram as associações que seu cérebro fazia, associações que ele não conseguia evitar.

– Mas isso não explica por que ele é bom em, tipo, Scrabble – Lindsey argumentou.

– Tá, bem, ele é bom nisso porque é ridiculamente bom em anagramas. Mas qualquer coisa que Colin se propõe a fazer, ele se dedica insanamente a essa coisa. Tipo, digitar. Ele só aprendeu a digitar no nono ano, quando ficamos amigos. A professora de inglês exigiu que entregássemos os trabalhos digitados. Aí, durante, tipo, umas duas semanas, o Singleton aprendeu sozinho a digitar. E ele não fez isso digitando os trabalhos de inglês, porque aí não seria *bom* o suficiente em digitação. O que ele fez foi se sentar na frente do computador todo dia depois da aula e copiar as peças de Shakespeare. Todas elas. Literalmente. E depois copiou *O apanhador no campo de centeio*. E ele ficou redigitando e redigitando até conseguir fazer isso como um *fugging* gênio.

---

* *Nails*, que em inglês pode significar tanto "unhas" como "pregos". (*N.T.*)

Colin se afastou da porta nesse momento. Ele se deu conta de que aquilo era só o que havia feito em toda a sua vida. Anagramas; repetir informações que aprendeu nos livros; decorar 99 dígitos de um número que todo mundo já conhece; se apaixonar pelas mesmas nove letras várias vezes: redigitar e redigitar e redigitar e redigitar. Sua única esperança de originalidade era o Teorema.

Colin abriu a porta e encontrou Hassan e Lindsey sentados um em cada ponta de um sofá verde de couro num cômodo dominado por uma mesa de sinuca com feltro cor-de-rosa. Eles estavam assistindo a uma partida de pôquer numa TV enorme fixada na parede. Hassan se virou para olhar para Colin.

— Cara — ele disse —, dá para ver todas as espinhas deles.

Colin se sentou entre os dois. Lindsey e Hassan falaram sobre pôquer, espinhas, TV digital e DVR enquanto Colin colocava seu passado num gráfico. Ao fim da noite, uma fórmula ligeiramente modificada havia funcionado para mais duas K: IX e XIV. Ele nem reparou na mudança do ambiente quando Lindsey e Hassan desligaram a TV e começaram a jogar sinuca. Simplesmente continuou rascunhando. Adorava o barulho do lápis no papel quando estava concentrado daquele jeito: significava que alguma coisa estava acontecendo.

Quando o relógio marcou meia-noite, Colin largou o lápis. Olhou para Lindsey, que estava com apenas um dos pés apoiado no chão, debruçada na mesa de sinuca num ângulo absurdamente embaraçoso. Hassan parecia ter deixado o cômodo.

— Oi — disse Colin.

— Ah, cê saiu da quinta dimensão — ela disse. — Como tá o Teorema?

— Bem. Na verdade, ainda não sei se vai funcionar. Cadê o Hassan?

— Foi dormir. Perguntei se cê queria jogar, mas acho que cê não me ouviu, então resolvi jogar contra mim mesma por um tempo. Tô ganhando de mim com uma certa folga.

Colin ficou de pé e fungou.

— Acho que tenho alergia a esta casa.

— Deve ser a Princesa — Lindsey disse. — Na verdade, esse aqui é o quarto da Princesa. *Shh.* Ela tá dormindo.

Colin seguiu Lindsey até a mesa de sinuca e ajoelhou-se ao lado dela. Embaixo da mesa, uma grande esfera, que a princípio parecia ser uma bola peluda de carpete, aumentava e depois encolhia ritmadamente, respirando.

— Ela tá sempre dormindo.

— Sou alérgico a pelos de animais — Colin declarou.

Ela sorriu de maneira afetada.

— É, tá, mas a Princesa já morava aqui.

Os dois foram para o sofá e Lindsey se sentou sobre as pernas cruzadas, de um jeito que a fazia parecer mais alta que Colin.

— Hassan me disse que cê é bom com anagramas — ela falou.

— Pois é — Colin respondeu. — Bom com anagramas: como sambar manga.

De repente, a mão da Lindsey (na véspera ela havia pintado as unhas com um esmalte azul cintilante) foi parar no antebraço dele, e Colin se tensionou todo, surpreso. Quando virou a cabeça para olhá-la, Lindsey colocou a mão de volta no colo.

— Então — ela continuou —, cê é o gênio da criação de palavras a partir de outras palavras, mas não consegue inventar palavras do nada.

E, sim, de novo, era exatamente isso. Um redigitador, não um escritor. Um prodígio, não um gênio. O silêncio no ambiente era tão grande que dava para ouvir a Princesa respirando. Colin sentiu o pedaço que faltava nele.

— Só quero fazer alguma coisa que seja importante. Ou *ser* alguma coisa importante. Eu só quero ser importante.

Lindsey não respondeu de imediato, mas inclinou o corpo na direção de Colin, que pôde sentir o cheiro do perfume frutado dela, e então se deitou de barriga para cima, o alto da cabeça roçando na bermuda dele.

— Acho que a gente é o oposto um do outro, você e eu — ela disse, por fim. — Porque eu acho que ser importante é uma péssima ideia. Só o que eu quero é voar abaixo do radar, porque quando cê começa a chamar muita atenção, é aí que cê é derrubado. Quanto mais em evidência cê fica, pior é a sua vida. Veja só, tipo, a vida infeliz das pessoas famosas.

— É por isso que você lê a *Celebrity Living*?

Lindsey fez que sim com a cabeça.

— É. Totalmente. Existe uma palavra em alemão pra isso. Tá na ponta da...

— *Schadenfreude* — Colin disse.

Sentir prazer ao ver a dor dos outros.

— Isso! Então, como eu ia dizendo — Lindsey continuou. — Veja, por exemplo, eu ficar aqui. Hollis sempre me diz que nada de realmente bom vai acontecer comigo se eu ficar em Gutshot; e talvez isso seja verdade. Mas nada realmente ruim jamais vai acontecer também, e eu aceito essa troca de olhos fechados.

Colin não disse nada, mas o que estava pensando era que Lindsey Lee Wells, com todo o seu jeito *cool* e tal, era um pouco covarde. Mas antes que ele conseguisse achar uma forma de dizer isso, Lindsey se sentou, animada com um novo assunto.

— Tá — ela disse. — O segredo da contação de histórias é o seguinte: cê precisa de um começo, de um meio e de um fim. Suas histórias não têm enredo. Elas são, tipo, aqui tá uma coisa que eu tava pensando, e então a outra coisa que eu tava pensando, e então *et cetera*. Não se chega a lugar algum com uma história sem pé nem cabeça. Cê é Colin Singleton. Contador de Histórias Iniciante, então tem que se ater a um enredo simples e direto.

"E cê precisa de uma moral cativante e forte. Ou um tema, ou sei lá. E um outro detalhe é o romance e a aventura. Cê precisa adicionar um pouco disso. Se é uma história sobre mijar na jaula de um leão, invente uma namorada que repara em como o seu pinto é gigantesco, e que então o salva das garras do leão no último segundo derrubando a sua pessoa no chão porque tá desesperada pra salvar seu pinto lindo e majestoso."

Colin ficou vermelho, mas Lindsey continuou.

– No começo, cê precisa mijar; no meio, cê mija; no fim, passando por romance e aventura, seu pinto é salvo das mandíbulas de um leão faminto pela coragem de uma menina motivada por seu amor eterno por pintos gigantes. E a moral da história é que uma namorada heroica, mais um pinto gigante salvam qualquer um até das situações mais desesperadoras.

Quando Colin parou de rir, colocou a mão em cima da de Lindsey. Ele a deixou ali por um instante e pôde sentir a região carcomida do polegar que ela costumava mordiscar. Tirou a mão depois de um tempo e disse:

– É meu Teorema que vai contar a história. Cada gráfico com um começo, um meio e um fim.

– Não tem romance em geometria – Lindsey retrucou.

– Espere e verá.

O Começo (do Meio)

Ele nunca pensou muito na Katherine I. Só se sentiu mal com o término do namoro porque é assim que você *deve* se sentir. Criancinhas brincam de casinha; brincam de guerra; brincam de relacionamentos. Eu quero namorar você; você terminou comigo; estou triste. Mas nada daquilo foi verdade verdadeira.

Como o pai de Katherine era o tutor de Colin, os dois continuaram a se ver periodicamente nos vários anos que se seguiram. Eles se davam bem, mas não é como se Colin morresse de amores por ela. Não sentiu saudade suficiente para ficar obcecado por seu nome e namorar várias xarás dela, uma depois da outra, depois da outra, depois da outra.[53]

Mas, mesmo assim, foi isso o que aconteceu. Não pareceu intencional no início – era só uma estranha série de coincidências. Simplesmente ia se sucedendo: ele conhecia uma Katherine e gostava dela. Ela também gostava dele. E aí o namoro terminava. Depois, quando parou de ser mera coincidência, aquilo se transformou em duas maldições – uma (namorar Katherines) que ele desejava manter e outra (ter o namoro terminado por elas) que ele desejava quebrar. Mas acabou se provando impossível desassociar um ciclo do outro. Aquilo continuou ocorrendo com ele e, depois de um tempo, passou a parecer quase uma rotina. Cada uma das vezes, Colin passou pelo mesmo ciclo de sentimentos: raiva, arrependimento, saudade, esperança, desespero, saudade, raiva, arrependimento. O problema de levar o fora especificamente de Katherines, comparado a levar o fora de quaisquer namoradas, era que aquilo ficava extremamente *monótono*.

---

[53] Depois da outra, depois da outra, depois da outra, depois da outra, depois da outra, depois da outra, depois da outra, depois da outra, depois da outra, depois da outra, depois da outra, depois da outra, depois da outra.

É por isso que as pessoas enchem o saco de ouvir a ladainha dos Terminados obcecados com seus problemas: o término do namoro é previsível, repetitivo e entediante. Ela quer continuar sua amiga, está se sentindo sufocada; o problema é sempre ela e nunca você; e então você fica arrasado e ela, aliviada; é o fim para ela e só o começo para você. E, do ponto de vista de Colin, havia uma repetição ainda mais significativa: toda vez, as Katherines terminavam porque simplesmente não *gostavam* dele. Todas chegavam precisamente à mesma conclusão. Ele não era maneiro o suficiente, ou bonito o suficiente, ou tão inteligente quanto esperavam — resumindo, ele não era importante o suficiente. E então isso foi acontecendo repetidas vezes, até que ficou chato. Contudo, monótono não é sinônimo de indolor. No primeiro século da Era Comum, autoridades romanas puniram Santa Apolônia quebrando e arrancando seus dentes, um a um, com alicate. De vez em quando Colin pensava na relação disso com a monotonia do fora. Nós temos 32 dentes. Depois de um tempo, provavelmente, tê-los arrancados um a um se torna um fato repetitivo, enfadonho até. Mas nunca deixa de doer.

(DEZ)

Na manhã seguinte Colin estava sentindo um cansaço grande demais, o suficiente para continuar dormindo até as oito horas, apesar da cantoria do galo. Ao descer a escada, encontrou Hollis dormindo no sofá vestida com um *muumuu* rosa-choque, com papéis espalhados em cima do peito e pelo chão. Colin passou devagar por ela e pensou em acrescentar "*muumuu*" à sua lista mental de palavras não anagramatizáveis.

Hassan estava sentado à mesa da cozinha, comendo aveia e ovos mexidos. Sem dizer nada, entregou a Colin um bilhete em papel timbrado que trazia em relevo as palavras HOLLIS P. WELLS / CEO & PRESIDENTE, INDÚSTRIA TÊXTIL GUTSHOT:

> Guris,
> Ainda devo estar dormindo mas, com sorte, vocês acordaram na hora certa. Quero que vão até a fábrica às nove horas. É só pedir para ver o Zeke. Eu ouvi a entrevista com o Starnes – ficou boa, mas mudei de ideia sobre algumas coisinhas. Com seis horas por pessoa, não vamos acabar nunca de entrevistar a cidade toda. Quero que vocês só façam quatro perguntas: Onde você moraria se pudesse morar

em outro lugar? Em que trabalharia se não fosse empregado da fábrica? Quando sua família veio para a nação? O que você acha que faz de Gutshot um lugar especial? Acho que isso vai fazer as coisas andarem bem. Estão esperando vocês na fábrica. Lindsey vai acompanhar os dois.

Vejo vocês hoje à noite. Hollis.

P.S.: Estou escrevendo esse bilhete às cinco e meia da manhã, então não me acordem.

— A propósito, gostei do cabelo desgrenhado, *kafir*. Parece que você enfiou um garfo numa tomada.

— Você sabia que em 1887 o cabelo de Nikola Tesla ficou em pé uma semana inteira depois que ele passou cinquenta mil volts pelo corpo para comprovar que a eletr...

— *Kafir* — Hassan disse, apoiando o garfo no prato. — Isso não é absolutamente, completamente, nada interessante. Agora, se Nikola Tesla, quem quer que diabos seja esse cara, tivesse tido um caso com uma galinha perneta, e a paixão galinácea dele tivesse deixado seus cabelos em pé, aí, sim, sem dúvida, você poderia compartilhar comigo essa história hilariante. Mas não eletricidade, *kafir*. Você consegue fazer melhor que isso.[54]

Colin vasculhou um labirinto de armários *à procura de* um prato, um copo e alguns talheres. Ele tirou os ovos da frigideira com uma espátula, colocou-os no prato e encheu um copo de água na geladeira muito chique em que você aperta-a--alavanca-e-a-água-sai.

— Que tal os ovos? — perguntou Hassan.

— Gostosos, cara. Gostosos. Você é um bom cozinheiro.

---

[54] O estranho nisso tudo é que Nikola Tesla, de fato, *amava* aves, mas não galinhas pernetas. Tesla, que fez tanto pela eletricidade quanto Thomas Edison, tinha uma fascinação quase romântica pelos pombos. Ele se apaixonou por uma pomba branca em especial. E escreveu sobre ela: "Eu amei aquela pomba. Eu a amei como um homem ama uma mulher."

— Não diga. Foi assim que o paizinho aqui ficou tão gordo. Por falar nisso, resolvi começar a me referir a mim mesmo exclusivamente como "paizinho". Sempre que, normalmente, o paizinho diria "eu", o paizinho agora vai dizer "paizinho". Gostou?

— Ah, sim. Adorei.

— Adorou o quê? — perguntou Lindsey Lee Wells ao surgir na sala de estar de pijama estampado, os cabelos castanhos presos num rabo de cavalo.

Colin reparou que ela estava diferente, mas não sabia exatamente por quê, e então acabou descobrindo. A ausência de maquiagem. Ela estava mais bonita que nunca — Colin sempre preferiu as garotas sem maquiagem.

Ele deu um espirro e então notou que a Princesa vinha no encalço de Lindsey. A XIX tinha um cachorro, um *dachshund* miniatura chamado Fireball Roberts.

Ninguém ficava mais linda sem maquiagem que a Katherine. Ela nunca se pintava; e nem precisava disso. Cara, os cabelos loiros na frente do rosto dela quando o vento soprava enquanto caminhavam à beira do lago depois da aula; o canto dos olhos dela se enrugando quando ele disse "Eu te amo" pela primeira vez; a velocidade e a suavidade com a qual ela respondera "Eu também te amo". Todos os caminhos levavam a ela. Ela era o nexo de todas as conexões que o cérebro dele fazia — o eixo da roda.

Quando Colin levantou os olhos, Lindsey estava lendo o bilhete de Hollis.

— Jesus, acho que é melhor eu vestir uma calça, então — ela disse.

Eles se aboletaram no Rabecão depois que Lindsey conseguiu, enfim, sentar no banco da frente. Na porta da Indústria Têxtil Gutshot, foram recebidos por um homenzarrão com uma barba tipo Papai Noel, só que mais escura.

Ele passou um dos braços em volta de Lindsey e disse:

— Como tá minha menina?

E ela respondeu:

— Tô bem. Como tá meu Zeke?

Ele riu. Cumprimentou Hassan com um aperto de mão e depois fez o mesmo com Colin. Zeke os guiou até dentro da fábrica, passando por um ambiente muito barulhento, no qual algumas máquinas pareciam estar se chocando umas com as outras, e entrando numa sala com uma plaqueta de plástico marrom em que se lia: SALA DE DESCANSO STARNES WILSON.

Colin pousou o gravador numa mesa de centro. A sala parecia mobiliada com peças que os funcionários não aguentavam mais ter em casa: um sofá amarelo-bílis de veludo cotelê, um par de poltronas de couro preto com espuma saindo por vários rasgos e uma mesa de jantar de fórmica com seis cadeiras. Pendurado acima de duas máquinas de biscoitos e refrigerantes estava um retrato de Elvis Presley pintado sobre veludo. Colin, Lindsey e Hassan ficaram com o sofá e Zeke se sentou numa das poltronas de couro. Antes mesmo que pudessem começar a fazer as perguntas de Hollis, Zeke desandou a falar.

— Hezekiah Wilson Jones, 42 anos, divorciado, dois filhos, um de 11, outro de 9, Cody e Cobi, os melhores da classe. Fui criado em Bradford e mudei pra cá com 13 anos porque meu pai perdeu o posto de gasolina dele num jogo de pôquer, que era o tipo de coisa que acontecia sempre com meu velho. Ele arrumou emprego na fábrica. Comecei a trabalhar aqui nas férias de verão, no ensino médio, e fui contratado em expediente integral um dia depois da formatura. Trabalho aqui desde aquela época. Já fui da linha de produção, do controle de qualidade e agora sou o gerente da fábrica no turno do dia. O que fazemos aqui, guris, é pegar algodão, normalmente do Alabama ou do Tennessee. — Nesse momento, ele fez uma pausa e enfiou a mão no bolso da calça jeans, tirando um quadradinho embalado com papel-alumínio. Tirou o papel, colocou o chiclete na boca e voltou a falar. – Parei de fumar faz doze anos e ainda masco Nicorette, que tem gosto de merda e ainda por cima não é barato. Não fumem. Bom, agora vamos visitar a fábrica.

Pelos vinte minutos que se seguiram Zeke os guiou pelo processo de como o algodão vira barbante, como os barbantes são então cortados por uma máquina no comprimento exato de 5,4cm e como as cordinhas são embaladas e despachadas. Um quarto delas, segundo Zeke, é enviado diretamente para o maior cliente, a StaSure Tampões, o restante vai para um depósito em Memphis e, de lá, é distribuído para o mundo da tamponaria.

– Agora preciso voltar pro trabalho, mas o que vou fazer é mandar algumas pessoas aqui por vinte minutos, no descanso delas, pra cês fazerem as perguntas pra elas. Por falar nisso, cês têm alguma pergunta pra mim?

– Na verdade, sim – disse Hassan. – Onde você moraria se pudesse morar em qualquer outro lugar; em que trabalharia se não fosse funcionário da fábrica; quando sua família veio para a nação... peraí, você já respondeu essa, e o que você acha que faz de Gutshot um lugar especial?

Zeke pressionou os dentes contra o lábio inferior, sugando o Nicorette.

– Eu ia morar aqui – ele disse. – Se não trabalhasse nessa fábrica, ia acabar trabalhando em alguma outra. Ou, quem sabe, ia acabar abrindo uma empresa de poda de árvore. Meu ex-cunhado tem uma e tá se dando muito bem. E o que faz daqui um lugar especial? Bom, merda. Pra começar, a máquina de Coca-Cola é de graça. É só apertar o botão e a Coca sai. Não tem isso na maioria dos empregos. Além do mais, a gente tem a adorável senhorita Lindsey Lee, que a maioria das cidades não tem. Agora chega, guris. Preciso voltar pro trabalho.

Assim que Zeke saiu, Lindsey pôs-se de pé.

— Foi um prazer, guris, mas vou andando até a loja pra ficar olhando languidamente nos olhos do meu namorado. Cês podem me buscar às cinco e meia, tá?

E aí ela sumiu. Para uma garota que estaria em maus lençóis se Colin ou Hassan a dedurassem para Hollis, Lindsey parecia bastante confiante. *E isso*, Colin se pegou pensando, *deve querer dizer que eles são amigos*. Quase por acidente, e em apenas dois dias, Colin tinha feito a segunda amizade de sua vida.

Nas sete horas seguintes, Colin e Hassan entrevistaram 26 pessoas, fazendo as mesmas quatro perguntas a todas. Colin ouviu o relato de gente que queria ganhar a vida criando esculturas feitas com motosserra ou dando aula no ensino fundamental. Ele achou ligeiramente interessante o fato de quase todos os entrevistados dizerem que, de todos os lugares no mundo, eles — exatamente como Lindsey Lee Wells — gostariam de ficar em Gutshot. Mas, como Hassan fazia a maioria das perguntas, Colin ficava livre para se concentrar em seu Teorema.

Colin continuava convencido de que o comportamento romântico era basicamente monótono e previsível e que, portanto, seria possível criar uma fórmula bastante simples que anteciparia a rota de colisão de duas pessoas quaisquer. Mas ele temia não ser genial o suficiente para estabelecer as conexões. Ele simplesmente não conseguia imaginar um jeito de prever corretamente as outras Katherines sem estragar as que já tinha destrinchado direitinho. E, por algum motivo, o medo de não alcançar a genialidade necessária fez com que ele sentisse mais falta da K-19, mais do que quando ficou com a cara no carpete do quarto. O pedaço que faltava em seu estômago doía demais — ele acabou parando de pensar no Teorema e ficou se perguntando simplesmente como algo que não está lá pode causar tanta dor em alguém.

• • •

Às quatro e meia, uma mulher entrou na sala e anunciou que era o último funcionário da Indústria Têxtil Gutshot que não havia sido entrevistado e que ainda estava no trabalho. Ela tirou um par de luvas grossas, soprou a franja que estava na frente dos olhos e disse:

— O pessoal disse que um de ocês é um gênio.

— Não sou gênio — Colin disse, sendo imparcial.

— Bom, cê é quem chega mais perto disso aqui nas redondezas, e eu tenho uma pergunta. Por que a cortina do chuveiro é chupada pra dentro se a água devia soprar ela pra fora?

— Isso — Hassan reconheceu — é um dos grandes mistérios não desvendados da condição humana.

— Na verdade — Colin disse —, eu sei.

E sorriu. Era bom se sentir útil novamente.

— Não! — Hassan disse. — Sério?

— É. O que acontece é que o jato da água cria um vórtice, meio como um furacão. E o centro do vórtice, o olho do furacão, é uma região de baixa pressão, que suga a cortina do chuveiro para dentro e para cima. Tem um cara que fez até um estudo a respeito disso. Sem brincadeira.

— Agora, *isso* — Hassan disse — *é realmente* interessante. É como se tivesse um furacão em miniatura em todo banho de chuveiro?

— Exatamente.

— Uau! — disse a mulher. — Eu vinha me perguntando isso a vida inteira. Tá, o.k. Então, meu nome é Katherine Layne. Tenho 22 anos e trabalho aqui faz dez meses.

— Peraí, você pode soletrar seu nome? — Hassan pediu.

— K-a-t-h-e-r-i-n-e L-a-y-n-e.

— O-oh! — murmurou Hassan.

Até que ela era atraente, depois que Colin deu uma boa olhada. Mas, não. Colin não gostou de Katherine Layne. E não era por causa da diferença de idade. Era a K-19. Colin soube que a situação estava realmente periclitante quando conseguiu se sentar diante de uma Katherine perfeitamente linda e sensual (e atraentemente mais velha!) sem sentir um pingo de arrebatamento.

Eles foram embora depois de entrevistar Katherine Layne. Ficaram dando voltas com o Rabecão de Satã por algum tempo, livres, leves e soltos, as janelas abertas, seguindo por uma estrada de duas pistas em direção a absolutamente nada. Eles sintonizaram o rádio numa estação *country*, o volume tão alto que os sons metálicos dos violões de aço saíam distorcidos pelos velhos alto-falantes. Quando conseguiram decorar o refrão, cantaram alto e fora do tom, mas não deram a mínima. E a sensação de cantar imitando um sotaque tipo o de Elvis cantando *Hound Dog* era boa demais. Colin estava triste, mas era uma tristeza estimulante e infinita, como se estabelecesse uma conexão entre ele e Hassan e as músicas ridículas, e, principalmente, uma conexão com ela, e Colin estava gritando "*Like strawwwwwberry wine*" quando, de repente, virou-se para Hassan e disse:

— Espere, pare aqui.

Hassan parou no acostamento de cascalho. Colin saltou e tirou o celular do bolso.

— O que você está fazendo? — perguntou Hassan, ao volante.

— Vou andar mato adentro até conseguir sinal no celular e ligar para ela.

Hassan começou a bater a cabeça ritmadamente no volante. Colin virou de costas. Enquanto andava pelo matagal, ouviu Hassan gritar:

— Badalhoca!

Mas Colin continuou andando.

— Se você der mais um passo, o paizinho vai largar você aqui!

Colin deu mais um passo e pôde ouvir o carro dando a partida. Ele não se virou. Escutou o ruído dos pneus girando no cascalho, seguindo pelo asfalto, e em seguida o ronco do motor eternamente esgoelante ficando cada vez mais longínquo. Depois de cinco minutos andando, achou um lugar com sinal. Tudo era quieto demais. *Chicago só fica silencioso assim quando neva*, pensou. E então abriu o *flip* do celular, apertou a tecla de comando de voz e disse: "Katherine." Ele pronunciou o nome delicada e reverentemente.

Cinco toques e caiu na caixa postal. *Oi, aqui é a Katherine*, ele a ouviu dizer, escutando em seguida o ruído de carros passando ao fundo. Quando ela gravou a mensagem, os dois estavam indo para casa juntos, a pé, voltando da RadioShack.[55] *Eu não estou, hum.* E ela fez *hum*, Colin se lembrou, porque ele tinha beliscado a bunda dela enquanto tentava falar. *Hum, no meu celular, acho. Deixe uma mensagem e eu ligo para você depois.* E ele se lembrava de toda a cena, além de se lembrar de tudo sobre todo o resto, e por que raios ele não conseguia esquecer?, e *bipe*.

— Oi, é o Col. Estou no meio de uma plantação de soja nos arredores de Gutshot, Tennessee, e essa é uma longa história. E está calor, K. Estou aqui de pé suando como se sofresse de hiperidrose, aquela doença que faz a pessoa suar muito. Merda. Isso não é interessante. Mas, mesmo assim, está calor e estou pensando no frio para me acalmar. E estava me lembrando de quando fomos andando pela neve, na volta do cinema depois de assistir àquele filme ridículo. Você se lembra disso, K? Estávamos na rua Giddings e a neve fazia tudo ficar tão silencioso... Eu não conseguia ouvir mais nada no mundo além de você. E, naquele momento, estava tão frio e tão silencioso... E eu te amava tanto. Agora está calor e muito quieto de novo. E eu ainda te amo.

---

[55] H. Rock – Saída.

Cinco minutos depois Colin ia caminhando de volta quando o telefone começou a vibrar. Ele correu para o lugar onde o sinal estava bom e, ofegante, atendeu.

— Você ouviu meu recado? — perguntou imediatamente.

— Não creio que seja necessário — ela respondeu. — Sinto muito, Col. Mas acho que tomamos a decisão mais acertada.

E ele nem se deu o trabalho de argumentar que eles não tinham tomado uma decisão, porque o som da voz dela lhe fazia muito bem — bom, não "bem" exatamente. A sensação era a do *mysterium tremendum et fascinans*, o medo e o fascínio. A grande e terrível reverência.

— Você contou para a sua mãe? — ele perguntou, porque a mãe da Katherine o adorava; todas as mães o adoravam.

— Contei. Ela ficou triste. Mas minha mãe disse que você sempre quis andar colado ao meu quadril, o que não era muito saudável.

— Um destino melhor que este — ele disse, mais para si mesmo.

Ele pôde ouvi-la revirando os olhos ao falar:

— Você é provavelmente a única pessoa que eu conheço que quer ser um gêmeo siamês.

— Gêmeo xifópago — Colin acrescentou. — Você sabia que existe uma palavra em inglês para a pessoa que não é um gêmeo xifópago? — ele perguntou para Katherine.

— Não. E qual é? Normal?

— Singleton — ele disse. — A palavra é Singleton.

E ela comentou:

— Muito engraçado, Col. Olha, eu tenho mesmo de desligar. Preciso arrumar a mala para o acampamento. Talvez seja melhor nós não nos falarmos até eu voltar. Dar um tempo de tudo vai fazer bem a você, acho.

E ainda que estivesse com vontade de dizer: *Era para nós continuarmos AMIGOS, lembra?* E *Qual é o problema? Namorado novo?* E *Eu amo você enlouquecidamente*, ele só murmurou:

— Apenas ouça a mensagem, por favor.

E ela falou:

— Tá. Tchau.

E Colin não disse nada porque não seria ele quem diria a última palavra ou desligaria o celular, e aí ouviu a mudez do telefone em seu ouvido, e foi o fim. Colin se deitou na terra seca e alaranjada e deixou que o capim alto o engolisse, tornando-o invisível. Já não era possível diferenciar do suor as lágrimas que escorriam por seu rosto. Ele estava finalmente — finalmente — chorando. Colin se lembrou dos braços dos dois entrelaçados, das brincadeirinhas que eram só deles, do jeito como se sentia quando passava na casa dela depois da aula e a espiava lendo pela janela. Colin sentia falta daquilo tudo. Ele os imaginou juntos na faculdade, com a liberdade de dormir no alojamento um do outro sempre que quisessem, ambos na Northwestern. Sentia falta disso também, e sequer tinha acontecido. Colin sentia falta de seu futuro imaginado.

É possível amar muito alguém, ele pensou. *Mas o tamanho do seu amor por uma pessoa nunca vai ser páreo para o tamanho da saudade que você vai sentir dela.*

Ele ficou esperando vinte minutos na beira da estrada até que Hassan voltou, com Lindsey ao lado dele.

— Você estava certo — Colin disse. — Não foi uma boa ideia.

— O paizinho sente muito — Hassan disse. — Essa situação é uma merda. Talvez você precisasse ligar para ela.

Lindsey virou-se no assento.

— Cê ama mesmo essa garota, hein?

E aí Colin começou a chorar de novo. Lindsey pulou para o banco de trás e colocou o braço em volta dele, a cabeça de Colin encostada na lateral da dela. Ele tentou não soluçar muito, porque a verdade é que o choro convulsivo de um homem é extremamente repulsivo.

Lindsey disse:

— Chora. Chora à vontade.

E então Colin falou:

— Mas eu não posso fazer isso, porque, se eu chorar à vontade, meu choro vai acabar parecendo o chamado de acasalamento de uma rã-touro.

E todos, incluindo Colin, riram.

Colin trabalhou no Teorema da hora em que chegaram em casa até as onze da noite. Lindsey comprou para ele um *taco* recheado com algum tipo de salada de frango desfiado, no Taco Hell, mas Colin só comeu um pouquinho. Normalmente ele não era muito fã de comer, em especial quando estava trabalhando. Mas o trabalho naquela noite não deu em nada. Colin não conseguia fazer o Teorema funcionar e presumiu que seu momento eureca tinha sido alarme falso. Imaginar o Teorema só demandou um prodígio, mas *completá-lo* de verdade demandaria um gênio. Resumindo: comprovar o Teorema requeria ser mais importante do que Colin era.

— Vou queimar você — falou para o caderninho. — Vou jogar você na lareira.

O que era uma boa ideia, só que não havia lareira alguma. Não se costuma ver muitas lareiras crepitantes no verão do Tennessee, e Colin não fumava, então não tinha fósforo. Ele passou a mão dentro das gavetas vazias de sua escrivaninha adotiva à procura de fósforos ou de um isqueiro, mas não achou nada. Porém, estava bastante determinado a queimar a desgraça do caderninho com toda a sua Teoremização. Então Colin atravessou o banheiro e abriu a porta do quarto escuro de Hassan.

— Cara, você tem fósforo? — perguntou, sem conseguir sussurrar.

— Seu paizinho está dormindo.

— Eu sei, mas você tem um isqueiro ou um fósforo?

— O paizinho está tentando fazer uma *fug* de uma força enorme para pensar numa razão, que não seja aterrorizante, para você acordar o paizinho no meio da noite e fazer essa *fug* de pergunta. Mas, não. Não. O paizinho não tem fósforo nem isqueiro. E, o.k., chega dessa merda de paizinho. Mesmo assim, você vai ter que esperar até de manhã para poder se encharcar de gasolina e se autoanimilar.

— Autoimolar — Colin corrigiu, e então fechou a porta.

Ele desceu a escada e passou sorrateiramente por Hollis Wells, que estava distraída demais com os papéis à sua volta e com o canal de compras da TV para notá-lo. Seguindo por um corredor, ele chegou ao que acreditava ser o quarto de Lindsey. Tecnicamente, Colin nunca o tinha visto, mas ele a vira entrar na sala de estar depois de ter vindo mais ou menos daquela região da casa. Além disso, tinha uma luz acesa. Ele bateu de leve na porta.

— Entra — ela disse.

Lindsey estava sentada numa poltrona felpuda embaixo de um quadro de avisos gigante que cobria toda a parede e no qual estavam pregadas fotos dela com Katrina, dela com OOC, dela vestida com roupa de camuflagem. Era como se ali estivessem todas as fotos tiradas na vida de Lindsey Lee Wells — só que Colin logo reparou que eram todas dos últimos anos. Nada de fotos de quando era bebê, nem de criança, e nada do período de transição emo-alternativo-gótico-punk. Uma cama de casal enorme com dossel ficava encostada na parede oposta à do quadro de avisos. Surpreendentemente, o quarto era desprovido de cor-de-rosa.

— Não é tão rosa assim aqui — Colin comentou.

— É o único refúgio na casa inteira — ela disse.

— Você tem fósforo?

— Claro, tenho uma porrada deles — Lindsey respondeu sem levantar os olhos. — Por quê?

— Quero pôr fogo nisso — ele respondeu, levantando o caderninho. — Não consigo finalizar meu Teorema e por isso quero queimar o caderno.

Lindsey pôs-se de pé, partiu para cima de Colin e arrancou o caderno da mão dele. Ela folheou-o por alguns instantes.

— Não dá pra só jogar fora?

Colin suspirou. Obviamente, ela não entendia.

— É, tá, *daria*. Mas, veja bem, se eu não consigo *ser* um gênio, e parece óbvio que não consigo, pelo menos posso queimar minha obra como um. Olhe para todos os gênios e suas tentativas bem ou malsucedidas de queimar seus papéis.

— É — Lindsey disse sem prestar muita atenção e ainda lendo o caderno. — Olhe pra todos eles.

— Carlyle, Kafka, Virgílio. É difícil imaginar melhor companhia, na verdade.

— É. Ei, explique isso aqui pra mim — ela disse, sentando-se na cama e puxando-o para que se juntasse a ela.

Lindsey estava lendo uma página que continha uma versão mais antiga da fórmula e vários gráficos cheios de imprecisões.

— A ideia é você pegar duas pessoas e determinar se elas são Terminantes ou Terminados. Você usa uma escala que vai de -5, para um Terminado inveterado, e +5, para um Terminante inveterado. A diferença entre esses números nos dá uma variável, T, e aí, ao inserir a variável T na fórmula, obtemos um gráfico que prevê o relacionamento. Só que... — ele fez uma pausa, tentando pensar num jeito de declarar seu fracasso poeticamente. — Hum, na verdade, não funciona.

Ela não olhou para ele; só fechou o caderninho.

— Cê pode botar fogo nele — ela disse —, mas não hoje. Quero ficar com ele uns dias.

— Hum, tá — Colin disse, e esperou que Lindsey falasse mais alguma coisa.

Por fim, ela falou:

– Esse é um jeito muito maneiro de contar histórias. Quer dizer, eu odeio matemática. Mas isso é legal.

– O.k. Mas depois nós vamos queimar! – Colin disse, o dedo em riste, forçando uma carranca.

– Tá. Agora vai pra cama antes que seu dia piore ainda mais.

(ONZE)

Na quinta noite em Gutshot, Hassan e Colin foram cada um para um lado. Hassan saiu com Lindsey para "dar um rolé", uma atividade que aparentemente envolvia ir na caminhonete cor-de-rosa de Hollis da Mercearia Gutshot até o posto de gasolina/Taco Hell, depois de volta para a Mercearia Gutshot e depois até o posto de gasolina/Taco Hell, *ad infinitum*.

— Você deveria sair — Hassan disse para o amigo.

Hassan estava de pé ao lado de Lindsey na sala de estar. Ela usava um par de brincos com penduricalhos azuis e um bocado de *blush*, o que dava a impressão de que estava vermelha de vergonha.

— Estou atrasado com as minhas leituras — Colin explicou.

— Atrasado com as leituras? Tudo o que cê *faz* é ler — Lindsey disse.

— Estou muito atrasado porque fiquei trabalhando tempo demais no Teorema e por causa de todas aquelas entrevistas. Eu tento ler quatrocentas páginas por dia desde que tinha 7 anos.

— Até no fim de semana?

— Especialmente nos fins de semana, que é quando posso me concentrar de verdade em ler por prazer.

Hassan balançou a cabeça.

— Cara, você é tão nerd... E isso está sendo dito por um fã obeso de *Jornada nas Estrelas* que tirou a nota máxima em Matemática 1. Só para você ter uma ideia de como seu caso é grave.

Hassan passou a mão no cabelo estilo judeu-afro de Colin, como que desejando boa sorte, deu meia-volta e saiu.

— Cê devia ir; pra manter os dois longe de encrenca — Hollis gritou do sofá.

Sem dizer nada, Colin pegou seu livro (uma biografia de Thomas Edison)[56] e subiu a escada até o quarto, onde deitou na cama e leu em paz. No decorrer das cinco horas seguintes, ele terminou aquele livro e começou a ler outro que achou na estante do quarto, intitulado *Foxfire*. Era um relato de como as pessoas faziam certas coisas em tempos remotos na região dos montes Apalaches.

A leitura acalmou um pouco sua mente. Sem Katherine, sem Teorema e sem esperança de se tornar importante, muito pouco lhe sobrava. Mas Colin sempre podia contar com os livros. Os livros são o melhor exemplo de Terminado: deixe-os de lado e eles o esperarão para sempre; dê-lhes atenção e sempre retribuirão seu amor.

Foxfire acabara de ensinar a Colin como esfolar e curar a pele de um guaxinim quando Hassan entrou no quarto como um furacão, rindo alto, a vagarosa bola de pelo acinzentado mais conhecida como Princesa saracoteando atrás dele.

— Não vou mentir para você, *kafir*. Eu bebi meia cerveja.

---

[56] Que não foi um menino prodígio, mas acabou se tornando um tipo de gênio. Embora várias das invenções de Edison não tenham sido de fato inventadas por ele. A lâmpada, por exemplo, que tecnicamente foi inventada por *Sir* Humphry Davy, em 1811 — mas a lâmpada dele meio que era uma porcaria e queimava o tempo todo. Edison aprimorou a ideia. E também roubou ideias de Nikola Tesla, o já citado amante de pombos.

Colin coçou o nariz e fungou.

– Tá vendo? Beber é *haram*. Eu já disse, você faz um monte de merdas *haram* o tempo todo.

– É, bem... Em Gutshot, faça como os gutshotianos.

– Seu comprometimento religioso é um exemplo para todos nós – Colin falou com sarcasmo.

– Ah, qual é? Não faça eu me sentir culpado. Eu dividi uma cerveja com a Lindsey. Nem senti nada. *Haram* é *ficar bêbado*, na verdade, não *beber meia cerveja*. De qualquer forma, dar um rolé é divertido. É inacreditavelmente divertido. Fiquei sentado numa caminhonete com OOC, JAD e BMT por mais ou menos uma hora e meia, e eles nem são tão ruins assim, no fim das contas. Acho que fiz com que todos gostassem de mim. E a Katrina acabou se revelando muito legal. E quando eu digo legal, quero dizer linda. Embora seja ridícula a forma como todos ficam pendurados no OOC, como se ele fosse um presente de Deus para Gutshot. Acho que ele era *quarterback* ou *cornerback* ou algo assim no time de futebol americano da escola, só que ele acabou de se formar, então não deve ser mais nada, mas, aparentemente, ser *quarterback* ou *cornerback* é como ser fuzileiro naval: é um lance, tipo, uma vez e para sempre. E tem mais, quando a Lindsey não está por perto, o OOC fala o tempo todo da bunda dela. Não tem outro assunto. Parece que ele passa grande parte do tempo livre dele apalpando a bunda dela, e essa é uma bela imagem. Eu nunca nem reparei na bunda da Lindsey.

– Nem eu – Colin disse.

Ele nunca nem pensava em olhar para bundas, a menos que fossem incomumente enormes.

– Mas, como eu ia dizendo – Hassan continuou –, tem uma cabana de caça na floresta e nós vamos caçar com eles, a Lindsey e um cara da fábrica. *Caçar*. Com armas! *Para matar porcos!*

Colin não tinha a menor vontade de atirar em porcos – nem em qualquer outra coisa.

– Humm – Colin disse. – Eu nem sei como manusear uma espingarda.

– É, eu também não, mas não pode ser muito difícil, né? Vários *fugging* idiotas atiram o tempo todo. E é por isso que tem tanta gente morta.

– E se, em vez disso, talvez, a gente fosse simplesmente, tipo, explorar a floresta esse fim de semana e ficar por lá. Tipo, fazer uma fogueira e tal, e acampar.

– Tá de onda com a minha cara?

– Não, ia ser divertido. Ler à luz da fogueira e assar nossa própria comida no fogo, essas coisas. Sei como fazer uma fogueira mesmo sem fósforo. Eu li sobre isso nesse livro – Colin disse, fazendo um gesto em direção ao *Foxfire*.

– Eu *pareço* um escoteiro do oitavo ano, *sitzpinkler*? Nós vamos sair. Vamos nos divertir. Acordar cedo, beber café, caçar porcos, e todo mundo, tirando nós dois, vai ficar bêbado e engraçado.

– Você não pode me *obrigar* a ir com vocês – Colin retrucou rapidamente.

Hassan deu um passo na direção da porta.

– Isso é verdade, *sitzpinkler*. Você não é obrigado a ir. Não vou ficar chateado se você ficar aí coçando o saco. Deus sabe que eu sempre adorei fazer isso. É que eu tenho andado meio aventureiro ultimamente.

Colin teve a leve sensação de estar levando o fora. Ele havia tentado propor um meio-termo. Ele *queria* passar um tempo com Hassan, mas não com aquele pessoal ah-tão-maneiro.

– Eu não entendo – Colin disse. – Você quer ficar com a Lindsey ou algo assim?

Hassan ficou ali, em pé, acariciando a bola de pelo, espalhando tufos da cadela pelo ar para provocar espirros em Colin.

— Essa história de novo? Não. Caramba. Eu não quero namorar ninguém. Já vi o que isso fez com você. Como você bem sabe, eu acredito em guardar o Rojão para uma dama muito especial.

— Além disso, você acredita em não beber.

— *Touché, mon ami. Tou fugging ché.*

O Meio (do Meio)

O maior estudo já feito com crianças superdotadas foi de um tal Lewis Terman, psicólogo californiano. Com a ajuda de professores de todo o estado da Califórnia, Terman selecionou sete mil superdotados, que agora já vêm sendo acompanhados há quase sessenta anos. Nem todas as crianças eram *prodígios*, claro – o QI delas variava de 145 a 190 e, para efeito de comparação, o de Colin, às vezes, passava de 200 –, mas estavam ali muitas das crianças mais inteligentes e promissoras daquela geração de norte-americanos. Os resultados foram, de certa forma, surpreendentes: a probabilidade de os superdotados que participaram do estudo tornarem-se intelectuais proeminentes não foi maior do que a dos normais. A maioria dos indivíduos do estudo foi relativamente bem-sucedida na vida – viraram banqueiros, médicos, advogados e professores universitários –, mas quase nenhum se tornou *gênio* de verdade, e houve pouca correlação entre ter o QI elevado e contribuir significativamente com o mundo. Em resumo, as crianças superdotadas de Terman raramente acabavam se tornando tão especiais quanto se esperava.

Veja, por exemplo, o caso curioso de George Hodel. Com um dos maiores QIs do estudo, a expectativa era de que Hodel descobrisse a estrutura do DNA ou coisa parecida. Em vez disso, ele virou um médico relativamente bem-sucedido na Califórnia e depois foi morar na Ásia. Nunca se tornou um gênio, mas deu um jeito de se tornar infame: ele foi, muito provavelmente, um assassino em série.[57] Um belo exemplo dos benefícios da prodigiosidade.

---

[57] Hodel foi considerado o mais provável culpado do crime da "Dália Negra", em 1947, um dos casos de assassinato mais famosos e que permaneceu mais tempo sem solução na história da Califórnia. (Aparentemente, ele era bastante *bom* em mortes em série, como se poderia esperar de um prodígio, já que nunca foi pego, e é fato que talvez ninguém jamais tivesse sabido de Hodel não fosse seu filho – caso verídico – ter se tornado detetive da divisão

Sociólogo, o pai de Colin estudava as pessoas e tinha uma teoria sobre como transformar um prodígio em adulto genial. Ele acreditava que o desenvolvimento de Colin tinha que envolver delicada interação entre o que chamava de "educação ativa e orientada para resultados" e a predisposição natural do menino para estudar. Basicamente, isso significava deixar que Colin estudasse e estabelecer "marcadores", que funcionavam exatamente como objetivos, mas eram chamados de marcadores. O pai acreditava que esse tipo de prodígio — nascido e em seguida feito mais inteligente pelo ambiente e pela educação propícios — poderia se tornar um gênio notável, para sempre lembrado. Ele dizia isso a Colin às vezes, quando o garoto chegava mal-humorado da escola, cansado do Abdominável Homem das Neves, cansado de fingir que sua ausência abjeta de amigos não o incomodava.

— Mas você será um vencedor — o pai dizia. — Precisa imaginar isso, Colin, que um dia eles todos vão olhar para trás, para a vida deles, e desejar ter sido você. No fim das contas, você terá o que todo mundo quer.

Mas não foi preciso chegar ao fim das contas. Bastou chegar ao *KranialKidz*.

No finzinho do recesso de Natal do segundo ano do ensino médio, Colin recebeu um telefonema de um canal de TV a cabo do qual nunca ouvira falar, chamado CreaTVity. Ele não via muita televisão, mas não teria feito diferença, porque ninguém conhecia mesmo o CreaTVity. Eles pegaram o número de telefone de Colin com Keith Louco, a quem contataram por causa de seus artigos acadêmicos sobre prodígios. Queriam que Colin participasse de um jogo no programa. Os pais foram contra, mas a "educação ativa e orientada para resulta-

de homicídios do Departamento de Polícia daquele estado e, por meio de uma série de coincidências incríveis e de um extenso trabalho de investigação policial, ter se convencido de que o pai era um assassino.)

dos" significava que eles davam a Colin um certo grau de liberdade para tomar as próprias decisões. E ele quis participar porque (a) o prêmio de 10 mil dólares para o primeiro lugar era muito dinheiro, (b) ele apareceria na televisão e (c) 10 mil é *muito* dinheiro.

Fizeram uma transformação no visual de Colin quando ele chegou para a primeira gravação, deixando-o com a aparência de um prodígio descolado, meio malandro, bagunceiro até. Compraram para ele óculos com aros retangulares e besuntaram seu cabelo com vários produtos para criar um look encaracolado e cuidadosamente desarrumado, como o do pessoal mais maneiro da escola. Deram a ele cinco roupas – incluindo jeans de marca que apertavam a bunda do garoto como se fosse um namorado carente, e uma camisa de malha em que se lia, rabiscado a mão: PREGUIÇOSO. E então gravaram as seis rodadas preliminares em um só dia, fazendo pausas para os prodígios mudarem de roupa. Colin venceu as seis rodadas, o que o levou direto para a final. Sua oponente era Karen Aronson, uma garota com o cabelo quase branco de tão loiro, com 12 anos, que estava fazendo doutorado em matemática. Karen era apresentada como "a adorável". Na semana entre a primeira gravação e a final do programa, Colin usou na escola sua camisa de botões nova e fashion e a calça jeans de marca, e as pessoas lhe perguntavam: *Você vai mesmo aparecer na televisão?* E aí um cara maneiro chamado Herbie[58] disse a Hassan que uma garota chamada Marie Caravolli gostava de Colin. E já que ele tinha, não muito tempo antes, levado um fora de Katherine XVIII, chamou Marie

[58] Como é que um garoto chamado Herbie consegue ser maneiro? Este é um dos eternos mistérios da vida, como pessoas chamadas Herbie ou Dilworth ou Vagina ou sei lá o quê driblam com tanta facilidade o fardo de seus nomes e atingem um tipo de status lendário, mas Colin está para sempre associado a cólon.

para sair, porque Marie, uma beldade italiana eternamente bronzeada que teria ganhado o concurso de Rainha da Volta às Aulas se a Escola Kalman fizesse esse tipo de coisa, era a garota mais gata com a qual ele iria cruzar em toda a vida. Quanto mais falar. Quanto mais namorar. Ele quisera manter a consecutividade de Katherines viva, claro. Mas Marie Caravolli era o tipo de garota pela qual você quebraria qualquer consecutividade.

E foi aí que algo engraçado aconteceu. Colin saltou do trem depois de voltar da aula no dia do encontro com Marie. Havia planejado tudo com perfeição. O tempo que tinha era suficiente para andar até em casa, tirar todas as embalagens de fast-food e latas de refrigerante do Rabecão, tomar banho, comprar algumas flores na White Hen, e buscar a garota. Mas, assim que entrou na rua em que morava, viu Katherine I sentada nos degraus na entrada da casa dele. Enquanto olhava para ela com os olhos semicerrados, vendo-a puxar os joelhos para cima quase até o queixo, Colin se deu conta de que nunca a tinha visto desacompanhada do Keith Louco.

– Está tudo bem? – perguntou ao se aproximar dela.

– Ah, está sim. Foi mal aparecer assim, sem avisar. É só que eu tenho um teste de francês? – Ela falou como se estivesse fazendo uma pergunta. – Amanhã? E não quero que meu pai saiba como sou ruim em francês, então pensei que talvez... Eu tentei ligar, mas não tenho o número do seu celular. Então pensei que, já que conheço o astro mundialmente famoso de um programa de TV de perguntas e respostas, talvez pudesse ter umas aulas com ele. – Ela sorriu.

– Humm – Colin disse.

E durante os poucos segundos que se seguiram, ele tentou imaginar como seria namorar a Marie de verdade. Colin sempre teve inveja de gente como Hassan, que simplesmente sabe fazer amigos. Mas o risco de ser capaz de conquistar qualquer pessoa, ele se pegou pensando, é que você pode acabar escolhendo as pessoas erradas.

Ele imaginou o melhor cenário possível: Marie, contra todas as probabilidades, acaba realmente *gostando* dele, ao que Colin e Hassan dão um salto na escada social e passam a poder almoçar em outra mesa, e são convidados para algumas festas. Só que Colin havia assistido a uma quantidade suficiente de filmes para saber o que acontece quando os nerds vão às festas do pessoal maneiro: geralmente, são ou jogados na piscina[59] ou se tornam, eles mesmos, aqueles tipos maneiros, bêbados e estúpidos. Nenhuma das duas opções parecia boa. E ainda havia o fato de que Colin, tecnicamente, não *gostava* de Marie. Ele nem a conhecia.

– Só um minuto – falou para Katherine I.

Ele então ligou para Marie. Ela lhe dera seu número de telefone mais cedo naquele mesmo dia, na segunda vez que conversaram a vida inteira,[60] um fato excepcional, considerando que eles frequentaram a mesma escola por quase uma década.

– Sinto muito – ele disse. – Mas surgiu uma emergência familiar... É, não, meu tio está no hospital e nós precisamos ir lá fazer uma visita... É, claro, tenho certeza de que ele ficará bem... Tá. Tudo bem. Foi mal, mais uma vez.

E foi assim que a única vez que Colin chegou perto de terminar com alguém foi com Marie Caravolli, que todos consideravam a criatura mais atraente da história norte-americana. Em vez disso, ele deu aulas para Katherine I. E uma aula acabou se transformando em uma por semana, depois em duas por semana e, no mês seguinte, ela foi à casa dele acompanhada de Keith Louco para testemunhar, com os pais de Colin e Hassan, enquanto Colin aniquilava um pobre coitado chama-

[59] Apesar de, certamente, não haver muitas piscinas em Chicago.

[60] A primeira tendo sido o convite para o encontro em si.

do Sanjiv Reddy no primeiro episódio de *KranialKidz*. Mais tarde, naquela mesma noite, depois que Hassan foi para casa, enquanto Keith Louco e os pais de Colin bebiam vinho tinto, Colin e Katherine Carter saíram furtivamente da casa para tomar uma xícara de café no Café Sel Marie.

(DOZE)

Na quinta-feira seguinte, Colin acordou ao som do canto do galo misturado com a reza de Hassan. Rolou da cama, vestiu uma camisa de malha, fez xixi e, em seguida, entrou no quarto do amigo pelo banheiro. Hassan estava de volta à cama, os olhos fechados.

— Será que não haveria um jeito de você rezar *menos alto*? Tipo, Deus não deveria ser capaz de ouvir mesmo se você sussurrar? — ele perguntou.

— Vou avisar que estou doente e ficar em casa — Hassan falou, sem abrir os olhos. — Acho que estou com sinusite e, além disso, preciso de um dia de folga. Jesus. Esse lance de trabalhar é legal, mas eu preciso ficar de bobeira, só de cueca e assistir ao programa da juíza Judy. Você já reparou que eu não tenho visto o programa da juíza há, tipo, doze dias? Imagine só se *você* ficasse longe do amor da *sua* vida por doze dias.

Com os lábios franzidos, Colin simplesmente ficou olhando fixo para Hassan, em silêncio.

— Ah. Tá. Foi mal.

— Você não pode alegar que está doente. Sua chefe trabalha aqui. Nessa casa. Ela vai ver que não está doente.

— Toda quinta-feira ela passa o dia todo na fábrica, mané. Você precisa prestar mais atenção. É o dia *perfeito* para dizer que estou doente. Só preciso recarregar as baterias emocionais.

— Você está carregando as baterias o ano todo! Você não fez nada os últimos doze meses!

Hassan sorriu.

— Você não tem que ir trabalhar ou coisa assim?

— Pelo menos ligue para sua mãe e peça para ela fazer o depósito na Loyola. A data-limite é daqui a quatro semanas. Eu dei uma olhada no site deles por você.

Hassan não abriu os olhos.

— Estou tentando me lembrar de uma palavra. Cara, está na ponta da língua. Bu... bo... ba. Ah. É isso. Badalhoca, *mother-fugger*. Bada. Lhoca.

Quando Colin desceu a escada, viu que Hollis já havia levantado — ou talvez tivesse ficado acordada a noite toda — e vestia um terninho cor-de-rosa.

— Tá um dia lindo na nação — ela disse. — A temperatura só vai chegar aos 28 hoje. Mas, meu Deus, como fico feliz de só ter uma quinta-feira na semana.

Quando Colin se sentou ao lado dela à mesa, perguntou:

— O que você faz às quintas-feiras?

— Ah, é que gosto de ir até a fábrica e verificar tudo por lá de manhã. Depois, lá pro meio-dia, vou de carro até Memphis e visito o depósito.

— Por que o depósito fica em Memphis, e não em Gutshot? — perguntou Colin.

— Meu Deus, cê faz muita pergunta — Hollis respondeu. — Agora, escute só. Cês já entrevistaram quase todo mundo que trabalha na fábrica. Por isso vou começar a mandar cês visitarem outras pessoas da cidade, aposentados da fábrica e esse tipo de gente. Ainda preciso que façam aquelas quatro perguntas, mas pode ser que cês queiram ficar mais um pouquinho, só por educação e tal.

Colin fez que sim com a cabeça. Depois de um tempo em silêncio, falou:

– Hassan está doente. Com sinusite.

– Tadinho. Tá, cê vai com a Lindsey. A viagem vai ser meio comprida hoje. Cês vão visitar os velhotes.

– Os velhotes?

– É assim que a Lindsey chama os velhinhos. O pessoal que mora na casa de repouso em Bradford. Muitos vivem da pensão da Indústria Têxtil Gutshot. A Lindsey costumava visitar esse pessoal o tempo todo antes de começar a – Hollis suspirou – namorar aquele – Hollis suspirou de novo – garoto.

Ela esticou o pescoço para o lado e gritou, virada para o corredor:

– LINDSSSSEEEEY! LEVANTA ESSA MERDA DESSE TRASEIRO PREGUIÇOSO DA CAMA!

E, embora o som da voz grossa de Hollis tenha precisado atravessar um corredor inteiro e duas portas fechadas para chegar até Lindsey, esta gritou, instantes depois:

– BOTE UMA MOEDA DE 25 CENTAVOS NO MALDITO POTE DO PALAVRÃO, HOLLIS. EU JÁ ESTOU ENTRANDO NO BANHO.

Hollis se levantou, colocou 25 centavos no pote que estava na moldura da lareira, voltou para perto de Colin, passou a mão no cabelo estilo judeu-afro dele e disse:

– Ó, eu vou chegar tarde em casa. A viagem de volta de Memphis é comprida. Meu celular tá comigo o tempo todo. Cês vão ficar bem.

Quando Lindsey chegou lá embaixo, usando um short cáqui e uma camisa de malha preta bem justa com GUTSHOT! escrito nela, Hassan já estava no sofá assistindo a reprises de *Saturday Night Live*.

— Quem são as vítimas de hoje? — perguntou Lindsey.

— Os velhotes.

— Ah, legal. Sou veterana daquele lugar. Então tá, já pra fora do sofá, Hass.

— Foi mal, Linds. Vou ficar em casa porque estou doente — ele disse.

Eu nunca a chamei de "Linds", Colin pensou.

Hassan riu de alguma piada na TV. Lindsey soprou uma mecha de cabelo da frente do rosto e, em seguida, pegou Colin pelo braço e levou-o até o Rabecão.

— Não acredito que ele vai ficar em casa dizendo que está doente — disse Colin, mas deu a partida no carro. — Eu estou *fugging* exausto porque fiquei acordado até o meio da noite lendo um *fugging* de um livro sobre a invenção da televisão[61] e é *ele* quem fica na *fugging* casa dizendo que está doente?

— Ei, por que raios você e Hassan dizem *fug* o tempo todo?

Colin soltou o ar devagar, as bochechas esvaziando.

— Você já leu o livro *Os nus e os mortos,* de Norman Mailer?

— Nunca nem ouvi falar nesse cara.

— Escritor norte-americano. Nascido em 1923. Eu estava lendo esse livro quando conheci Hassan. E depois Hassan acabou lendo porque é uma história de guerra e ele gosta de livros de ação. Bom, mas, como eu ia dizendo, o original tem 872 páginas e traz a palavra *fug* ou *fugging* ou *fugger* ou variações dela umas 37 mil vezes. De cada duas palavras, mais ou menos, uma é *fug*. E, sempre que eu acabo um livro, gosto de ler o que saiu de crítica sobre ele.

— Não diga — ela falou.

---

[61] A televisão foi inventada por um garoto. Em 1920, o notavelmente chamado Philo T. Farnsworth idealizou o tubo de raios catódicos usado em quase todos os aparelhos de TV no século XX. Ele tinha 14 anos. Construiu o primeiro tubo com apenas 21 anos. (E logo depois disso embarcou na longeva e distinta carreira do alcoolismo crônico.)

— Tá. Bem, quando Mailer escreveu essa história, não usou "*fug*".* Mas quando mandou o manuscrito para a editora, eles disseram, tipo: "Este livro que o senhor escreveu é realmente excelente, Sr. Mailer. Mas ninguém agora, em 1948, irá comprá-lo, porque nele tem mais a palavra com F que palavras normais." Aí, Norman Mailer, como um tipo de *fug-you* para os editores, percorreu as 872 páginas do livro e mudou tudo para "*fug*". Quando Hassan estava lendo o livro eu lhe contei essa história, e ele resolveu começar a falar *fug* como uma homenagem ao Mailer, e também porque dá para dizer isso em sala de aula sem se dar mal.

— Essa é uma boa história. Viu? Cê consegue contar uma boa história — ela disse, o sorriso como o branco dos fogos de artifício num céu sem estrelas. — Não tem uma moral, nem nenhum tipo de romance ou aventura, mas pelo menos é uma história, e cê não compartilhou comigo nenhuma reflexão sobre hidratação. — Pelo canto do olho, Colin viu que ela sorria. — Vire à esquerda. Vamos seguir por essa *fugging* estrada até cansar e depois... ah, peraí, peraí, diminui, aquele é o carro do Chase.

Um Chevy Bronco pintado de duas cores veio no sentido oposto, na direção deles. Relutante, Colin foi freando o Rabecão até parar. OOC estava ao volante. Colin baixou o vidro porque o outro baixou o dele. Lindsey se debruçou pela frente de Colin para olhar para o namorado.

— Oi, Lass — OOC disse.

— Não tem graça — Lindsey disse, enfaticamente, enquanto Chase, que estava no banco da frente, uivava de tanto rir.

— Ó, eu e o Chase, a gente vai encontrar o Fulton hoje de noite na Cabana. A gente se vê lá?

— Acho que vou ficar em casa hoje de noite — ela disse, e então virou-se para Colin e disse: — Anda.

---

* E sim "*fuck*". (*N.T.*)

– Ah, Linds. Eu só tava zoando você.

– Anda – ela repetiu.

Colin pisou no acelerador e saiu em disparada. Ele já ia pedir uma explicação da cena quando Lindsey virou-se para ele e disse, parecendo bastante calma:

– Não é nada. Só uma brincadeira entre a gente. Bom, mudando de assunto, eu li seu caderninho. Não entendi tudo de verdade, mas pelo menos dei uma boa *olhada*.

Colin esqueceu rapidamente a estranheza da cena com OOC e perguntou:

– O que você achou?

– Bom, pra começar, aquilo me fez ficar pensando no que a gente conversou quando cê chegou aqui. Quando falei que achava que ser importante não era uma boa ideia. Acho que é bom eu retirar o que eu disse, porque, depois de ler suas anotações, fiquei querendo achar um jeito de melhorar seu Teorema. Me deu um tesão bem grande de consertar o Teorema e provar procê que os relacionamentos *podem* ser vistos como um padrão. Quer dizer, ele deve funcionar. As pessoas são tão incrivelmente previsíveis! E aí o Teorema não seria seu, seria nosso, e eu poderia... tá, isso parece meio retardado. Mas, de qualquer jeito, acho que quero ser um pouco importante, ser conhecida fora de Gutshot, senão não teria pensado tanto nisso. Talvez eu só queira ser reconhecida sem sair daqui.

Colin diminuiu a velocidade ao se aproximar de uma placa de pare e então olhou para ela.

– Sinto muito – ele disse.

– Sente muito por quê?

– Por você não ter conseguido consertar o Teorema.

– Ah, mas eu consegui – ela falou.

Colin parou o carro uns seis metros antes de chegar à placa e perguntou:

– Tem certeza?

E ela só ficou sorrindo.

— Então, me *conte* — ele suplicou.

— Tá, bem, eu não CONSERTEI o Teorema, mas tive uma ideia. Eu sou péssima em matemática, tipo, muito ruim mesmo, então me diga se entendi errado, mas parece que o único elemento que entra na fórmula é onde cada pessoa se encaixa na escala de Terminante/Terminado, certo?

— Certo. A fórmula é sobre isso. Sobre levar um fora.

— É, mas essa não é a única coisa num relacionamento. Tem, tipo, a idade. Quando cê tem 9 anos, seus relacionamentos tendem a ser mais curtos e menos sérios e mais aleatórios que quando cê tem 41 e está desesperada pra casar antes que os óvulos se esgotem, certo?

Colin desviou o olhar e analisou as vias no cruzamento à sua frente, ambas completamente abandonadas. Pensou naquilo por um instante. Parecia tão óbvio agora... Muitas descobertas são assim.

— Mais variáveis — ele declarou, entusiasmado.

— Certo. Como eu disse, idade, pra começo de conversa. Mas muitas outras coisas entram na equação. Foi mal, mas a atração é importante. Tem um cara que acabou de entrar pros fuzileiros navais, mas ano passado ele tava no terceiro ano do ensino médio. Ele era, tipo, quase cem quilos de músculos definidos, e eu amo o Colin e tudo mais, mas esse cara era muito sexy, além de muito doce e legal, e o carro dele era uma Pajero toda cheia de acessórios.

— Odeio esse cara — Colin disse.

Lindsey riu.

— É, cê ia odiar mesmo. Mas, no fim das contas, ele era um Terminante completo. Defensor assumido dos 4 Ts: topar, tocar, transar e terminar. Só que ele cometeu o erro de namorar a única pessoa mais gata que ele na região central do Tennessee: Katrina. E virou o cachorrinho mais pegajoso, carente e chorão do mundo, e, então, por fim, a Katrina teve que dispensar o cara.

— Mas não é só atração física — Colin disse, colocando a mão no bolso atrás do lápis e do caderninho. — É quanto você acha a pessoa atraente e quanto ela acha você de volta. Tipo, digamos que exista uma tal garota muito bonita, mas que eu, por acaso, tenha um estranho fetiche e só goste de garotas com treze dedos nos pés. Nesse cenário, posso vir a ser o Terminante se, de repente, ela só tiver dez dedos e só se interessar por caras magros que usam óculos e cabelo estilo judeu-afro.

— E olhos muito verdes — Lindsey acrescentou de um jeito *blasé*.

— O quê?

— Foi um elogio — ela disse.

— Ah! Meus. Verdes. Tá.

Sutil, Singleton. Sutil.

— De qualquer jeito, acho que precisa ser muito mais complicado que isso. Precisa ser tão complicado que uma retardada em matemática como eu não vá entender absolutamente *nada*.

Um carro parou atrás deles e buzinou, e com isso Colin pôs o Rabecão novamente em movimento. Quando chegaram ao estacionamento gigantesco da casa de repouso, já haviam estabelecido cinco variáveis:

Idade (A)[62]
Diferencial de Popularidade (C)[63]

---

[62] Para obter essa variável, Colin pegou a média de idade das duas pessoas e subtraiu 5. A propósito, as próximas cinco notas de rodapé contêm matemática e, portanto, são *estritamente* opcionais.

[63] À qual Colin chegou calculando a diferencial de popularidade entre a Pessoa A e a Pessoa B numa escala de 1 para 1.000 (pode ser aproximado) e dividindo por 75 — números positivos se a garota é a mais popular; negativos se é o garoto.

Diferencial de Atração (H)[64]
Diferencial Terminante/Terminado (T)[65]
Diferencial Introvertido/Extrovertido (P)[66]

Eles ficaram sentados no carro com os vidros abertos, o ar quente e pegajoso, mas não sufocante. Colin rascunhou novos possíveis conceitos e explicou a matemática para Lindsey, que fez sugestões e ficou observando os esboços dele. No espaço de meia hora, ele foi produzindo freneticamente o gráfico básico do tipo "carinha triste" do "ela-terminou-com-ele"[67] para várias Katherines. Mas não estava conseguindo acertar o tempo de namoro. Katherine XVIII, que lhe custou meses de vida, não parecia ter durado mais, ou ter tido mais importância, que Katherine V e os três dias e meio que ele passara em seus braços. Colin estava criando uma fórmula simples demais. E ainda por cima tentava elaborá-la seguindo um processo totalmente aleatório. *E se eu elevar a variável da atração ao quadrado? E se eu colocar uma senoide aqui ou uma fração ali?* Precisava ver a fórmula não como a matemática, que ele odiava, mas como uma linguagem, que ele amava.

---

[64] É um número entre 0 e 5, calculado com base na diferença de atração de um pelo outro. Números positivos se o garoto se sente mais atraído pela garota; negativos se vice-versa.

[65] Entre 0 e 1, infere a distância relativa entre as duas pessoas na variante Terminante/Terminado. Número negativo se o garoto está mais para Terminante; número positivo se for a garota.

[66] No Teorema, essa é a diferença de extroversão entre duas pessoas calculada numa escala que vai de 0 a 5. Números positivos se a garota é a mais extrovertida; negativos se é o garoto.

[67]

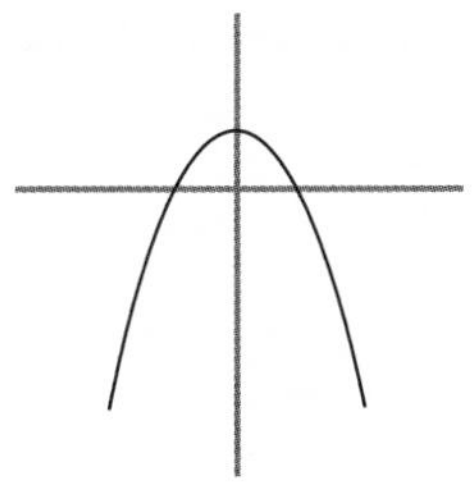

Então começou a pensar na fórmula como uma tentativa de comunicar alguma coisa. E passou a criar frações com as variáveis, para que ficasse mais fácil trabalhar com elas num gráfico. Começou a ver, antes mesmo de introduzir as variáveis, como diferentes fórmulas poderiam representar as Katherines, e, conforme ia fazendo isso, a fórmula ia ficando cada vez mais complicada, até que começou parecer quase – como dizer isso de um jeito não muito nerd –, bem, bonita. Depois de uma hora no carro estacionado, a fórmula estava com essa cara:

$$-T^7x^8+T^2x^3-\frac{x^4}{A^5}-Cx^2-Px+\frac{1}{A}+13P+\frac{\text{sen}(2x)}{2}\left[1+(-1)^{H+1}\frac{(x+\frac{11\pi}{2})^H}{|x+\frac{11\pi}{2}|^H}\right]$$
[68]

– Acho que estamos quase lá – Colin disse, por fim.

– E eu com certeza não entendo merda nenhuma do que tá aí, então, pra mim, cê conseguiu! – Ela riu. – Tá, vamos jogar conversa fora com os velhotes.

Colin só tinha estado numa casa de repouso para idosos uma vez na vida. Tinha ido de carro com o pai até Peoria, Illinois, certo fim de semana, quando tinha 11 anos, para visitar a tia-bisavó, Esther, que estava em coma na época e, portanto, não foi muito boa companhia.

Por isso Sunset Acres foi uma agradável surpresa. Em uma mesa de piquenique no gramado do lado de fora, quatro senhoras, todas usando chapéu de palha de abas largas, jogavam cartas.

---

[68] Isso não conta como matemática, porque ninguém precisa entender a equação ou saber o que ela significa para perceber que há aí uma certa beleza.

— Aquela ali é a Lindsey Lee Wells? — uma das senhoras perguntou, o que fez o rosto de Lindsey se iluminar.

Ela apressou o passo até a mesa.

As senhoras largaram as cartas para abraçá-la e lhe dar tapinhas nas bochechas. Lindsey sabia o nome de todas — Jolene, Gladys, Karen e Mona — e apresentou-as a Colin, ao que Jolene tirou o chapéu, abanou o rosto, e disse:

— Minha nossa, Lindsey, cê *tem* um namorado bonitão, não tem? Não é à toa que cê não vem mais aqui visitar a gente.

— Ah, Jolene, ele não é meu namorado. Perdão por não ter vindo mais. Tô muito atarefada na escola, e a Hollis me bota pra trabalhar que nem um burro de carga na mercearia.

E aí elas começaram a falar da Hollis. Passaram-se quinze minutos até Colin conseguir ligar o gravador e fazer as quatro perguntas, mas ele não se importou, primeiro porque Jolene o achou "bonitão", e segundo por elas serem um grupo de idosas tão descontraídas. Por exemplo, Mona, uma mulher com manchas senis e uma gaze presa com esparadrapo tampando o olho esquerdo, respondeu à pergunta "O que há de especial em Gutshot?" dizendo:

— Pra início de conversa, aquela fábrica tem um plano de pensão bom demais da conta. Tô aposentada há trinta anos e a Hollis Wells *ainda* paga minhas fraldas. É isso mesmo, eu uso fralda! Eu me mijo toda quando rio — ela disse toda alegrinha e, em seguida, riu de se acabar, o que foi preocupante.

E Lindsey, pelo que Colin pôde perceber, era um tipo de estrela do rock entre os velhotes. Quando a notícia de que ela havia chegado se espalhou pelo prédio, uma quantidade cada vez maior de idosos se pôs a caminho das mesas de piquenique, e ficaram zanzando em volta de Lindsey. Colin ia de um a um, gravando as respostas. Depois de algum tempo, simplesmente se sentou e deixou que Lindsey mandasse os velhinhos e velhinhas até ele.

Sua entrevista preferida foi com um homem chamado Roy Walker.

— Pois bem, eu não consigo imaginar — Roy disse — por que diabos alguém ia querer ouvir o que tenho a dizer. Mas fico satisfeito de jogar conversa fora.

Roy estava começando a contar a Colin sobre seu antigo trabalho como gerente do turno da noite na fábrica da Indústria Têxtil Gutshot, mas de repente parou e disse:

— Veja como todo mundo tá babando a pequena Lindsey. Criamos essa menina. Ela vinha aqui uma vez por semana, às vezes mais. A gente conheceu ela quando era bebezinha, e tava com ela quando não dava pra diferenciar a guria de um garoto, e quando o cabelo dela ficou azul. Ela sempre trazia uma Budweiser escondida pra mim no sábado, que Deus a abençoe. Filho, se tem uma coisa que eu sei nessa vida — e Colin pensou em como os idosos sempre gostam de contar "a única coisa que sabem nessa vida" —, é que algumas pessoas nesse mundo cê só consegue amar e amar e amar, não importa o que aconteça.

Colin então acompanhou o olhar de Roy até Lindsey. Ela enrolava casualmente um cacho do cabelo, mas olhando com atenção para Jolene.

— Jolene, o que foi que cê disse?

— Eu tava contando pra Helen que sua *mama* tá vendendo oitenta hectares de terra na colina Bishops pro meu menino, o Marcus.

— A Hollis tá vendendo terra na colina Bishops?

— Isso mesmo. Pro Marcus. Acho que o Marcus quer construir umas casas lá em cima, construir um... não lembro qual foi o nome que ele disse.

Lindsey estreitou os olhos e suspirou.

— Um loteamento? — perguntou.

— É isso mesmo. Loteamento. Lá no alto da colina, acho. Pelo menos a vista é bonita.

Depois disso Lindsey ficou em silêncio, os olhos grandes perdidos na vastidão das plantações que havia atrás da casa de repouso. Colin ficou lá sentado ouvindo os velhinhos conversarem até que, por fim, Lindsey pegou-o pelo braço, logo acima do cotovelo, e disse:

— Tá na hora de ir embora.

Assim que as portas do Rabecão se fecharam, Lindsey começou a murmurar, como se estivesse falando sozinha:

— Mamãe nunca ia vender as terras dela. Nunca. Por que ela tá fazendo isso?

Ocorreu a Colin que até aquele momento ele ainda não tinha ouvido Lindsey se referir a Hollis como "mamãe".

— Por que ela ia vender as terras praquele cara?

— Talvez esteja precisando de dinheiro — Colin palpitou.

— Ela precisa de dinheiro tanto quanto eu preciso de um maldito buraco na cabeça. Meu bisavô construiu aquela fábrica. Dr. Fred Ocicon Dinsanfar. A gente não tá tão desesperada assim por dinheiro, eu garanto.

— Ele era árabe?

— O quê?

— Dinsanfar.

— Não, ele não era árabe. Nasceu na Alemanha ou coisa assim. Mas o lance é que ele falava alemão, assim como a Hollis, e é por isso que eu também falo. Por que cê sempre faz perguntas tão ridículas?

— Jesus. Foi mal.

— Ah, tanto faz, só tô confusa. Quem se importa? Mudando de assunto. É divertido passar o tempo com os velhotes, né? Ninguém diria, mas eles são maneiros pra caramba. Eu costumava visitar esse povo em casa quase todo dia. A maioria ainda não tava na casa de repouso naquela época. Eu ia de casa em casa, sendo alimentada e abraçada. Mas isso foi antes de eu ter amigos.

— Com certeza eles parecem adorar você — Colin disse.

— A mim? As meninas não falavam de outra coisa além de como cê é gato. Cê tá perdendo uma grande faixa da população de Katherines não indo atrás do mercado acima dos 80.

— Foi engraçado elas acharem que nós estávamos namorando — Colin disse, dando uma olhada nela.

— Por que engraçado? — Lindsey perguntou, encarando-o.

— Humm — ele murmurou.

Distraído da estrada, Colin viu quando ela abriu para ele a versão condensada de seu sorriso inimitável.

(TREZE)

Naquele domingo, Hassan foi "dar um rolé" com Lindsey, Katrina, OOC, JAD e BMT. Na noite seguinte, foi dar um rolé de novo e voltou para casa depois da meia-noite, encontrando Colin engajado em seu Teorema, que agora funcionava dezessete das dezenove vezes. Ele ainda não havia conseguido que funcionasse nem para a Katherine III nem, o que era mais importante, para a Katherine XIX.

— Colé? — perguntou Hassan.

— Colé não é uma palavra — retrucou Colin, sem levantar os olhos.

— Você é como um raio de sol num dia nublado, Singleton. Quando faz frio lá fora, você é o mês de maio.

— Estou trabalhando — Colin disse.

Ele não sabia dizer ao certo quando Hassan havia começado a se parecer com todas as outras pessoas no planeta, mas claramente estava acontecendo, e era claramente irritante.

— Eu beijei a Katrina — Hassan disse.

E aí Colin soltou o lápis, girou na cadeira e disse:

— Cumequié?

— Cumequié não é uma palavra — imitou Hassan.

— Na boca?

— Não, mané, no esfíncter da pupila dela. É, na boca.

— Por quê?

— A gente estava sentado na caçamba da caminhonete do Colin, girando uma garrafa de cerveja, mas tudo sacolejava como os diabos porque a gente ia subindo uma ladeira para ir a um lugar lá na floresta. E aí alguém girava a garrafa de cerveja e ela voava e caía do outro lado da caçamba da caminhonete, então ninguém estava beijando ninguém. Daí eu achei que não ia correr risco nenhum se entrasse na brincadeira, né? Mas eu girei a garrafa e, juro por Deus, ela só girou um tiquinho, apesar de a gente ainda estar passando por aquela estrada toda esburacada. Quer dizer, só Deus poderia ter evitado que aquela garrafa pulasse no ar. E aí a garrafa parou apontada bem para a Katrina, que disse: "Que sorte a minha", e ela nem estava de sacanagem, *kafir*! Ela estava falando sério. A Katrina inclinou o corpo para a frente e a caminhonete caiu num buraco, e então ela meio que caiu nos meus braços, e foi direto para a minha boca e, juro por Deus, a língua dela estava, tipo, *lambendo os meus dentes*.

Colin ficou ali, só olhando para ele, sem acreditar. Ficou se perguntando se Hassan estaria inventando aquilo tudo.

— Foi, humm, estranho, e molhado e babado, mas foi divertido, acho. A melhor parte foi encostar a minha mão no rosto dela e olhar para baixo e ver os olhos dela fechados. Acho que a mina é tarada por gordinhos ou coisa assim. Bom, de qualquer jeito, eu vou levar a Katrina amanhã à noite ao Taco Hell. Ela vem me buscar. É assim que se faz, neném — Hassan sorriu. — As minas vêm até o paizão aqui porque o paizão não tem carango.

— Você está falando sério — disse Colin.

— Estou falando sério.

— Peraí, você acha que a garrafa não voou por milagre?

Hassan fez que sim com a cabeça. Colin bateu com a borracha do lápis na escrivaninha e depois se levantou.

— E Deus não o levaria a beijar uma garota a menos que você estivesse predestinado a se casar com ela, portanto, *Deus* quer que você se case com a garota que acreditou que eu era um francês sofrendo de Tourette hemorroidal?

— Deixe de ser babaca — disse Hassan, quase ameaçadoramente.

— Só estou surpreso ao ver o Sr. Todo-poderoso Religioso *fugging* por aí com umas garotas na caçamba de uma caminhonete, só isso. Você provavelmente estava bebendo cerveja ruim e usando camisa de time de futebol.

— Que *fug*, cara? Eu beijei uma garota. Finalmente. *Uma gata de verdade, uma garota legal de verdade.* Badalhoca. Pare de forçar a barra.

Colin não sabia por quê, mas se sentiu compelido a continuar.

— Que seja. Só não consigo acreditar que você ficou com a *Katrina*. Então ela não é tão burra e lesada quanto pareceu naquele dia?

E foi aí que Hassan esticou o braço e agarrou um tufo do cabelo judeu-afro de Colin. Ele arrastou o amigo pelos cachos até o outro lado do cômodo e empurrou-o contra a parede. Hassan trincou os dentes ao pressionar o plexo solar de Colin, o local exato do buraco que ele carregava.

— Eu disse badalhoca, *kafir*. Você vai respeitar as malditas badalhocas. Agora eu vou dormir antes que a gente comece a brigar. E quer saber por que eu não quero brigar com você? Porque eu ia perder a briga.

Ainda brincando, Colin pensou. *Ele está sempre brincando, até quando fica furioso.*

Quando Hassan atravessou o banheiro a caminho de seu quarto e Colin se sentou de novo para trabalhar no Teorema, o rosto de Colin estava vermelho e suado, as lágrimas brotando por causa da frustração. Colin odiava não ser capaz de atingir seus "marcadores". Ele já odiava isso desde os 4 anos, quando o pai estabeleceu o aprendizado das declinações do latim para 25 verbos irregulares como seu "marcador diário" e, ao fim de um dia, Colin só aprendera 23. O pai não o puniu, mas Colin sabia que havia falhado. E agora os marcadores podiam ser mais complicados, mas ainda eram relativamente simples: ele queria ter um melhor amigo, uma Katherine e um Teorema. E depois de quase três semanas em Gutshot, tudo parecia estar pior que antes.

Hassan e Colin não disseram uma só palavra na manhã seguinte – uma sequer, e ficou claro para Colin que Hassan continuava tão chateado quanto ele. Colin observou em silêncio, as mandíbulas trincadas enquanto Hassan atacava furiosamente o café da manhã, e também mais tarde, quando Hassan bateu com o minigravador na mesa de centro de algum aposentado da fábrica que era velho-mas-não-tão-velho-assim-para-a-casa de repouso. Colin pôde perceber a irritação na voz de Hassan quando ele perguntou, no tom monótono de quem está absurdamente entediado, como tinha sido a vida em Gutshot quando o velhote era criança. Àquela altura, pelo que parecia, eles já haviam passado pelos melhores contadores de histórias e só lhes restavam pessoas que levavam cinco minutos para decidir se haviam visitado Asheville, na Carolina do Norte, em junho ou julho de 1961. Colin continuava prestando atenção – era, no fim das contas, o que ele fazia –, mas grande parte do seu intelecto estava em outro lugar. Basicamente, Colin catalogou todas as vezes que Hassan tinha sido um babaca com ele, todas as vezes que fora o motivo das piadas de Hassan, todos os comentários sarcásticos que Hassan fizera sobre sua Katherinização. E agora que Hassan estava Katrinizando, virara o tipo de cara que dá um rolé e deixa Colin para trás.

Lindsey matou o trabalho naquele dia para ficar com OOC na loja. Então ficaram só Colin e Hassan e um único velhote, que monopolizou o dia deles inteiro. Embora o velho tenha falado sete horas seguidas, quase sem parar, o mundo de Colin parecia sinistramente silencioso até que, por fim, ele quebrou o silêncio depois de os dois saírem da casa do idoso para buscar Lindsey.

— Pode parecer que não é nada, mas acho que você mudou — Colin disse enquanto desciam a pé pela entrada de veículos do velhote. — E eu já estou cansado de você andar comigo só para poder me zoar.

Hassan não teceu qualquer comentário a respeito, só sentou no banco do carona e bateu a porta. Colin entrou, ligou o carro, e foi *nessa hora* que Hassan perdeu as estribeiras.

— Alguma vez já passou pela sua cabeça, seu babaca mal-agradecido, que quando eu estava catando os seus cacos depois de todos os foras que você levou, quando eu estava levantando o seu traseiro infeliz do chão do seu quarto, quando eu estava ouvindo seus intermináveis discursos e delírios sobre cada *fugging* garota que já deu alguma atenção a você na vida, que talvez eu estivesse fazendo isso, na verdade, por você, e não porque eu estava ah-tão-desesperado para saber tudo sobre o mais recente pé na bunda da sua vida? Que problemas meus você já ouviu, seu idiota? Alguma vez você se sentou comigo horas e horas seguidas e ouviu eu me queixar por ser um *fugger* gordo cujo melhor amigo o dispensa toda vez que uma Katherine aparece? Já passou alguma vez pela sua cabeça, mesmo que pelo mais breve instante, que *minha* vida pode ser tão ruim quanto a sua? Imagine se você não fosse um *fugging* gênio *e* fosse solitário *e* ninguém nunca escutasse o que você tem a dizer. Então, tá. Pode me matar. Eu beijei uma garota. E eu voltei para casa com aquela história todo empolgado para contar para você porque finalmente eu tinha uma história só minha, depois de quatro anos ouvindo as suas. E você é um babaca tão egocêntrico que não consegue nem por um *fugging* segundo perceber que minha vida não gira em torno da estrela Colin Singleton.

Hassan parou para respirar e Colin mencionou o detalhe que mais o vinha incomodando o dia todo.

— Você o chamou de Colin — disse.

— Sabe qual é o seu problema? — Hassan continuou, sem dar ouvidos a ele. — Não consegue suportar a ideia de que alguém possa largar você. Então, em vez de ficar feliz por mim, como qualquer pessoa normal, está chateado porque ooh, oh, não, Hassan não gosta mais de mim. Você é tão *sitzpinkler*! Tem tanto medo da possibilidade de alguém terminar com você que sua *fugging* vida inteira está construída em torno de não ser deixado para trás. Bem, isso não funciona, *kafir*. Isso é simplesmente... não é só burrice, é ineficaz. Porque assim você não é nem um bom amigo, nem um bom namorado, nem sei lá mais o quê, porque só fica pensando que pode-ser-que-eles-não-gostem-de-mim-pode-ser-que-eles-não-gostem-de-mim, e adivinha? Quando você age assim, ninguém gosta de você. Aí está o seu maldito Teorema.

— Você chamou ele de Colin — repetiu Colin, a voz embargada de repente.

— Chamei quem de Colin?

— OOC.

— Não.

Colin fez que sim com a cabeça.

— Chamei?

Colin fez que sim.

— Tem certeza? Tá, é claro que você tem certeza. Humm. Bem, foi mal. Isso foi uma babaquice da minha parte.

Colin virou para entrar no estacionamento da loja e parou o carro, mas não fez qualquer movimento para sair.

— Eu sei que você tem razão. Quer dizer, sobre o fato de eu ser um babaca egocêntrico.

— Bem, é só de vez em quando. Mas, mesmo assim. Pare com isso.

— É que eu não sei como parar, na verdade — ele disse. — Como alguém para de ter pânico de ser deixado para trás e acabar sozinho para sempre e não significar nada para o mundo?

— Você é *fugging* inteligente — Hassan respondeu. — Tenho certeza de que vai conseguir descobrir um jeito.

— É legal — Colin disse depois de um tempo. — Com relação à Katrina, digo. Você *fugging* beijou uma garota. Uma garota. Tipo, eu sempre meio que pensei que você fosse gay — Colin admitiu.

— Eu até poderia ser gay se meu melhor amigo fosse mais bonito — disse Hassan.

— E eu até poderia ser gay se pudesse achar seu pênis embaixo das suas banhas.

— Seu puto, eu podia engordar duzentos quilos e você ainda ia conseguir ver o Rojão pendurado até o meu joelho.

Colin sorriu.

— Ela é uma garota de sorte.

— A pena é que ela nunca vai saber o tamanho da sorte dela se a gente não se casar.

E aí Colin retomou o assunto.

— Você *é* meio babaca comigo às vezes. Seria mais fácil se você agisse como se, na verdade, não me odiasse.

— Cara. Você quer que eu fique aqui e diga que você é meu melhor amigo e que eu te amo e que você é um gênio tão maravilhoso que só o que eu quero é dormir de conchinha com você? Porque eu não vou fazer isso. Isso é *sitzpinklerice*. Mas acho mesmo que você é um gênio. Sem brincadeira. Acho de verdade. Acho que você consegue fazer qualquer *fug* que decida fazer na vida, e isso não é pouca merda não.

— Obrigado — disse Colin.

Os dois saltaram do carro e se encontraram na frente do capô, ao que Colin esticou ligeiramente os braços e Hassan o empurrou de brincadeira, e então eles entraram correndo na loja.

OOC reabastecia uma das prateleiras com embalagens de sticks de carne-seca e Lindsey estava sentada no banco atrás do balcão lendo uma revista de celebridades, os pés descalços para o alto, apoiados ao lado da caixa registradora.

— Ei — OOC disse. — Um passarinho me contou que cê tem um encontro hoje, grandalhão.

— É, e tudo porque você dirige maravilhosamente bem. Se você não tivesse acertado aquele buraco, ela nunca teria caído nos meus braços.

— Bom, de nada. Ela é uma gata, né?

— Ei! — disse Lindsey sem levantar os olhos da revista. — A gata aqui sou eu!

— Ah, neném, relaxa — OOC disse. E continuou: — Então, Colin. Hass disse que cê não é muito de dar rolé, mas cê precisa ir caçar com a gente no fim de semana que vem.

— É muito gentil de sua parte me convidar — Colin disse. E era meio que gentil mesmo. Nenhum *quarterback* ou *cornerback* nem ninguém mais associado ao futebol americano jamais o havia convidado para fazer nada. Mas Colin pensou instantaneamente no motivo pelo qual escolhera a Katherine I, em vez da Marie Caravolli. Nesse mundo, Colin avaliara, é melhor você ficar com gente da sua laia. — Mas eu não sei atirar.

— Ah, aposto que cê vai acabar levando pra casa um javazilla — disse OOC.

Colin deu uma olhada em Hassan, que arregalou os olhos e fez sutilmente que sim com a cabeça. Por uma fração de segundo, Colin considerou declinar do convite para a caçada aos javalis, mas calculou que devesse aquilo a Hassan. Parte do que faz um cara não ser um babaca egocêntrico, Colin concluiu, é acompanhar os amigos mesmo contra a sua vontade. E mesmo que a atividade em questão possa resultar na morte de um javali.

— Tá — Colin disse, olhando não para OOC, mas para Hass.

E OOC disse:

— Legal. Ouça, já que cê tá aqui pra tomar conta da loja até fechar, eu vou dar o fora. Tenho que encontrar os caras lá na fábrica. A gente vai jogar boliche.

Naquele momento, Lindsey largou a revista.

— Eu gosto de boliche — ela disse.

— Hoje, a noite é só dos machos, neném.

Lindsey forçou um biquinho, depois sorriu e ficou de pé para dar um beijo de tchau em OOC. Ele se debruçou no balcão, deu um selinho nela e bateu em retirada.

Eles fecharam a loja cedo e foram para casa, ainda que Hollis não gostasse de ser interrompida antes das cinco e meia. Ela estava deitada no sofá da sala dizendo:

— A gente precisa da sua ajuda aqui. Se cê olhar pro preço de mercado... — E aí ela os viu entrando e disse: — Preciso desligar agora. Ligo procê depois. — E desligou o telefone. — Já disse procês que eu trabalho até as cinco e meia e que não posso ser interrompida.

— Hollis, por que cê tá vendendo terras praquele tal de Marcus?

— Não é da sua conta e eu agradeço se cê não tentar mudar de assunto. Cês têm de ficar longe de casa até as cinco e meia. Tô pagando procês *trabalharem*, lembram? E Lindsey Lee Wells, eu sei que cê não foi à casa do Sr. Jaffrey hoje. Não pense que não vou acabar descobrindo essas coisas.

— Eu tenho um encontro hoje à noite, então não vou ficar para o jantar — Hassan interrompeu.

— E eu vou levar Colin pra jantar fora — Lindsey disse. — Esse Colin aqui — ela esclareceu, o dedo indicador esticado cutucando os bíceps dele.

Hollis ficou radiante de alegria; Colin olhou para Lindsey com uma expressão que demonstrava partes iguais de surpresa e confusão.

— Bom, acho que posso trabalhar um pouco hoje à noite quando cês estiverem todos fora, então — Hollis disse.

Colin passou as horas pré-encontro trabalhando no Teorema. Depois de trinta minutos, ele já tinha conseguido representar corretamente a K-19. O problema não era tanto sua matemática ruim, mas a falsa esperança. Colin ficara tentando distorcer o Teorema para fazer o gráfico da K-19 ter essa aparência:

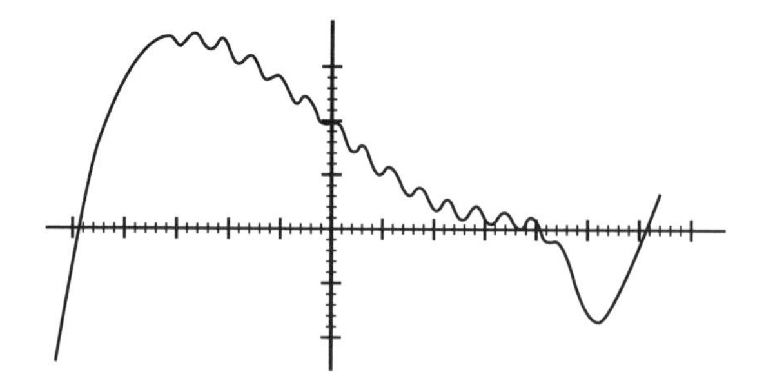

Em resumo, ele estivera contando com a retomada do namoro, presumindo que o Teorema poderia prever o futuro, quando K-19 voltaria para ele. Mas o Teorema, Colin resolveu, não poderia levar em consideração sua própria influência. E então, com a mesma fórmula que havia criado antes, no carro com Lindsey,[69] ele conseguiu refletir seu relacionamento com a Katherine XIX até aquele momento:

[69] A gata aqui, com todas as letras.

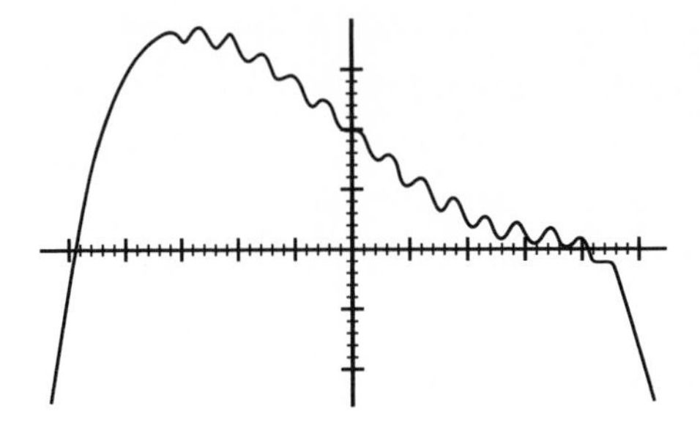

Por volta das cinco da tarde, Colin estava chegando perigosamente perto. Havia capturado a montanha-russa de Katherines 18 vezes. Mas o que não havia feito era bastante importante – ele não tinha colocado a Katherine III no papel, e não se pode levar uma equação que prevê dezoito em dezenove Katherines para o comitê do Prêmio Nobel.[70] Nas duas horas que se seguiram, ele pensou em cada uma das facetas da Katherine III (nome de batismo: Katherine Mutsensberger) com a precisão e a clareza que faziam de seu cérebro algo tão excepcional. E, mesmo assim, não conseguia consertar o que veio a chamar de Anomalia III. A equação que previa corretamente as outras dezoito, na III ficou com essa aparência:

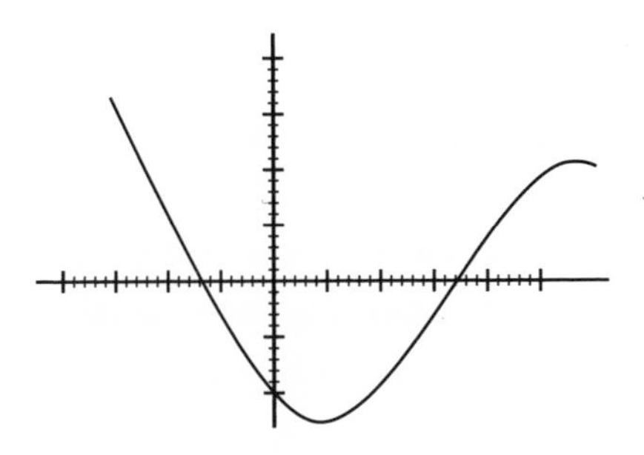

[70] Embora não haja um Prêmio Nobel de Matemática, ele poderia ter uma pequena chance no Nobel da Paz.

A expressão sorridente do gráfico indicava que a III não tinha terminado com ele, e sim que ele havia terminado com ela, o que era ridículo. Colin se lembrava de *tudo* da Katherine III, e de todas as outras também, claro – ele lembrava tudo de tudo –, e, mesmo assim, alguma coisa com a III claramente lhe escapava.

Enquanto trabalhava no Teorema, Colin estava tão concentrado que o mundo fora do caderninho parecia não existir, e foi por isso que deu um pulo quando ouviu Lindsey dizer atrás dele:

– Hora do jantar, cara.

Ele se virou e viu a cabeça dela espiando pela fresta da porta. Ela estava de camiseta azul de malha e calça jeans justa, de tênis All Star e – como se já soubesse das preferências dele – sem maquiagem. Estava, bem, bonita – mesmo sem sorrir. Colin deu uma olhada rápida no próprio jeans e na camisa amarela do *KranialKidz*.

– Não precisa trocar de roupa por minha causa – Lindsey disse, sorrindo. – E já tá na hora de sair, de qualquer jeito.

Eles desceram a tempo de ver, através da porta de tela, Hassan entrando na caminhonete da Katrina. Deu a ela uma rosa cor-de-rosa murcha, que apanhara no jardim da mansão. Ela sorriu e eles se beijaram. *Senhor*. Colin viu com os próprios olhos: Hassan beijando uma garota que provavelmente *tinha* sido a Rainha da Volta às Aulas.

– Alguma vez a Katrina já foi a Rainha da Volta às Aulas?

– Não. Eu fui – Lindsey respondeu imediatamente.

– Sério?

Ela franziu os lábios.

– Bem, não, mas cê não precisa ficar tão chocado assim! Mas Katrina fez parte da Corte. – Ela parou e gritou para a cozinha: – Ei, Hollis! A gente já tá indo. E não tem hora pra voltar. Sexo selvagem e tudo mais!

— Aproveite! — respondeu Hollis. — Ligue pra cá se for ficar na rua depois da meia-noite!

Eles foram de carro até o centro da cidade, para o posto de gasolina/Taco Hell, onde compraram um lanche pelo drive-thru. Ambos espiaram pela janela do drive-thru, Lindsey se debruçou por cima de Colin para tentar ver Hassan e Katrina comendo.

— Ela parece gostar dele de verdade — Lindsey falou. — Quer dizer, eu também gosto dele de verdade. Não quero parecer maldosa. Só tô surpresa. Em geral ela escolhe os, humm, burros e gatos.

— Então ela é como você.

— Olha o que cê diz. Afinal, eu tô pagando seu jantar.

Eles pegaram os tacos de frango e partiram com o carro. Por fim, Colin resolveu perguntar o que estava acontecendo.

— Humm, por que foi que nós saímos juntos hoje?

— Bom, por três motivos. Primeiro, porque eu tenho pensado no nosso Teorema e tenho uma pergunta procê: e se a pessoa for gay?

— Hein?

— Bom, se o gráfico sobe, quer dizer que o cara termina com a garota, e se ele desce, quer dizer que a garota termina com o cara, certo? Mas e se forem dois caras?

— Não faz a menor diferença. É só você atribuir uma posição para cada pessoa. Em vez de ser "h" e "m", poderia simplesmente ser "h1" e "h2". É assim que a álgebra funciona.

— O que explica minha nota baixa em álgebra. Tá. Graças a Deus! Eu tava realmente preocupada que a fórmula só fosse servir pros héteros, e aí o Teorema não ia prestar. O segundo motivo é que tô tentando fazer com que a Hollis goste de mim, e ela gosta de você, então se eu gostar de você, ela vai gostar de mim.

Colin olhava para ela confuso.

— Nota baixa em álgebra; nota máxima em maneirologia. Popularidade é um troço complicado, sabe? É preciso passar um tempão pensando em todos os aspectos do "gostar"; cê precisa gostar muito de ser gostado, e, além disso, meio que gostar de ser desgostado.

Colin ouvia atentamente, mordiscando a almofada do polegar. Ouvir Lindsey falar sobre popularidade fez com que ele sentisse um pouco do *mysterium tremendum*.

E ela continuou:

— Mas a questão é que eu preciso descobrir o que é exatamente esse lance de vender terras. Aquele cara, o Marcus, construiu um condomínio num loteamento ao sul de Bradford, as casas todas iguais. Tipo, é de dar vontade de vomitar. Hollis nunca ia tolerar essa merda.

— Ah, tá. — Colin se sentiu um pouco como um peão numa partida de xadrez.

— E o motivo número 3 — Lindsey disse — é que eu preciso ensinar ocê a atirar, pra que cê não faça papel de bobo.

— Atirar com uma arma de fogo?

— Uma *espingarda*. Coloquei uma na mala do seu carro hoje de tarde.

Colin deu uma olhada para trás, meio tenso.

— Ela não *morde* — Lindsey disse.

— Onde foi que você arranjou uma espingarda?

— Onde eu arranjei a espingarda? Sabichão, arranjar uma espingarda em Gutshot, Tennessee, é mais fácil que pegar clamídia de uma prostituta.

Vinte minutos depois eles estavam sentados num campo à beira de uma densa floresta, que, segundo Lindsey, pertencia a Hollis, mas logo passaria para as mãos de Marcus. O lugar porém, com o capim crescido, flores do campo e brotos de árvores aqui e ali, era cercado apenas por uma série de tocos de madeira entrecruzados.

— Para que a cerca?

— Porque a gente tinha um cavalo chamado Hobbit que pastava por aqui, mas aí ele morreu.

— Era seu?

— Era. Bem, da Hollis também. Hollis ganhou o cavalo do meu pai como presente de aniversário, e aí, quando eu nasci, seis meses depois, ela me deu o bicho. Era o cavalo mais dócil do mundo. Eu já montava o Hobbit quando eu tinha 3 anos.

— Então seus pais são divorciados?

— Não, pelo menos não oficialmente. Mas cê sabe o que eles dizem de Gutshot: a população nunca aumenta e nunca diminui, porque toda vez que uma mulher fica grávida, um homem sai da cidade.

Colin riu.

— Ele foi embora quando eu tinha 1 ano. Ele liga algumas vezes por ano, mas a Hollis nunca me põe pra falar. Eu não conheço o cara, e nem faço questão de conhecer. E os seus?

— Meus pais ainda estão casados. Eu tenho que ligar para eles na mesma hora todo dia. Daqui a meia hora, na verdade. Eles são superprotetores, acho, mas normais. Nós somos muito entediantes.

— Cê não é entediante. Cê precisa parar de falar isso, senão as pessoas vão começar a acreditar. Agora, vamos pegar a espingarda.

Lindsey levantou-se num salto, correu pelo campo em direção ao carro e pulou a cerca. Colin a seguiu num ritmo mais suportável. Como regra, ele não acreditava em correr.

— Abra a mala — Lindsey gritou.

Colin abriu a mala e encontrou uma espingarda comprida, de cano duplo, a coronha de madeira rajada. Lindsey pegou a arma, entregou-a a Colin e disse:

— Aponte o cano pra cima.

Ela pegou uma caixa de papelão quadrada e os dois voltaram andando, pularam a cerca e atravessaram o campo.

Com pinta de especialista, Lindsey abriu a entrada de munição da espingarda, pegou dois cartuchos da caixa de papelão e os inseriu na arma.

– Quando essa merda tiver carregada, não aponte pra mim, ouviu?

Ela fechou a arma num estalo, apoiou-a no ombro e então entregou-a com cuidado para Colin.

Depois foi para trás dele e ajudou-o a empunhar a espingarda apoiada no ombro. Ele sentiu o peito de Lindsey encostando em sua escápula, os pés dela ao lado dos dele, a barriga dela colada nas costas dele.

– Encaixe bem a arma no ombro – ela disse, e ele obedeceu. – A trava de segurança fica aqui – falou, levantando a mão e guiando a dele até um botão transversal de aço na lateral da arma.

Ele nunca havia segurado uma espingarda. A sensação era ao mesmo tempo de excitação e de que havia algo de muito errado naquilo.

– Agora, quando cê for atirar – ela disse, a respiração na nuca dele –, não *puxe* o gatilho. Só coloque o dedo nele e *aperte*. Mas bem de leve. Vou dar um passo para trás e aí cê só aperta, o.k.?

– Em que eu devo mirar?

– Cê não ia conseguir acertar nem a lateral de um celeiro, então só mire pra frente.

Colin sentiu a ausência de Lindsey às suas costas e, então – bem de leve mesmo –, apertou o gatilho.

O estrondo do disparo chegou ao seu ouvido exatamente na mesma hora que o coice atingiu seu ombro direito. O empuxo da arma fez com que seu braço levantasse e suas pernas desabassem. Colin estava caído de bunda nas flores do campo, a arma apontada para cima.

– É – ele disse. – Até que foi divertido.

Lindsey estava rindo.

— Viu? É por isso que a gente tá aqui, pra que cê não caia de bunda no chão na frente do Colin, do Chase e de todo o resto do povo. Cê precisa aprender a se preparar presse coice.

E, assim, no decorrer da hora que se seguiu, Colin acabou com a raça dos carvalhos à frente com seus tiros, parando apenas para recarregar a arma e ligar para os pais. Atirou 44 projéteis na floresta e, então, quando o braço direito ficou dormente e ele estava com a sensação de ter levado vários socos de um campeão de boxe no ombro, falou:

— Por que você não tenta?

Lindsey balançou a cabeça e se sentou no mato. Colin acompanhou o movimento dela.

— Ah, eu não atiro. Tenho verdadeiro pavor dessas espingardas.

— Tá de onda com a minha cara.

— Não. Além disso, essa é uma calibre 10. Eu não ia atirar com uma calibre 10 nem por mil dólares. Elas dão um coice igual ao de uma maldita de uma mula.

— Então por que...

— Já disse por quê. Não quero que cê fique parecendo um maricas.

Colin quis continuar o diálogo, mas não soube exatamente como, então deitou no chão e passou a mão no ombro dolorido. No geral, Gutshot tinha sido fisicamente cruel com ele: uma cicatriz chamativa acima do olho, 44 contusões diferentes no ombro e, claro, um ainda doloroso buraco dentro dele. E, mesmo assim, por algum motivo, ele gostava daquele lugar.

Colin se deu conta de que Lindsey estava deitada ao seu lado, os braços cruzados por baixo da cabeça. Ela deu um chute na canela dele de brincadeira para chamar sua atenção.

— Que foi? — ele perguntou.

– Eu tava pensando nessa garota que cê ama tanto. E nesse lugar que eu amo tanto. E em como isso acontece. Como essas coisas passam a fazer parte da gente. As terras que a Hollis tá vendendo, o problema é que... bem, eu tô chateada, em parte porque não quero ver um loteamento de mansões pasteurizadas lá em cima, mas em parte também porque meu esconderijo fica lá.

– Seu o quê?

– Meu esconderijo. Meu refúgio super e incrivelmente secreto que ninguém na face da Terra sabe que existe. – Lindsey fez uma pausa e desviou o olhar do céu repleto de estrelas e virou-se para Colin. – Cê quer conhecer?

O Fim (do Meio)

— Eu não quero me gabar — disse Katherine I entre um gole de café e outro no Café Sel Marie —, mas me sinto um pouco especial por tudo ter começado comigo.

— Bem — disse Colin, que bebia leite pingado com café —, existem três maneiras de encarar isso. Ou (1) é uma coincidência fenomenal o fato de todas as garotas de quem já gostei na vida compartilharem as mesmas nove letras, ou (2) eu acho esse um nome especialmente bonito, ou (3) eu nunca superei o nosso relacionamento de dois minutos e meio.

— Você era muito bonitinho naquela época, sabia? — ela disse, e soprou o café fazendo biquinho. — Lembro que eu achava isso. Você era nerd chic antes de nerd chic ser chique.

— Estou propenso a acreditar na explicação 3, no momento.

Ele sorriu. Ao redor, o barulho de pratos. O lugar estava lotado. Dava para ver o interior da cozinha, na qual Colin viu um garçom fumando um cigarro comprido e fino.

— De repente você tenta ser um cara estranho de propósito. Acho que gosta disso. Isso faz de você, *você*, e não outra pessoa.

— Parece seu pai falando — ele disse, fazendo uma referência ao Keith Louco.

— Tenho achado você incrivelmente atraente desde que o vi quando estava à beira de um ataque de nervos por causa do meu teste de francês — ela retrucou. Não piscou, não desviou o olhar do dele. Aqueles olhos tão azuis quanto o céu deveria ser. E aí sorriu: — Pareço meu pai falando agora?

— Parece, por mais estranho que pareça. Ele também é péssimo em francês.

Ela deu uma gargalhada. Colin viu o garçom apagar o cigarro e depois andar até a mesa deles, quando perguntou se os dois queriam mais alguma coisa. Katherine I respondeu que não, virou-se para Colin e perguntou:

— Você sabe alguma coisa sobre Pitágoras?

E Colin respondeu:

— Conheço o Teorema dele.

E ela completou:

— Não, eu quero dizer sobre o cara. Ele era estranho. Achava que tudo podia ser expressado numericamente, como se, tipo, a matemática fosse capaz de abrir as portas para o mundo. Tipo, *tudo*.

— Tudo, tipo, até o amor? — Colin perguntou, ligeiramente incomodado com o fato de ela saber algo que ele não sabia.

— Especialmente o amor — Katherine I disse. — E você me ensinou o suficiente de francês para que eu possa dizer: 10-5 espaço 16-5-14-19-5 espaço 17-21-5 espaço 10-5 espaço 20-1-9-13-5.

Por um bom tempo Colin ficou olhando para ela fixamente sem dizer uma palavra. Ele decifrou o código com bastante rapidez, mas permaneceu em silêncio, tentando imaginar quando ela teria tido a ideia de fazer aquilo, quando teria decorado a frase toda. Nem mesmo ele teria sido capaz de associar os números às letras das palavras em francês tão rápido. *Je pense que je t'aime*, foi o que ela disse numericamente: "Acho que gosto de você." Ou: "Acho que amo você." O verbo francês *aimer* pode significar as duas coisas. E era por isso que ele gostava dela e ao mesmo tempo a amava. Ela falava com ele numa língua que, não importava a quantidade de horas que fosse estudada, não poderia ser totalmente compreendida.

Ele continuou calado até ter formulado uma réplica completa, uma que faria com que o interesse dela fosse mantido sem, contudo, saciá-lo. Colin Singleton, verdade seja dita, não seria capaz de chegar ao fim do segundo tempo de um relacionamento nem para salvar sua vida, mas sabia muito bem como fazer um gol no início do primeiro.

— Você só está dizendo isso porque eu estou participando de um programa de televisão que ninguém vê — ele disse.

— Talvez.

— Ou então — ele disse — talvez esteja dizendo isso porque se sente lisonjeada por eu ter passado oito anos da minha vida correndo atrás das nove letras do seu nome.

— Talvez — ela concordou.

E foi então que o celular de Colin tocou. Era sua mãe. A escapada deles chegara ao fim. Mas, àquela altura, já era tarde. Em sua cabeça, a Katherine I já estava se tornando a Katherine XIX. Em breve ela recuperaria o trono que, desde o início, fora seu por direito.

(QUATORZE)

— **O problema das suas histórias** — Lindsey ia dizendo na escuridão enquanto eles se aproximavam da floresta à sua frente — é que elas ainda não têm moral, cê não sabe imitar a voz de uma garota direito e cê não fala das *outras pessoas* o suficiente. A história ainda gira em torno de ocê. Mas, mesmo assim, já consigo imaginar um pouquinho essa Katherine. Ela é inteligente. E é só um pouco ruim procê. Acho que cê gosta disso. A maioria dos caras é assim. Foi desse jeito que eu conquistei o Colin, na verdade. Katrina era mais gata e estava mais a fim dele. Eles já namoravam tinha algum tempo quando ele se interessou por mim. Mas ela era muito fácil. Sei que ela é minha amiga e que talvez namore o Hassan e coisa e tal, mas a Katrina é mais fácil que um quebra-cabeça de quatro peças.

Colin riu e Lindsey seguiu falando.

— Fazer com que as pessoas gostem de ocê é muito fácil, na verdade. É impressionante como mais gente não faz isso.

— Não é tão fácil assim para mim.

— Mas *eu* gosto de ocê e não *costumo* gostar de ninguém. Hassan gosta de ocê e dá pra ver que ele também não costuma gostar de ninguém. Cê só precisa de mais gente que não goste das pessoas.

— Você não costuma gostar de ninguém mesmo?

Eles entraram na floresta, seguindo uma trilha estreita que, de vez em quando, desaparecia. Lindsey apontou para as árvores e disse:

— Dá pra ver que cê acabou com a raça das árvores dessa floresta com seus tiros, sabichão. Não seria o máximo se cê levasse um javali pra casa?

— No fundo eu não *quero* matar um porco — Colin observou. Ele tinha lido *A menina e o porquinho*, sabe como é. E, em seguida, repetiu: — Você não costuma gostar de ninguém mesmo?

— Bem, isso é um exagero da minha parte, acho — ela respondeu. — É só que eu aprendi um tempo atrás que a melhor forma de fazer as pessoas gostarem de ocê é não gostar muito delas.

— Mas você se importa com muita gente. Os velhotes? — Colin argumentou.

— Bem, os velhotes são diferentes — ela disse, e então parou de andar e virou-se para Colin, que já estava sem fôlego depois do esforço que foi subir aquela colina atrás dela. — O lance com os velhotes, acho, é que eles nunca me sacanearam, então eu não me preocupo com eles. Então, é... os velhotes e os bebês são exceções.

Eles caminharam um bom tempo em silêncio por um matagal denso, com árvores de tronco fino se elevando ao redor deles. A trilha se tornava cada vez mais íngreme, fazendo um ziguezague colina acima, até que os dois, por fim, chegaram a um afloramento rochoso com mais ou menos cinco metros de altura. Lindsey Lee Wells disse:

— Agora chegou a hora da escalada.

Colin olhou para cima, para a face escarpada da rocha. *É possível que haja pessoas que conseguem transpor essa rocha*, ele pensou, *mas eu não sou uma delas.*

— Tô fora — falou.

Lindsey virou-se para trás, as bochechas vermelhas e brilhando de suor.

— Tô brincando.

Ela deu a volta num rochedo úmido e repleto de musgo, e Colin a seguiu. Imediatamente, ele viu uma abertura estreita que ia até a altura do peito, a passagem coberta de teia de aranha.

— Então, eu tô trazendo cê aqui porque cê é o único cara que eu conheço que é magro pra isso. Se espreme aí — ela disse.

Colin afastou a teia com a mão — foi mal, Charlotte. Ele ficou de lado, agachou e foi se afastando gradativamente do lusco-fusco no mundo exterior. Logo estava totalmente cego, os joelhos, as costas e a cabeça encostados na rocha. Por um instante, entrou em pânico, imaginando que Lindsey teria pregado uma peça nele e que o deixaria para trás, entalado ali. Mas continuou arrastando os pés para a frente. Sentiu algo roçando suas costas e gritou.

— Calma. Sou eu — Lindsey falou. Suas mãos tocaram o ombro de Colin e ela disse: — Dê mais um passo. — Com isso Colin parou de sentir a pressão da rocha em seu corpo. Ela o girou para que ele virasse para a frente. — Continue andando — falou. — Cê pode ficar em pé direito agora. — As mãos de Lindsey desapareceram e Colin a ouviu passando a mão pelo chão. Ela disse: — Eu deixo uma lanterna aqui, mas não tô conseguindo encon... achei.

Ela colocou a lanterna na mão dele, que a tateou à procura do botão de ligar e, de repente, o mundo se iluminou.

— Uau! — disse Colin.

De formato aproximadamente quadrado, a caverna de um único ambiente era grande o bastante para uma pessoa se deitar com conforto em qualquer direção, embora o teto marrom-acinzentado decaísse na direção do fundo da caverna, tornando difícil ficar de pé em muitos lugares. Ali havia um cobertor, um saco de dormir, várias almofadas e um pote de vidro com tampa e sem rótulo contendo algum tipo de líquido. Ele cutucou o pote com o pé.

— É uma bebida — Lindsey explicou.

— Onde você conseguiu isso?

— Tem um cara em Danville que fabrica uísque clandestino de milho. Sem brincadeira. E ele vende o uísque pra qualquer um que tenha dez dólares e idade suficiente pra andar. Foi Colin que me deu isso. Disse pra ele que tinha tomado, mas na verdade trouxe o pote pra cá, porque combina com esse ambiente da caverna.

Colin iluminou as paredes de pedra, a luz da lanterna percorrendo devagar a superfície.

— Pode se sentar — Lindsey disse. — E apague a lanterna.

E então ficou o tipo de escuro ao qual seus olhos nunca se acostumam.

— Como foi que você achou esse lugar?

— Eu só tava andando por aí. Adorava passear pelas terras da minha mãe com todos os velhotes quando era pequena. Comecei a vir para o lado de cá sozinha quando tava no ensino fundamental e, um dia, no oitavo ano, encontrei isso aqui por acaso. Devo ter passado por essa rocha umas cem vezes sem nunca ter percebido nada nela. É estranho ficar falando assim; não consigo enxergar nada.

— Também não estou vendo você.

— A gente é invisível. Nunca vim aqui com ninguém. É diferente ficar invisível *com* alguém.

— Então, o que você *faz* aqui?

— Como assim?

— Bem, é escuro demais para ler. Você poderia trazer uma lanterna de cabeça ou algo do tipo, acho, mas fora isso...

— Não, eu só fico sentada sem fazer nada. Quando eu era nerd, vinha aqui pra ficar num lugar onde ninguém ia me encontrar. E agora... sei lá, talvez seja pelo mesmo motivo.

— ...

— ...

— Cê quer beber? O uísque clandestino?

— Eu nunca tomei bebida alcoólica na vida.

— Não me diga.

— Além disso, uísques clandestinos podem deixar a pessoa cega, e minha experiência com a cegueira até agora não chegou a me causar boa impressão, na verdade.

— Ah, é, seria uma desgraça se cê não pudesse mais ler. Mas quando é que cê vai tá dentro de uma caverna com essa bebida ao lado de novo? Viva um pouco.

— Falou a garota que não quer sair nunca da sua cidade natal.

— Ah, sem essa. Então tá, peguei a garrafa. Fale comigo e eu vou até você seguindo o som da sua voz.

— Hummm, oi, meu nome é Colin Singleton e está muito escuro e então você deveria vir até aqui de onde a minha voz está saindo, mas o problema é que a acústica nesse lugar é realmente... e-i, esse sou eu. Esse é meu joelho.

— Oi.

— Oi.

— As damas primeiro.

— Tá bem... Cruz credo mangalô três vezes, parece que cê tá engolindo um bocado de milho misturado com fluido de isqueiro.

— Fez você ficar cega?

— Não tenho a menor ideia. Tá. Sua vez.

— ... AcahhhhhEcahhhAhhhh. Cahhh. Ehhhhhh. Uau. Uau. Cara. É como dar um beijo de língua num dragão.

— Essa foi a coisa mais engraçada que cê já disse, Colin Singleton.

— Eu já fui mais engraçado. Meio que perdi a autoconfiança.

— ...

— ...

— Deixa eu te contar uma história.

— Ah, uma história de Lindsey Lee Wells. O personagem principal é um arquiduque?

— Não, o personagem principal é uma Lindsey, mas tem todos os elementos de uma história da mais alta qualidade. Onde cê tá? Ah, aqui. Oi. Oi, joelho. Oi, batata da perna. Tá. Então a gente fez a primeira parte do ensino fundamental numa escola em Danville e o que aconteceu foi que praticamente todas as crianças de Gutshot ficaram juntas, porque todo mundo lá achava que a gente era sujo, pobre e disseminador de piolho. Mas aí, lá pelo terceiro ano, e, como já disse, eu era feia, Colin e todos os amigos dele começaram a me chamar de cachorra.

— Odeio isso. Odeio garotos assim tão *fugging* muito.

— Regra Número 1. Sem interrupções. Mas, como eu ia dizendo, eles começaram a me chamar de Lass, abreviação de *Lassie*.

— Ei, ele chamou você disso aquele dia quando estávamos indo para a entrevista com os velhotes!

— É, eu lembro. E também, repetindo: Regra. Número 1. Então chegamos ao quarto ano, o.k.? E era o Valentine's Day. Eu queria muito ganhar algum cartão. Então perguntei à Hollis o que eu podia fazer e ela disse que eu devia simplesmente escrever um cartão pra todo mundo na turma, que o pessoal ia retribuir. Aí a Hollis comprou um monte de cartão de Valentine's Day do Charlie Brown e eu escrevi um pra cada um da turma, mesmo minha caligrafia não sendo lá essas coisas e mesmo eu tendo levado um tempão pra terminar. E aí, como era de se imaginar, eu não ganhei cartão nenhum.

"Então eu fui pra casa e tava muito chateada mesmo, mas não quis contar pra Hollis o que tinha acontecido, só fiquei sentada na cadeira perto da janela no meu quarto me sentindo muito... foi horrível... não gosto nem de lembrar. E aí, de repente, eu vejo o Colin correndo até a minha casa carregando uma caixinha de papelão. E ele era o garoto mais lindo da escola e o único de Gutshot que era popular. Ele colocou a caixa no degrau da porta da minha casa, tocou a campainha e saiu correndo. Eu desci depressa e meu coração batia enlouquecidamente rápido. Eu tava tão esperançosa de que ele tivesse uma paixão secreta por mim... Cheguei lá e encontrei uma caixa de papelão toda decorada com corações de cartolina vermelha, colados por toda a superfície da caixa... Cara, eu nunca mais tinha me lembrado disso, até ele me chamar de Lass de novo."

— Peraí, o que havia na caixa?

— Alpo. Uma lata de Alpo. Mas, no fim das contas, eu peguei o Colin de jeito, porque agora ele namora a cachorra.

— Uau! Jesus Cristo.

— Que foi?

— Nada. É só que, você sabe, eu achava que os meus relacionamentos românticos eram *fugged up*.

— De qualquer forma, conquistar o Colin passou a ser meu objetivo de vida. Beijar o Colin. Casar com ele. Não sei explicar por quê, mas foi assim.

— E você conseguiu.

— Consegui. E ele é uma pessoa diferente agora. Quer dizer, a gente tinha 8 anos. A gente era criancinha. Ele é um doce agora. Ele me protege e tudo mais.

— ...

— ...

— Alguma vez você já se perguntou se as pessoas gostariam mais ou menos de você se pudessem vê-la por dentro? Tipo, eu sempre achei que as Katherines terminavam comigo logo que começavam a ver como eu sou por dentro... Bem, todas menos a K-19. Mas sempre me pergunto isso. Se pudessem me ver do jeito que eu me vejo, se pudessem viver nos meus pensamentos, será que alguém, *qualquer pessoa*, me amaria?

— Bom, ele não me ama agora. Tem dois anos que a gente namora e ele nunca disse que me amava, nem uma vezinha. Mas com certeza não ia me amar se pudesse me ver por dentro. Porque ele é muito verdadeiro com tudo. Tipo, cê pode dizer um monte de merda sobre o Colin, mas ele é totalmente genuíno. Vai trabalhar naquela fábrica a vida inteirinha e vai ter os mesmos amigos, e ele é muito feliz mesmo assim. Ele acha que isso tudo é importante. Mas se ele soubesse...

— O quê? Termine a frase.

— Eu sou uma bosta de fraude. Nunca sou eu mesma. Eu falo do jeito caipira do sul quando tô com os velhotes; sou uma nerd pra falar de gráficos e pensamentos profundos quando tô com você; sou a Miss Princesa Bonitinha e Animadinha com o Colin. Eu não sou nada. O problema de levar uma vida de camaleoa é que chega um ponto em que nada é verdadeiro. Seu problema é... como foi que cê disse mesmo... que cê não é significativo?

— Sem importância. Eu não sou importante.

— Certo, importante. Bem, mas pelo menos cê consegue chegar a perceber que *não é* importante. As coisas procê, pro Colin, pro Hassan e pra Katrina são verdadeiras ou não são verdadeiras. Katrina *é* toda animadinha. Hassan *é* hilário. Mas eu não sou assim. Eu sou o que eu preciso ser, a hora que for, pra sair do chão mas ficar fora do alcance do radar. A única frase que começa com "eu" e que é verdadeira pra mim é *Eu sou uma fraude*.

— ...

— ...

— ...

— ...

— Bem, eu gosto de você. E você não está sendo camaleoa comigo. Acabei de me dar conta disso agora. Tipo, você morde o polegar na minha frente, e isso é um hábito secreto, mas você faz comigo, porque eu não conto como público. Estou aqui no seu esconderijo. Você não tem problema comigo vendo dentro de você um pouquinho.

— Um pouquinho, talvez.

— Porque eu não represento nenhuma ameaça. Eu sou um nerd.

— Não, cê não é. Isso...

— Não, eu sou. E esse é o motivo.

— Talvez. Eu não tinha pensado nisso.

— Não quero parecer que estou julgando você. É só interessante. Eu também não me sinto ameaçado por você, porque nunca gostei de gente popular. Mas você não é como eles, não exatamente. É mais ou menos como se você tivesse encontrado uma forma de sequestrar o lado maneiro deles. Isso é...

— Oi.

— Oi.

— A gente não devia.

— Bem, você começou.

— Tá, mas eu só comecei pra ter a chance de dizer "a gente não devia" de um jeito bastante dramático.

— Ahn.

— A gente devia deixar assim: as testas se tocando, os narizes se encostando, a sua mão na minha perna e a gente não devia, cê sabe.

— Você está com bafo de bebida.

— E, pelo seu bafo, parece que cê acabou de beijar um dragão.

— Ei, essa piada é minha.

— Foi mal. Eu tinha que diminuir a tensão.

— ...

— ...

— O que você está fazendo?

— Mordendo meu maldito polegar. Meu hábito secreto.

Eles acabaram saindo da caverna muito depois do crepúsculo, mas a luz do luar estava tão ofuscante que Colin se pegou piscando até se acostumar com a claridade. A descida pela colina até o carro foi constrangedora e, na maior parte, silenciosa. De lá eles seguiram de carro até a Mansão Cor-de-rosa.

Tinham acabado de embicar na entrada de veículos quando Lindsey falou:

— Quer dizer, é claro que eu gosto de ocê, e cê é legal, mas vamos só... é que não é pra ser.

E ele assentiu com a cabeça, porque não teria como dar conta de uma namorada antes de terminar o Teorema.

E, de qualquer forma, ela era uma Lindsey.

Eles abriram a porta sem fazer barulho, esperando não perturbar a Hollis trabalhando/assistindo ao canal de compras da TV. Assim que Colin fechou a porta, o telefone tocou.

— Alô — ele escutou Hollis dizer da cozinha.

Lindsey pegou Colin pelo braço e puxou-o para perto da parede, de onde eles poderiam escutar sem serem vistos.

— Então deixa do lado de fora pro lixeiro pegar — Hollis disse. — Que babaquice... Eles não podem cobrar pra coletar *lixo*; é pra isso que a gente paga imposto... Bom, sinto muito, Roy, mas isso é uma babaquice... Não, a gente *não tem* como pagar isso, pode acreditar... Não. De jeito nenhum... Bom, eu não sei, Roy... Não, eu *entendo* qual é o problema... Só um instante, tô pensando. Jesus Cristo, minha filha vai chegar em casa a qualquer momento... E aquele campo lá atrás? Ele é nosso, não é?... É, exatamente... Tudo que cê precisa é de uma merda de uma escavadeira e uma empilhadeira... Bom, eu também não gosto, mas a menos que cê tenha alguma outra ideia... Tá. A gente se vê na quinta-feira.

E bateu o fone no gancho.

— A Hollis — Lindsey sussurrou — deve uma porrada de dinheiro pro pote do palavrão. — E, em seguida, guiou Colin pelo corredor, levando-o até a Sala de Jogos. — Saia pela janela — sussurrou de novo.

Colin levantou a janela estreita que dava para o jardim na frente da casa o mais silenciosamente que pôde, e então havia a tela antimosquitos. Ele teria dito algo sobre a tela, mas sabia que não conseguiria sussurrar.

— Jesus, é como se cê nunca tivesse saído de casa escondido na vida — Lindsey sussurrou.

Ela empurrou os cantos da tela e a levantou. Lindsey se espremeu toda para passar, a cabeça primeiro, as pernas finas sacudindo ligeiramente quando ela deu uma cambalhota no gramado. Colin a seguiu, os pés primeiro, tentando utilizar uma estratégia tipo dança da cordinha que o fez ficar numa posição ridícula.

Tendo escapado com sucesso da casa, Lindsey e Colin se ajeitaram, espanaram as roupas com as mãos, foram andando casualmente até a porta e a abriram.

— Hollis — Lindsey gritou —, a gente chegou!

A mulher estava sentada no sofá, uma pilha de papéis no colo. Virou-se para eles e sorriu.

— Oi — Hollis disse, sem qualquer vestígio de raiva na voz. — Cês se divertiram?

Lindsey olhou para Colin, e não para Hollis.

— Muito poucas vezes na vida eu me diverti tanto — ela disse.

— Aposto que sim — disse Hollis, que não parecia estar prestando atenção.

— Era o depósito — Colin falou devagar, de um jeito conspiratório, enquanto os dois subiam a escada. — Ela vai ao depósito às quintas-feiras.

Lindsey sorriu afetadamente.

— É, eu sei. Cê mora aqui faz três semanas; eu moro faz dezessete anos. Não sei o que tá acontecendo, mas entre isso e vender as terras, e sempre estar no meio de um telefonema enraivecido quando a gente aparece em casa, tô começando a achar que talvez seja a hora de cair na estrada — disse Lindsey.

— Isso é capaz de resolver um número surpreendente de problemas, cair na estrada — Colin admitiu.

— Cair na estrada? Alguém disse cair na estrada? — Hassan estava de pé no alto da escada. — Porque eu estou dentro. A Katrina também. Ela é universitária, sabe. Estou saindo com uma *universitária*.

— Ela tá estudando pra tirar um certificado de assistente de enfermagem na faculdade comunitária de Danville — disse Lindsey, fazendo pouco-caso.

— É uma faculdade; é isso que estou falando! E pensar, Singleton, que você achou que eu nunca fosse arranjar uma universitária a menos que fosse para a faculdade.

— Como foi o encontro? — Colin perguntou.

— Foi mal, cara. Não dá para falar. Meus lábios estão dormentes de todos aqueles beijos. A garota beija como se quisesse sugar a sua alma.

Colin entrou sorrateiramente no quarto de Hassan logo depois que Lindsey desceu para dormir e eles conversaram sobre a "posição" de Hassan (mão no peito por cima da camiseta), e foi aí que Colin contou sobre Lindsey, sem mencionar o esconderijo, porque esse parecia um assunto muito particular.

— Quer dizer — Colin falou —, estava escuro e o rosto dela estava inteiro colado no meu, menos a boca. Ela simplesmente encostou a cabeça na minha de repente.

— Bom, você gosta dela?

— Humm, não sei. Naquela hora eu meio que gostei.

— Cara, pense nisso. Se você conseguisse fazer o Teorema funcionar, poderia prever como seria.

Colin sorriu ao pensar naquilo.

— Agora, mais do que nunca, você precisa concluir o Teorema.

(QUINZE)

As coisas com Lindsey ficaram ligeiramente estranhas nos dias seguintes. Ela e Colin continuaram trocando amabilidades, mas de um jeito muito superficial, e para Colin eles deveriam era estar conversando sobre assuntos relevantes, como ser importante, e o amor, e a Verdade com V maiúsculo, e Alpo, mas os dois só falavam do negócio mundano de entrevistar pessoas. As piadinhas ficaram para trás; Hassan reclamava o tempo todo: "De uma hora para outra, eu passei a ter que carregar todo o peso do humor nessa família." Mas, pouco a pouco, tudo voltou ao *status quo*: Lindsey tinha um namorado e Colin tinha um coração partido e um Teorema para concluir. Além disso, Hassan tinha uma namorada e eles todos estavam se preparando para caçar porcos – é, pensando melhor, as coisas não estavam *tão* como antes assim.

No dia que antecedeu a Caça ao Javali inaugural de Colin Singleton, ele se preparou do único jeito que Colin Singleton se prepararia: lendo. Folheou dez volumes da coleção *Foxfire* procurando informações sobre os hábitos e o hábitat do animal. Em seguida, fez uma busca no Google por "javali", a partir da qual descobriu que os javalis eram tão largamente odiados que o estado do Tennessee até lhe dava permissão para atirar neles sempre que cruzassem seu caminho. O javali é considerado uma "peste", e como tal não está sujeito ao tipo de proteção disponível, digamos, para um veado ou para um ser humano.

Mas foi no exemplar de um livro da Hollis chamado *Our Southern Highlanders* que Colin achou o trecho mais descritivo a respeito do bicho: "Qualquer um pode ver que quando ele[71] não está revirando a terra nem dormindo, está pensando num jeito de fazer algo diabólico. Ele demonstra uma notável compreensão da fala humana, em particular do discurso profano, e possui até mesmo o dom sinistro de ler os pensamentos dos homens, sempre que tais pensamentos vão de encontro à paz e à dignidade da porcalhança." Claramente, este não era um inimigo a ser menosprezado.

Não que Colin tivesse a intenção de tomar qualquer atitude contra a paz e a dignidade da porcalhança. No caso extremamente improvável de ele ao menos cruzar com um javali, presumiu, deixaria que o animal ficasse pensando num jeito de fazer alguma coisa diabólica em paz. O que justificou o fato de ele não tocar no assunto da caça com os pais durante a conversa noturna ao telefone. Ele não estava indo *caçar*, de fato. Estava indo dar uma volta na floresta. Levando uma espingarda.

Na manhã da caçada, o alarme despertou às 4h30. Foi a primeira vez desde a chegada a Gutshot que Colin acordou antes do galo. Na mesma hora, ele abriu a janela do quarto, encostou a cara na tela e gritou:

— CO-CO-RI-CÓ! COMO É SER ACORDADO POR MIM, SEU PEQUENO *FUGGER*?

Ele escovou os dentes e entrou debaixo do chuveiro. Deixou a água mais para fria, tentando despertar totalmente. Has-

---

[71] Ou seja, o javali.

san entrou no banheiro para escovar os dentes e gritou para que Colin conseguisse ouvi-lo apesar do barulho da água:

— *Kafir*, eu só digo uma coisa: hoje é o dia em que não vai morrer nenhum porco. Eu não posso nem *comer* os *motherfuggers*,[72] então com certeza não vou *matar* nenhum deles.

— Amém — Colin retrucou.

Eles já estavam dentro do Rabecão com Lindsey e Princesa no banco de trás às cinco da manhã.

— Para que a cadela? — perguntou Hassan.

— Chase e Fulton gostam de levar a Princesa quando saem para caçar. Ela não ajuda em nadinha. A coitada se preocupa mais com seus cachinhos do que com farejar porcos. Mas eles gostam.

Eles dirigiram alguns quilômetros após passar em frente à loja e viraram numa rua de cascalho, que acabava numa pequena colina com um matagal denso.

— Hollis não vendeu *essas* terras — ela reclamou — porque *todo mundo* gosta daqui.

A rua era sem saída e terminava numa casa de madeira comprida, e estreita, de um andar só. Duas picapes e a caminhonete Blazer de JAD já estavam estacionadas ao lado da cabana de caça. OOC e JAD, novamente com jeans apertados demais, estavam sentados no bagageiro de uma das picapes, as pernas balançando. Em frente a eles, um homem de meia-idade ocupava o que parecia ser uma cadeira de plástico roubada da sala de aula de uma turma de terceiro ano do ensino fundamental, examinando a boca de sua espingarda. Todos usavam calça de camuflagem, camisa de manga comprida de camuflagem e coletes cor de laranja bem "cheguei".

---

[72] Comer carne de porco é *haram* no islamismo. Também é proibido no judaísmo, mas (a) Colin era só metade judeu e (b) ele não era religioso.

Quando o homem se virou para falar com eles, Colin o reconheceu como sendo Townsend Lyford, um dos funcionários que entrevistaram na fábrica.

— Como cês tão? — ele perguntou quando os três saltaram do carro. Cumprimentou Colin e Hassan com um aperto de mão e abraçou Lindsey. — Belo dia pra caçar javalis.

— É um pouco cedo — Colin disse, mas àquela altura já era possível ver a claridade iluminando a encosta da colina.

O céu estava limpo e parecia que ia ser um dia lindo. E quente.

Katrina colocou a cabeça para fora da porta da cabana e disse:

— O café tá na mesa! Ah, oi, fofinho.

Hassan piscou para ela.

— Você é o rei do pedaço. — Colin sorriu.

Quando Colin e Hassan já estavam dentro da cabana de caça, BMT entregou a cada um deles o traje completo de camuflagem com o ridículo colete cor de laranja "cheguei".

— Cês podem se trocar no banheiro — ele disse.

E com "banheiro", BMT quis dizer "casinha". A vantagem é que o fedor da casinha ao lado da cabana mascarava o cheiro das roupas de camuflagem, que lembravam a Colin tudo o que havia de pior na aula de educação física da Escola Kalman. Ainda assim, ele tirou a bermuda e vestiu a calça, a camisa e o colete igual ao dos guardas que ajudam as pessoas a atravessar a rua. Antes de sair, Colin esvaziou os bolsos. Felizmente, a calça continha bolsos cargo enormes nas pernas — espaço mais que suficiente para a carteira, a chave do carro e o minigravador, que ele tinha passado a levar aonde quer que fosse.

Depois que Hassan se trocou também, todos se sentaram em um banco rústico e o Sr. Lyford se levantou. Ele falou com um sotaque carregado e com autoridade. Parecia *gostar* de verdade de dar *ênfase* a suas *palavras.*

— O javali é uma criatura pra lá de *perigosa.* O pessoal chama o bicho de *urso-cinzento* dos pobres, e *não é* por acaso. Agora, eu caço *sem* cachorro, porque prefiro espreitar minha presa, como os *índios.* Mas o Chase e o Fulton, eles caçam com cachorro, e isso pode também. Do jeito que for, a gente tem que lembrar que esse é um esporte perigoso.

Certo, Colin pensou. *Nós temos armas e os porcos têm focinhos. Muito perigoso mesmo.*

— Esses porcos são uma *peste.* Até o governo diz isso. A gente precisa acabar com a raça deles. Agora, eu ia dizer que cês vão ter dificuldade de abater um javali na luz do dia, mas já faz um tempo que a gente caçou aqui da última vez, então acho que as chances são *muito boas.* Agora vou seguir com o Colin e o Hassan — que ele pronunciou HASS-ão — e a gente vai descer até a planície, ver se consegue achar uma trilha. Cês podem se separar do jeito que quiserem. Mas *tomem cuidado,* e não façam pouco caso do *perigo* que é o javali.

— A gente pode atirar nas bolas deles? — perguntou JAD.

— *Não,* não pode, *não.* O javali vai atacar se levar um tiro nos *testículos* — respondeu o Sr. Lyford.

— Jesus, pai, ele tá só zoando. A gente sabe caçar — disse OOC.

Até aquele momento Colin não tinha se dado conta de que OOC e o Sr. Lyford eram parentes.

— Bem, guri, acho que tô nervoso de mandar océs por aí *sozinhos* com esse bando de *feras.*

E então o homem começou a falar um monte de coisa chata sobre armas, tipo qual bala usar na sua espingarda e sempre manter os dois canos carregados. No fim das contas, Lindsey e OOC iriam juntos para uma plataforma na árvore perto de um trecho com armadilha, o que quer que isso significasse, e JAD e

BMT iriam em outra direção com a adorável e nada ameaçadora labrapoodle. Katrina ficaria na cabana, já que se recusava a caçar por questão de princípios. Ela era, como dissera a Colin quando os dois estavam sentados à mesa do café, vegetariana.

— Acho isso um baita crime — Katrina disse a respeito da caça ao javali. — Apesar desses porcos *serem* meio que horríveis. Mas nem *ia ter* javali nenhum se a gente não botasse tanto porco no chiqueiro pra comer.

— Eu tenho pensado em virar vegetariano — Hassan disse para Katrina, o braço na cintura dela.

— Bom, só não vá ficar magrinho — Katrina comentou, e então os dois se beijaram na frente de Colin, que ainda não conseguia se acostumar com nada daquilo.

— É isso aí, guris — o Sr. Lyford disse, dando um tapa um tanto forte nas costas de Colin. — Preparados pra primeira *caçada* docês?

Colin fez que sim com a cabeça, relutante, deu um tchauzinho para Lindsey e os outros, e seguiu em frente com Hassan, cujo colete cor de laranja não era grande o suficiente para vestir o diâmetro do seu tronco de um jeito confortável. Eles partiram ladeira abaixo, sem seguir qualquer trilha, só abrindo caminho pela mata.

— A gente *começa* procurando *terra remexida* — o Sr. Lyford explicou. — Lugares onde o *javali* revirou o solo com seu *focinho* comprido.

Ele falava com os dois como se tivessem 9 anos, e Colin estava se perguntando se o Sr. Lyford não os achava mais novos do que realmente eram quando o homem se virou para eles com uma lata de tabaco de mascar e ofereceu uma pitada a cada um. Tanto Colin quanto Hassan recusaram educadamente.

No decorrer da hora que se seguiu eles quase não falaram, porque "o *javali* pode ser afugentado pela voz *humana*", o

Sr. Lyford dissera, como se o bicho não fugisse de outras vozes, como a de marcianos. Caminhavam lentamente pela floresta, os olhos esquadrinhando o terreno à procura de terra remexida, as armas apontadas para o chão, uma das mãos na coronha e a outra, suada, no cano. Até que, por fim, Hassan viu algo.

— Humm, Sr. Lyford — Hassan sussurrou.

Ele apontou para um trecho cujo solo estava bastante revirado. O Sr. Lyford se ajoelhou e fez uma inspeção cuidadosa. Cheirou o ar. Enfiou os dedos na terra.

— *Isso* — o Sr. Lyford sussurrou — é terra remexida. E você, HASS-ão, achou uma *fresquinha*. É, um javali teve aqui não faz muito tempo. Agora a gente vai seguir o *rastro* dele.

O Sr. Lyford então dobrou o ritmo da caminhada e Hassan fez de tudo para acompanhá-lo. O homem avistou mais terra remexida, e depois mais, e se convenceu de ter achado a trilha. Então partiu numa espécie de marcha atlética, os braços se movimentando de tal jeito que era como se ele estivesse fazendo acrobacias com a arma. Depois de uns cinco minutos daquilo, Hassan apertou o passo para se aproximar de Colin e disse:

— Por favor, Deus, chega dessa corridinha.

Ao que Colin completou:

— Na boa.

E então ambos disseram ao mesmo tempo:

— Sr. Lyford?

Ele deu meia-volta e vários passos até chegar aonde os garotos estavam.

— O que *foi*, guris? A gente tá na *trilha* aqui. A gente tá quase dando *de cara* com um javali, tô sentindo isso.

— Será que dá para diminuir um pouco o passo? — Hassan perguntou. — Ou dar uma paradinha? Ou dar uma paradinha e depois diminuir o passo?

O Sr. Lyford suspirou.

— Guris, se não tão levando a *sério* a caça ao *javali*, então vou *deixar* cês aqui. A gente tá na trilha do bicho — ele sussurrou imperativamente. — Isso não é hora de lengalenga e lero-lero.

— Bom — sugeriu Colin —, talvez o senhor devesse mesmo nos deixar aqui. Nós podemos meio que proteger os flancos, no caso de o *javali* voltar pela trilha.

O Sr. Lyford pareceu extremamente decepcionado. Ele franziu os lábios e balançou a cabeça com pesar, como se sentisse pena das pobres almas que não estavam dispostas a dar tudo de si na busca ao javali.

— Muito bem, depois volto para buscar cês dois. E, quando fizer isso, vai ser pra pedir ajuda pra carregar um *lindo* de um javali.

Ele começou a andar, mas parou e sacou da lata de tabaco.

— Aqui — ele sussurrou, entregando-a a Colin. — Não quero que o *javali* sinta o cheiro da gaultéria no tabaco.

— Ah, obrigado — disse Colin, e o Sr. Lyford saiu correndo, explorando a floresta à procura de mais terras remexidas, mais recentes ainda.

— Bom — Hassan disse, agachando para se sentar num tronco tombado e apodrecido. — Isso foi divertido. Jesus, eu não sabia que caçadas envolviam tanto tempo andando. Deveríamos ter ficado no mesmo bem-bom da Lindsey, sentada numa árvore, namorando e esperando um porco passar na frente dela.

— É — disse Colin, sem prestar muita atenção.

— Ei, você trouxe o minigravador? — perguntou Hassan.

— Trouxe. Por quê?

— Dá ele aqui — ele disse.

Colin tirou-o do bolso e entregou-o ao amigo.

Hassan apertou o botão de iniciar a gravação e falou com sua melhor voz de *Jornada nas Estrelas*.

– Diário do Capitão. Data estelar 9326.5. A caça ao javali é algo inacreditavelmente entediante. Acho que vou tirar uma soneca e confiar ao meu brilhante companheiro vulcano a tarefa de me avisar se algum javali *extremamente* perigoso aparecer por aqui. – Hassan devolveu o minigravador e partiu para se deitar ao lado do tronco caído.

Colin viu quando o garoto fechou os olhos.

– Agora, *isso,* sim – Hassan disse – é *caçar.*

Colin ficou sentado ali por um tempo, ouvindo o barulho do vento açoitando as folhas das árvores enquanto as nuvens se movimentavam acima deles, e deixou a mente vagar. A mente foi para um lugar previsível e Colin sentiu falta dela. Katherine ainda estava no acampamento e lá eles não a deixavam usar o celular, pelo menos não no ano anterior, mas, só para tirar a dúvida, ele pegou o celular no bolso da calça de camuflagem. Ali tinha sinal, o que era incrível, mas não havia nenhuma chamada não atendida. Ele pensou em ligar, mas decidiu não fazê-lo.

Ligaria assim que tivesse terminado o Teorema, o que o levou de volta à fórmula e à aparentemente indomável anomalia da III. O Teorema funcionava para dezoito das dezenove Katherines, mas esse bipe totalmente insignificante no Katherin-radar resultava equivocadamente na forma de um sorriso, todas as vezes. Colin pensou nela de novo, tentando lembrar se havia deixado de considerar alguma faceta de sua personalidade nos cálculos. É verdade que eles só haviam convivido doze dias, mas a ideia geral era que você não precisava conhecer intimamente a outra pessoa para que o Teorema funcionasse. Katherine III. Katherine III. Quem diria que ela, que estava entre as menos importantes, seria a fonte da derrocada do Teorema?

Colin passou os noventa minutos seguintes pensando, sem parar, numa garota com quem convivera menos de duas semanas. Mas, no fim, até ele acabou se cansando. Para passar o tempo, criou anagramas para o extenso nome dela: Katherine Mutsensberger. Colin nunca havia anagramatizado o nome da III. "Um *skate* bege, renhir trens; Sete Kbits, regenerar nenhum." E seu preferido: "Ser, neste marketing, hebreu".

Hassan fungou e suas pálpebras se abriram de repente. Ele olhou em volta.

– *Fug*, nós ainda estamos caçando? O paizão precisa comer alguma coisa.

Hassan ficou de pé, enfiou a mão no bolso cargo e tirou de lá dois sanduíches bastante amassados em sacos Ziploc.

– Foi mal, cara. Dormi em cima do nosso almoço.

Colin abriu o cantil enganchado à fivela do cinto e os dois se sentaram para comer os sanduíches de peru e beber água.

– Por quanto tempo eu dormi?

– Quase duas horas – Colin respondeu entre uma mordida e outra.

– E que *fug* você fez enquanto isso?

– Deveria ter trazido um livro. Fiquei tentando terminar o Teorema. O único problema que ainda resta é a Katherine III.

– Queem e effa? – Hassan perguntou, a boca cheia de um sanduíche com maionese demais.

– Verão logo depois do quarto ano. De Chicago, e estudava em casa. Katherine Mutsensberger. Um irmão. Morava na Lincoln Square, na rua Leavitt, ao sul da avenida Lawrence, mas não cheguei a conhecer a casa porque ela terminou comigo no antepenúltimo dia do acampamento de superdotados no Michigan. Tinha o cabelo castanho-claro e meio ondulado, roía unha, a música preferida dela aos 10 anos era *Stuck with you*, do Huey Lewis and the News, a mãe era curadora do Museu de Arte Contemporânea e ela dizia que queria ser veterinária quando crescesse.

– Quanto tempo você ficou com ela? – perguntou Hassan.

Ele terminou o sanduíche e espanou as migalhas da calça.

— Doze dias.

— Humm. Sabe o que é mais engraçado? Eu conheci essa garota.

— O quê?

— É. Mutsensberger. Nós íamos a todos os estúpidos eventos de ensino domiciliar juntos. Tipo, leve seu filho educado em casa ao parque para que ele aprenda a ser menos nerd. E leve seu filho educado em casa ao piquenique do ensino domiciliar para que o garoto muçulmano possa ter o traseiro chutado por todos os cristãos evangélicos.

— Peraí. Conhece ela?

— Bem, quer dizer, nós não mantemos contato nem nada. Mas, é. Eu conseguiria identificar a garota numa fila de suspeitos.

— Ela era um pouco introvertida, ligeiramente nerd, e teve um namorado aos 7 anos que terminou com ela?

— Sim — disse Hassan. — Bom, eu não sei nada sobre o namorado. Ela tinha um irmão. Era o maior maluco, na verdade. Gostava de participar de campeonatos de soletração. Ele chegou à final nacional, acho.

— Estranho. Bom, a fórmula não funciona com ela.

— Talvez você esteja esquecendo alguma coisa. Não pode haver tantos malditos Mutsensbergers em Chicago. Por que não liga e pergunta?

E a resposta àquele questionamento, "porque literalmente nunca me ocorreu fazer isso", era tão absurdamente idiota que Colin só pegou o telefone sem dizer mais nenhuma palavra e discou.

— *Que cidade?*

— Chicago — ele respondeu.

— *Sobrenome?*

— Mutsensberger. MUTSENSBERGER.

— *Aguarde.*

A voz do computador recitou o número e Colin apertou a tecla 1 para que a ligação fosse feita imediatamente, sem cobrança de tarifa. Ao terceiro toque, uma garota atendeu.

— Alô — ela disse.

— Oi. Aqui é Colin Singleton. A... A Katherine está?

— Sou eu. Qual é mesmo seu nome?

— Colin Singleton.

— Esse nome me soa tão familiar... — ela disse. — Eu conheço você?

— Quando você estava no quarto ano, acho que fui seu namorado por mais ou menos duas semanas em um acampamento de verão para crianças superdotadas.

— Colin Singleton! Ah, claro! Uau. Quem diria...

— Humm, eu sei que isso vai parecer meio estranho, mas numa escala de 1 a 5, quão popular você era no quarto ano?

— Ahn, o quê? — ela perguntou.

— E, além disso, você tem um irmão que participava de campeonatos de soletração?

— Humm, sim, tenho. Quem está falando? — ela perguntou, parecendo ter ficado irritada de repente.

— Aqui é o Colin Singleton, juro. Sei que isso parece estranho.

— Eu era, sei lá. Quer dizer, eu tinha alguns amigos. Nós éramos meio *nerds*, acho.

— Tá. Obrigado, Katherine.

— Você está, tipo, escrevendo um livro?

— Não. Estou escrevendo uma fórmula matemática que prevê quem em um casal vai terminar o relacionamento e quando isso vai acontecer — ele disse.

— Humm — ela murmurou. — Por falar nisso, onde você está? O que aconteceu com você?

— O que aconteceu, mesmo — ele respondeu e desligou.

— Bem — disse Hassan. — Cara. Ela deve achar que você é um doido de pedra!

Mas Colin estava perdido em pensamentos. Se Katherine III era quem dizia ser, e quem ele lembrava, então, e se... E se a fórmula... estava certa? Colin ligou mais uma vez.

— Katherine Mutsensberger — ele disse.

— Pronto?

— Aqui é Colin Singleton de novo.

— Ah. Humm, oi.

— Essa é a última pergunta que vou fazer para você e parece ser totalmente louca, mas, por um acaso, fui eu quem terminou o namoro?

— Humm, a-hã.

— Eu terminei?

— Sim. Nós estávamos numa seresta em volta da fogueira e você veio até mim, na frente de todos os meus amigos, e disse que nunca havia feito aquilo, mas que tinha que terminar comigo porque simplesmente não achava que fosse dar certo no longo prazo. Foi isso o que disse. Longo prazo. Cara, eu fiquei arrasada. Eu achava você o máximo.

— Sinto muito, de verdade. Sinto muito por eu ter terminado — Colin disse.

Ela riu.

— Bem, nós tínhamos 10 anos. Eu já superei.

— É, mas mesmo assim. Foi mal se eu feri seus sentimentos.

— Bem, obrigada, Colin Singleton.

— De nada.

— Mais alguma coisa? — ela perguntou.

— Não, acho que é só isso mesmo.

— Tá, bem, cuide-se — ela disse, como diria a um sem-teto esquizofrênico a quem acabasse de dar um dólar.

— Você também, Katherine Mutsensberger.

Hassan ficou olhando fixamente para Colin, sem piscar.

— Bem, agora me vista com um *tutu*, me coloque num monociclo e me chame de Caroline, a Ursa Dançarina. Você é um *fugging* Terminante.

Colin reclinou-se na árvore podre, as costas arqueadas, e ficou olhando para o céu nublado. Traído por sua memória vaidosa! Como é que ele conseguia se lembrar de tudo a respeito dela, menos que foi *ele* quem terminou? E, por falar nisso, que tipo de babaca era ele para ter terminado com uma garota tão legal quanto a Katherine Mutsensberger?

— É como se até hoje eu só tivesse sido duas coisas na vida — ele disse baixinho. — Sou um menino prodígio e levo fora de Katherines. Mas agora eu sou...

— Nenhum dos dois — Hassan disse. — E fique grato por isso. Você é um Terminante e eu estou ficando com uma garota ridiculamente gata. O mundo está de pernas para o ar. Adoro. É como se estivéssemos num globo de neve e Deus resolvesse querer uma nevasca, então ele nos dá uma *fugging* sacudida.

Assim como quase nenhuma frase verdadeira começando com *eu* podia ser dita pela Lindsey, Colin estava vendo todas as coisas que pensara serem verdadeiras a respeito de si mesmo, todas as frases dele com *eu*, irem por água abaixo. De repente, não havia só um pedaço faltando, mas milhares deles.

Colin precisava entender o que dera errado em seu cérebro e consertá-lo. Ele voltou à questão central: como podia ter se esquecido completamente de que terminara com ela? Ou, quase completamente, porque ele teve um leve *flash* quando Katherine contou do término na frente dos amigos, uma sensação ligeiramente parecida com quando uma palavra está na ponta da língua e então outra pessoa vem e fala primeiro.

No alto, os galhos entrecruzados pareciam dividir o céu em milhões de pedacinhos. Ele teve uma sensação de vertigem.

A única habilidade na qual sempre confiara – sua memória – era uma fraude. E Colin poderia continuar pensando nisso por várias horas seguidas, ou pelo menos até que o Sr. Lyford voltasse, não fosse ter ouvido, naquele exato momento, um grunhido estranho e, ao mesmo tempo, ter sentido a mão de Hassan bater em seu joelho.

– Cara – disse Hassan devagar. – *Khanzeer.*[73]

Colin levantou num estalo. Mais ou menos uns 45 metros à frente deles, uma criatura marrom-acinzentada arrastava o focinho comprido no chão e cafungava como se estivesse com sinusite. Parecia fruto do cruzamento de um porco-vampiro com um urso-negro – um animal absolutamente enorme com pelo espesso e farto, e caninos que saltavam da boca.

– *Matha, al-khanazeer la yatakalamoon araby?*[74] – perguntou Colin.

– Isso não é um porco – respondeu Hassan em inglês. – Isso é uma porra de um monstro. – O porco parou de fuçar a terra e levantou os olhos. – Tipo assim. Wilbur é um *fugging* porco. Babe é um *fugging* porco. Essa coisa aí foi concebida por *Iblis.*[75]

Estava claro agora que o porco podia vê-los. Colin enxergava as pupilas do bicho.

– Pare de falar palavrão. O javali demonstra uma notável compreensão da fala humana, em particular o discurso profano – Colin murmurou, citando a passagem do livro.

– Isso é a maior babaquice – Hassan disse, ao que o porco deu dois passos na direção deles, movendo-se pesadamente. – Tá. Ou não. O.k. Nada de falar palavrão. Ouça, porco de Satã. Nós somos do bem. *Não queremos atirar em você. As armas são só* para impressionar, cara.

[73] Do árabe: "Porco."
[74] Do árabe: "O quê, porcos não falam árabe?"
[75] Do árabe: "Satã."

— Fique de pé para mostrar que somos maiores que ele — Colin disse.

— Você leu isso no livro? — Hassan perguntou enquanto levantava.

— Não. Li isso num livro que falava de ursos-cinzentos.

— Nós vamos ser chifrados até a morte por um *fugging* javali e sua melhor estratégia é fingir que ele é um urso-cinzento?

Juntos, os dois deram um passo para trás com cuidado, levantando bem as pernas para transpor o tronco caído, que agora era a melhor proteção contra o javali. Mas o porco de Satã não pareceu dar muita bola para a estratégia deles, porque na mesma hora partiu em disparada na direção dos dois. Para um animal de pernas curtas que não devia pesar menos de duzentos quilos, a coisa sabia correr.

— Atire nele — Colin disse, bastante calmo até.

— Eu não sei como — Hassan argumentou.

— *Fug* — disse Colin.

Ele empunhou a arma, apoiou-a com firmeza no ombro excessivamente dolorido, soltou a trava de segurança e mirou no porco em disparada. O bicho estava a uns quinze metros. Colin inspirou fundo e expirou devagar. E então apontou a arma para cima à direita, porque simplesmente não conseguiria atirar no bicho. Com calma, apertou o gatilho, exatamente como Lindsey havia ensinado. O coice da arma em seu ombro já bastante machucado doeu tanto que as lágrimas brotaram em seus olhos. Desnorteado por causa da dor, a princípio ele não soube dizer o que tinha acontecido. Mas, por incrível que pareça, o porco parou no meio da corrida, girou noventa graus e fugiu.

— Você acabou com a raça daquela coisa cinza com esse tiro — Hassan disse.

— Que coisa cinza?

Hassan apontou e Colin seguiu a trajetória do dedo dele até um carvalho a uns quatro metros e meio dali. Inclinado entre um tronco e um galho, um tipo de cone de papel acinzentado continha um buraco redondo de uns dois centímetros e meio de diâmetro.

— O que é aquilo? — perguntou Hassan.

— Tem alguma coisa saindo de dentro dele — Colin disse.

Não demora muito entre um pensamento sair do cérebro, ir até as cordas vocais e depois sair pela boca, mas é um instante. E, nesse instante, entre o segundo em que Colin pensou *vespas!* e o outro em que disse “vespas”, ele sentiu uma ferroada dolorosa e ardida na lateral do pescoço.

— Ah, *fug*! — gritou.

Ao que Hassan disse:

— AAAAI! AAAI! AAAI! FU-PÉ-MERDA-MÃO!

Eles bateram em retirada como uma dupla de maratonistas desajeitados. Colin dava chutes para o lado a cada passo, parecendo um duende daqueles que saltam e batem os calcanhares, tentando desencorajar as vespas sedentas de sangue de atacar suas pernas. Ao mesmo tempo, ele balançava os braços à frente do rosto, o que, no fim das contas, só indicava para as vespas que, além de ferroar a cabeça e o pescoço dele, também poderiam atingir suas mãos.

Sacudindo as mãos enlouquecidamente no alto da cabeça, Hassan corria bem mais rápido e com mais agilidade do que Colin achava possível, serpenteando pelas árvores e saltando arbustos na vã tentativa de afugentar as vespas. Eles correram colina abaixo, porque era mais fácil, mas os insetos acompanharam seu ritmo e Colin ouvia os zumbidos. Por vários minutos, enquanto corriam em direções aleatórias, o zumbido continuou, Colin sempre atrás de Hassan, porque a única coisa pior que ser ferroado até a morte no centro-sul do Tennessee, quando seus pais nem sabem que você está numa caça a javalis, é morrer *sozinho*.

– *KAFIR* (pegando fôlego) EU ESTOU (pegando fôlego) PERDENDO (pegando fôlego) OS SENTIDOS.

– ELAS AINDA ESTÃO EM CIMA DE MIM. VAI VAI VAI VAI VAI VAI VAI VAI – Colin disse.

Mas assim que Colin acabou de falar, o zumbido cessou. Após terem perseguido os dois por uns bons dez minutos, as vespas começaram a viagem sinuosa de volta ao ninho dizimado.

Hassan caiu de cara num arbusto espinhento e foi rolando devagar para a terra. Colin dobrou o corpo para a frente, as mãos nos joelhos, puxando o ar. Hassan estava hiperventilando.

– Ataque (pegando fôlego) de asma (pegando fôlego) do gordinho (pegando fôlego) de verdade – ele disse, por fim.

Colin deixou o cansaço de lado e correu até o melhor amigo.

– Não. Não. Diga que você não é alérgico a picada de inseto. Ah, merda.

Colin pegou o celular. Tinha sinal, mas o que ele diria ao atendente do 911? "Estou em algum lugar no meio da floresta. A traqueia do meu amigo está fechando. Não tenho nenhuma faca para usar numa traqueostomia de emergência porque o estúpido do Sr. Lyford saiu correndo pela mata carregando a faca, indo caçar o mesmo maldito porco que começou essa *fugging* confusão."

Ele desejou desesperadamente que Lindsey estivesse ali; ela saberia como lidar com aquilo. Ela teria seu *kit* de primeiros socorros. Mas antes que Colin conseguisse registrar as consequências de tais pensamentos, Hassan falou:

– Não sou alérgico (pegando fôlego), *sitzpinkler*. Só estou (pegando fôlego) sem (pegando fôlego) fôlego.

– Ahhhhh. Graças a Deus.

– Você não acredita em Deus.

— Graças à sorte e ao DNA — Colin se corrigiu rapidamente.

E só então, sem Hassan morrendo, foi que Colin começou a sentir a dor das ferroadas. Foram oito ao todo, e cada uma dava a sensação de que a pele estava queimando por dentro. Quatro no pescoço, três nas mãos e uma no lóbulo da orelha esquerda.

— Quantas vezes você foi ferroado? — ele perguntou a Hassan.

Hassan se sentou e deu uma geral em seu corpo. As mãos estavam arranhadas da aterrissagem no arbusto espinhoso. Ele encostou nas ferroadas, uma de cada vez.

— Três — disse Hassan.

— Três?! Eu me sacrifiquei mesmo pelo time ficando atrás de você — ele comentou.

— Não me venha com essa merda de mártir — disse Hassan. — Foi você quem atirou na colmeia.

— Vespeiro — Colin o corrigiu. — Eram vespas, não abelhas. Esse é o tipo de coisa que se aprende na faculdade, sabia?

— Badalhoca. E isso não é interessante.[76]

Hassan fez uma pausa por um instante, mas recomeçou a falar.

— Cara, essas ferroadas DOEM. Sabe o que eu odeio? A vida ao ar livre. Tipo, em geral. Não gosto de lugares abertos. Sou uma pessoa de ambientes fechados. Gosto de ar condicionado, de água encanada e do programa da juíza Judy.

Colin riu ao enfiar a mão no bolso esquerdo. Tirou de lá a lata de tabaco do Sr. Lyford. Pegou um bocado e esfregou no

---

[76] Mas há uma diferença importante, e essa diferença importante foi evidenciada pela dor latejante de Colin. As abelhas só ferroam as pessoas uma vez e depois morrem. As vespas, por outro lado, podem ferroar várias vezes. Além disso, as vespas, pelo menos do ponto de vista de Colin, são mais malvadas. Abelhas só querem fazer mel. Vespas querem matar você.

lóbulo da orelha. O alívio foi instantâneo, apesar de não muito grande.

— Funciona — Colin disse, surpreso. — Lembra? A Mae Goodey falou disso quando a entrevistamos.

— Sério? — Hassan perguntou.

Colin assentiu com a cabeça e Hassan pegou a lata. Em pouco tempo todas as suas ferroadas estavam cobertas de montinhos de tabaco úmido, pingando um líquido marrom com aroma de gaultéria.

— Agora *isso, sim,* é interessante — Hassan disse. — Você deveria se concentrar menos em quem era o primeiro-ministro do Canadá em 1936[77] e mais em merdas que tornam a minha vida melhor.

Os dois resolveram andar colina abaixo. Sabiam que a cabana de caça ficava lá em cima, mas Colin não prestara atenção no lado para o qual haviam corrido, e ainda que o céu nublado tornasse suportável caminhar por ali de manga comprida e colete laranja, não dava para se orientar pela posição do Sol. Então os dois foram descendo a colina, porque (a) era mais fácil e (b) eles sabiam que a estrada de cascalho ficava lá embaixo em algum lugar, e, já que era maior que a cabana de caça, deduziram que teriam mais chances de encontrá-la.

E é mesmo possível que tivessem mais chances de encontrar a estrada do que a cabana de caça, mas isso também não aconteceu. Em vez disso, os dois andaram por uma floresta que parecia não ter fim e avançavam muito lentamente, pois tinham que atravessar as folhagens de kudzu, passar por cima de árvores e pular pequenos e eventuais riachos.

---

[77] William Lyon Mackenzie King, que tinha uma quantidade de nomes suficiente para duas pessoas (ou quatro Madonnas), mas era um homem só.

— Se continuarmos andando na mesma direção — Colin disse — vamos chegar à civilização.

Enquanto isso, Hassan cantava uma música intitulada: "Nós estamos numa trilha / uma trilha de lágrimas / tem tabaco no meu queixo / e vamos morrer aqui."

Logo depois das seis da tarde, cansado, ferroado por vespas, suado e sofrendo de mau humor generalizado, Colin avistou uma casa a uma pequena distância a pé à esquerda de onde estavam.

— Conheço aquela casa — Colin disse.

— O quê, nós entrevistamos alguém ali?

— Não, é uma das casas que a gente vê quando vai andando até o túmulo do arquiduque — Colin afirmou parecendo bastante confiante.

Ele reuniu o que lhe restava de energia e deu uma corridinha até lá. O lugar em si não tinha janelas, era castigado pelo tempo e parecia abandonado. Mas, da frente da casa, Colin conseguiu — sim — ver o cemitério a distância. Na verdade, parecia haver algum tipo de movimentação por lá.

Hassan chegou por trás dele e assoviou.

— *Wallahi, kafir,*[78] tem sorte de não estarmos mais perdidos, porque eu estava a uns dez minutos de matar você para comer.

Eles desceram uma ladeirinha e andaram apressados em direção à loja, dispostos a ignorar o cemitério. Mas Colin avistou de novo algo se mexendo por lá, virou a cabeça e parou de andar. Hassan pareceu ver aquilo exatamente no mesmo instante.

— Colin — disse Hassan.

— É — Colin falou calmamente.

— Pode ser que eu esteja enganado, mas não é a minha namorada ali no cemitério?

---

[78] Do árabe: "Juro por Deus."

— Você não está enganado.

— E ela está montada em um cara.

— Correto — disse Colin.

Hassan franziu os lábios e anuiu com a cabeça.

— E eu só quero ter certeza de que entendemos tudo direitinho: ela está pelada.

— Sem a menor dúvida.

(DEZESSEIS)

Ela estava com o rosto virado para o outro lado, as costas arqueadas, a bunda entrava e saía do campo de visão deles. Colin nunca tinha visto pessoas de verdade fazendo sexo de verdade. Daquele ângulo, parecia uma coisa meio ridícula, mas Colin suspeitou de que a impressão seria outra se ele estivesse na posição do cara.

Hassan riu baixinho e parecia estar se divertindo tanto com aquela situação que Colin se sentiu à vontade para rir também.

– Esse dia está sendo um *fugging* globo de neve – Hassan disse. E então correu uns dez passos na direção do casal, colocou as mãos em concha em volta da boca e gritou: – ESTOU TERMINANDO COM VOCÊ!

E, mesmo assim, um sorriso meio bobo continuava estampado em seu rosto. *Hassan não leva nada a sério*, Colin pensou. Quando Katrina se virou para olhá-los, a expressão de surpresa e susto no rosto, os braços cruzados na frente do peito, Hassan deu meia-volta.

E olhou para Colin, que finalmente desviou o olhar da garota nua e indiscutivelmente atraente diante dele.

— Vamos dar alguma privacidade a ela — Hassan disse. E então riu de novo.

Dessa vez, Colin não fez coro.

— Você precisa enxergar a graça disso, neném. Eu estou mordido de mosquito, ferroado de vespa, arranhado de espinhos, coberto de tabaco e usando roupa camuflada. Um javali, algumas vespas e um prodígio me guiaram pela floresta para eu me deparar com a primeira garota que beijei na vida montada no OOC como se ele fosse um cavalo puro-sangue, ao lado do túmulo de um arquiduque austro-húngaro. Isso — Hassan disse para Colin enfaticamente — é engraçado.

— Peraí, OOC? — A cabeça de Colin girou de volta para o obelisco do arquiduque, onde ele viu, puta merda, OOC, em carne e osso, levantando as calças de camuflagem. — O. Traíra. Desgraçado.

Por razões que não conseguiu compreender, Colin sentiu uma raiva latejante e partiu em direção ao cemitério. Só parou de correr quando chegou à mureta de pedra e encarou OOC. Foi aí que ele ficou meio sem saber o que fazer.

— Meu pai tá com cês dois? — OOC perguntou, parecendo tranquilo.

Colin balançou a cabeça e OOC deu um suspiro.

— Graças a Deus! Eu ia levar um couro dele. Senta aí.

Colin passou por cima da mureta e se sentou. Katrina estava recostada no obelisco, já vestida, as mãos tremendo um pouco enquanto fumava um cigarro. OOC começou a falar.

— Cês não vão dizer uma palavra. Porque isso não é da conta de ocês. Agora, seu amiguinho árabe pode ter a conversa dele com a Kat, e tudo bem, vai ficar só entre eles. Mas não acho que cê vai querer que a Lindsey fique sabendo de nada disso.

Colin ficou olhando fixamente para o obelisco do arquiduque. Estava cansado, com sede e meio que precisava mijar.

— Acho que vou ter que contar para ela — ele disse, num tom filosófico. — Lindsey é minha amiga. E se eu estivesse no lugar dela, iria querer que me contasse. É simplesmente um lance básico de ética da reciprocidade, na verdade.

OOC ficou de pé e andou até Colin. Ele era uma presença considerável.

— Deixa eu dizer procês dois — e foi só nesse momento que Colin percebeu que Hassan estava de pé atrás dele — por que cês não vão dizer uma palavra. Porque se ocês disserem, eu vou dar uma surra tão grande em cês dois que cês vão ser os únicos caras coxos no inferno.

Hassan murmurou.

— *Sajill.*[79]

Sutilmente, Colin enfiou a mão no bolso e ficou mexendo no aparelho por um instante. Acabou deixando a mão lá dentro para não levantar suspeitas.

— Eu só quero saber — Hassan disse para Katrina — há quanto tempo isso está acontecendo.

Katrina apagou o cigarro no obelisco do arquiduque, ficou de pé e andou até ficar ao lado de OOC.

— Há muito tempo — ela disse. — Quer dizer, a gente namorou quando tava no primeiro ano do ensino médio e, desde então, tem ficado junto de vez em quando. Mas a gente veio até aqui hoje e eu ia pôr um fim nisso. Sério. E eu sinto muito porque eu gosto de ocê de verdade e nunca cheguei a gostar de ninguém depois dele — Katrina disse, dando uma olhada em OOC —, e eu nem ia fazer isso agora, mas é que, sei lá, foi, tipo, uma despedida ou coisa assim. Mas eu sinto muito mesmo.

Hassan assentiu.

— Ainda podemos ser amigos — ele falou, e foi a primeira vez que Colin ouviu essas palavras ditas com sinceridade. — Sem

---

[79] Do árabe: "Grave."

estresse, na verdade. – Hassan olhou para OOC nessa hora. – Quer dizer, *nós* não chegamos a combinar de não ficar com outras pessoas.

OOC se meteu na conversa.

– Ó, ela acabou de dizer que tá tudo terminado, entendeu? Então é isso. Tá terminado. Eu não tô traindo ninguém.

– Bem, você estava, tipo, cinco minutos atrás – Colin argumentou. – Essa é uma definição bastante limitada de traição.

– Cale a boca antes que eu quebre seus malditos dentes – OOC disse, enfurecido.

Colin baixou o olhar para o tênis enlameado.

– Agora, escutem aqui – OOC continuou –, eles vão voltar de Bradford daqui a pouco. Então a gente vai só ficar sentado aqui como uma grande família feliz, e aí, quando todos aparecerem, cê vai fazer as suas piadinhas retardadas de sempre e curvar os ombros e ficar com a cara de maricas que você tem. O mesmo serve procê, Hass.

E foi isso o que Colin pensou no longo silêncio que se seguiu: será que ele *iria querer* saber? *Se* estivesse namorando a Katherine XIX, e *se* ela o tivesse traído, e *se* Lindsey soubesse, e *se* Lindsey fosse acabar fisicamente ferida como resultado do compartilhamento da informação. Sendo assim, não iria querer. Então talvez a ética da reciprocidade indicasse que ele *devia* ficar de bico calado, e essa ética era a única regra que Colin seguia. Foi por causa dela, na verdade, que ele se odiou pela Katherine III: acreditara que o que as Katherines faziam com ele, ele nunca teria feito com elas.

Mas havia mais a ser considerado do que apenas a ética da reciprocidade: havia o pequeno detalhe de ele gostar da Lindsey. Isso não deveria ser levado em conta numa decisão ética, claro. Mas foi.

Colin ainda não tinha chegado a uma conclusão quando Lindsey, seguida por BMT e JAD, chegou correndo e carregando uma embalagem com seis latinhas de cerveja Natural Light em cada mão.

— Quando foi que cês chegaram aqui? — ela perguntou a OOC.

— Ah, agorinha. A Kat me alcançou quando eu tava andando e aí a gente esbarrou com eles — OOC disse, fazendo um gesto com a cabeça na direção de Colin e Hassan, sentados na mureta de pedra.

— Chegaram a se preocupar achando que cês tavam mortos — Lindsey disse para Hassan, sem dar muita bola.

— Acredite — ele retrucou —, vocês não eram os únicos preocupados com isso.

Lindsey inclinou o corpo para a frente, na direção de Colin, e por um segundo ele pensou que ela iria lhe dar um beijo na bochecha, mas então Lindsey perguntou:

— Isso é tabaco?

Ele colocou a mão na orelha.

— É.

Lindsey riu.

— A orelha não é o lugar certo pra isso, Colin.

— Ferroada de vespa — ele disse, morosamente.

Estava se sentindo muito mal por ela, toda alegrinha e sorridente, segurando a cerveja que trouxera para o namorado. Ele só queria levá-la para a caverna e lhe contar tudo lá dentro, para ela não ter que passar por aquilo à luz do dia.

— Ei, a propósito, alguém matou algum javali? — Hassan perguntou.

— Não. Bem, só se ocê tiver matado — BMT disse. E então riu. — Mas eu e o Chase, a gente acertou um esquilo. Fez o desgraçado do bicho em pedacinhos. A Princesa fez ele subir na árvore pra gente.

— Não foi *a gente* que atirou nele — corrigiu JAD. — Fui eu que acertei o esquilo.

— Tanto faz. Eu vi o bicho primeiro.

— Eles parecem um casal de velhinhos — explicou Lindsey. — A diferença é que em vez de um amar o outro, os dois são apaixonados pelo Colin.

OOC deu uma sonora gargalhada, enquanto os outros dois reafirmavam sua heterossexualidade.

Por algum tempo, eles só ficaram bebendo. Até Colin pôs para dentro mais da metade de uma cerveja. Só Hassan se absteve.

— Fiz as pazes com a sobriedade — ele disse.

Àquela altura, o sol descia rápido para o horizonte e os mosquitos começaram a aparecer. Colin, suado e sangrando, pareceu ser seu alvo preferido. Lindsey estava abraçada a OOC, a cabeça aninhada entre os músculos peitorais e o ombro dele, o braço do cara em sua cintura. Hassan, sentado ao lado de Katrina, conversava aos sussurros, mas sem encostar nela. Colin continuava pensativo.

— Cê não tá muito falante hoje — Lindsey acabou dizendo para Colin. — As ferroadas tão incomodando?

— Elas ardem como o fogo de dez mil sóis — Colin respondeu sem esboçar qualquer emoção.

— Maricas — OOC disse, exibindo a graça e a eloquência pelas quais era bastante conhecido.

Talvez tenha sido pelo motivo certo, talvez não. Mas, naquele exato momento, Colin tirou o minigravador do bolso e voltou a fita.

— Eu sinto muito. Sinto muito mesmo — disse para Lindsey.

Em seguida, apertou o botão de play.

"*...a gente namorou quando tava no primeiro ano do ensino médio e, desde então, tem ficado junto de vez em quando. Mas a gente veio até aqui hoje e eu ia pôr um fim nisso.*"

Lindsey imediatamente endireitou o corpo, encarando Katrina, a raiva tomando forma. OOC, estranhamente, ficou paralisado. Ele nunca imaginou que Colin Singleton, célebre *sitzpinkler*, fosse dizer alguma coisa. Colin apertou o botão de adiantar a fita e, mais uma vez, o play.

"*...ela acabou de dizer que tá tudo terminado, o.k.? Então é isso. Está terminado. Eu não tô traindo ninguém.*"

Lindsey ergueu a cerveja, bebeu tudo de um gole só, amassou a lata e jogou no chão. Ela se levantou e andou até OOC, que continuava recostado no obelisco, aparententemente calmo.

– Neném – ele falou –, cê não entende. Eu disse que não tava traindo ocê e não tô.

– Vá se foder – foi a resposta de Lindsey, que deu meia-volta e saiu andando.

OOC a segurou, abraçando-a por trás, e Lindsey se debatia tentando se desvencilhar dele.

– Tire as mãos de mim agora mesmo – ela gritou, mas OOC a prendia firme, e então ela pareceu entrar em pânico, berrando: – TIRE AS MÃOS DE MIM! TIREM AS MÃOS DELE DE CIMA DE MIM!

– Largue a Lindsey – Colin disse calmamente.

E então, de atrás, ouviu JAD dizer:

– É, Colin, solte a Lindsey.

Colin se virou e viu JAD andar até OOC e dar uma gravata no pescoço dele.

– Esfria essa cabeça, cacete – JAD disse.

Então OCC jogou Lindsey no chão. E deu um cruzado de direita na cara de JAD, que caiu como se estivesse morto. Enquanto JAD permanecia lá, imóvel, Colin ficou pasmo com o fato de o cara ter confrontado OOC; Colin o havia subestimado. Mais que depressa, OOC deu meia-volta e agarrou Lindsey pelo tornozelo.

– Tire a mão dela – Colin disse, agora de pé. – Seu *paardenlul.*[80]

---

[80] Do holandês, literalmente, "o pênis do cavalo".

Lindsey sacudia as pernas tentando se soltar da pegada dele, mas OOC resistia, segurando-a cada vez mais forte, e dizendo:

— Calma, neném. Cê não entende.

Hassan olhou para Colin. Juntos, eles correram para cima de OOC, Hassan pretendendo dar-lhe um encontrão e Colin optando por um murro alucinado na cabeça. No último instante, OOC estendeu uma das mãos e acertou o queixo de Colin com tanta força que as ferroadas até pararam de doer. Em seguida deu uma rasteira em Hassan. Eles não possuíam muito talento para salvar damas em apuros, os dois.

Por outro lado, Lindsey também não tinha muito talento para ser uma dama em apuros. Depois de tombar no chão, Colin abriu os olhos e viu Lindsey erguer a mão, segurar o saco de OOC, apertar e torcer. O cara caiu de joelhos, curvado, e largou Lindsey.

Vendo tudo girar, Colin foi rastejando até o obelisco do arquiduque, a única posição geográfica em todo o mundo estática naquele momento. Ele se segurou no monumento com as duas mãos e ficou ali, agarrado. Abrindo os olhos, viu JAD ainda de cara no chão. Lindsey e Katrina estavam ajoelhadas ao lado dele.

Foi nessa hora que Colin sentiu os anjos o pegando pelas axilas, levando-o até o lar deles no paraíso, e se sentiu livre, leve e solto. Olhou à esquerda e viu Hassan. À direita, e viu BMT.

— Ei — chamou BMT —, cê tá bem?

— Estou — Colin respondeu. — Foi legal o seu amigo ter, humm, levado um soco daquele jeito.

— Ele é um cara legal. Mas isso já deu, cara. A gente aguenta essa merda do Colin e da Kat já tem dois anos. Eu gosto do Colin, mas é ridículo. A Lindsey é boa gente.

OOC interrompeu-o. Parecia ter se recuperado.

— Pare de falar com esse putinho.

— Ah, peraí, Col. Foi ocê quem fodeu tudo, mano, não ele.

— Cês são todos uns malditos maricas! — OOC gritou.

E então Hassan disse:

— São três contra um — e partiu para cima de OOC.

E, sim, eram três contra um. Mas que um. A corrida de Hassan foi interrompida por um soco que afundou a barriga dele como num desenho animado. Hassan começou a cair, mas não conseguiu porque a mão de OOC o segurava pelo pescoço. Colin atacou com um cruzado de direita. O golpe foi certeiro, mas (1) Colin se esqueceu de fechar o punho, então acabou batendo, e não socando, e (2) em vez de OOC, ele acertou foi o Hassan em cheio no rosto, e assim o garoto finalmente conseguiu acabar de cair.

BMT pulou nas costas de OOC nesse momento e, por um breve instante, pareceu que a briga poderia acabar em empate. Então OOC o segurou por um dos braços e lançou-o lá no meio do cemitério, ao que restaram Colin e OOC, mais ou menos cara a cara.

Colin partiu para uma estratégia que acabara de inventar, chamada "moinho de vento", que consistia em girar os braços a fim de manter o agressor a distância. O que funcionou maravilhosamente bem, por uns oito segundos, até que OOC conseguiu segurar os braços dele. Seu rosto anguloso e avermelhado ficou a apenas alguns centímetros do de Colin.

— Eu não queria fazer isso, cara — explicou OOC com uma calma impressionante. — Mas, sabe como é, cê me obrigou.

— Tecnicamente — Colin murmurou. — Eu cumpri minha promessa. *Eu* não *disse* nad...

Mas a explicação racional foi interrompida por um golpe rápido e certeiro. Um segundo antes, Colin já conseguia senti-lo em sua genitália — a dor do membro fantasma —, e então o joelho de OOC o atingiu na virilha com tanta força que Colin chegou a sair do chão por um instante. *Voando*, pensou. *Nas asas de um joelho*. E, então, antes mesmo de cair, Colin vomitou.

O que acabou sendo uma ideia relativamente boa, já que OOC parou de persegui-lo. Colin tombou, gemendo, as ondas de dor irradiando do baixo-ventre. Parecia que seu buraco *à la* Francisco Ferdinando agora estava dilacerado. A dor cresceu e cresceu, da de um buraco de bala para um buraco de canhão, até que, no fim, Colin em pessoa era o buraco inteiro. Ele havia se tornado um vácuo de dor assoladora e generalizada.

— Ai, meu Deus! — Colin disse, por fim. — Ai, meu Deus!, meu saco.

Colin se expressou mal. Se estivesse em melhor estado, teria admitido que não era seu *saco* que estava doendo, mas o cérebro. Impulsos nervosos foram enviados dos testículos para lá, onde os receptores cerebrais da dor foram acionados e o cérebro disse a Colin para sentir dor no saco, e foi o que ele fez, porque o corpo sempre obedece ao cérebro. Saco, braços, estômagos — eles nunca doem. Toda dor é dor cerebral.

A dor o deixou tonto e fraco, e Colin se deitou de lado, encolhido em posição fetal, os olhos fechados. A cabeça rodava por causa da dor nauseante, e por um instante ele adormeceu. Mas precisava se levantar, porque podia ouvir Hassan grunhindo ao receber um soco depois de outro. Assim, foi rastejando até o obelisco e, devagar, empurrou o corpo para cima, as mãos tateando o túmulo do arquiduque.

— Ainda estou aqui — Colin disse debilmente, os olhos fechados enquanto se segurava no monumento, buscando se equilibrar. — Venha me pegar.

Mas, quando abriu os olhos, OOC não estava mais lá. Colin pôde ouvir as cigarras a pleno vapor, cantando num ritmo que combinava com o de suas bolas ainda latejantes. No lusco-fusco acinzentado, Colin viu Lindsey Lee Wells e seu *kit* de primeiros socorros cuidando de um Hassan já sentado, a camisa camuflada e o colete cor de laranja cobertos de sangue. BMT e JAD estavam sentados lado a lado dividindo um cigarro — havia um "galo" acima do olho de JAD, que dava a impressão de que a testa dele ia literalmente colocar um ovo. Colin ficou tonto, e então se virou, abraçando o obelisco. Ao abrir novamente os olhos, percebeu que estava sem os óculos, e entre a sensação de vertigem e o astigmatismo, as letras à sua frente começaram a dançar. O arquiduque *Francisco Ferdinando*. Então criou um anagrama para driblar a dor.

– Humm – Colin murmurou depois de alguns segundos. – Essa é uma baita coincidência.

– O *kafir* acordou – Hassan observou.

Lindsey correu até Colin, limpou os últimos resquícios de fungo do lóbulo da orelha dele e sussurrou em seu ouvido:

– *Mein Held*,[81] obrigada por defender minha honra. Onde foi que ele bateu em ocê?

– No cérebro – Colin disse, acertando na mosca dessa vez.

[81] Do alemão: "Meu herói."

(DEZESSETE)

O **dia seguinte**, uma segunda-feira, foi a vigésima segunda manhã deles em Gutshot e, sem dúvida, a pior. Além da sensibilidade residual no saco e cercanias, o corpo todo de Colin estava dolorido após um dia inteiro andando, correndo, atirando e levando socos. E sua cabeça doía – cada vez que ele abria os olhos, ondas de dor frenéticas e demoníacas atravessavam seu cérebro. Na noite anterior, a paramédica (em fase de treinamento) Lindsey Lee Wells o havia diagnosticado como tendo sofrido contusões moderadas e uma "torção de testículo", após uma busca exaustiva em páginas médicas na Internet. E diagnosticara OOC como sofrendo de "eu-sou-um-babaca-e-Lindsey-nunca-mais-vai-falar-comigo-ite".

Mantendo os olhos fechados o máximo que podia, Colin foi cambaleando até o banheiro e encontrou Hassan se olhando no espelho. O lábio inferior do amigo estava terrivelmente inchado – como se ele estivesse mascando uma porção enorme de tabaco – e o olho direito, intumecido ao ponto de quase não abrir.

– Como você está? – perguntou Colin.

Em resposta, Hassan virou-se para Colin e apresentou ao amigo a visão panorâmica de sua cara toda contundida.

— É, tá — Colin disse, estendendo a mão para ligar o chuveiro. — Mas você deveria ter visto o outro cara.

Hass conseguiu abrir um sorriso amarelo.

— Se eu pudesse voltar no tempo — ele disse, a fala lenta e vagamente arrastada por causa do gigantesco lábio inferior —, simplesmente teria deixado o Porco de Satã me pisotear até a morte.

Quando Colin desceu para tomar o café da manhã, viu Lindsey sentada à mesa de madeira de carvalho bebendo um copo de suco de laranja.

— Não quero tocar nesse assunto — Lindsey disse, preventivamente —, mas espero que suas bolas estejam bem.

— Eu também — disse Colin.

Ele dera uma conferida durante o banho. Pareciam estar no lugar, só que mais sensíveis.

A tarefa do dia — deixada em forma de bilhete por Hollis — era entrevistar uma mulher chamada Mabel Bartrand.

— Ai, cara — Lindsey disse quando Colin leu o nome. — Ela mora no outro asilo, aquele que só tem gente *muito* velha. Não vou aguentar isso hoje. Não vou. Jesus. Vamos deixar pra lá. Vamos voltar pra cama.

— Tô dentro — Hassan murmurou por entre seus lábios carnudos.

— Ela, provavelmente, iria gostar de receber uma visita — Colin disse, tentando usar sua familiaridade com a solidão para o bem.

— Meu Deus, cê sabe como fazer uma pessoa se sentir culpada — Lindsey disse. — Simbora.

Mabel Bartrand morava num asilo para idosos a uns 25 quilômetros de Gutshot, uma saída depois do Hardee's. Lindsey sabia o caminho, por isso foi dirigindo o Rabecão. Durante o percurso, ninguém abriu a boca. Havia coisas demais a dizer.

E, de qualquer forma, o corpo inteiro de Colin estava a mais pura e concentrada bosta. Mas sua vida, enfim, havia se acalmado o suficiente para ele voltar à preocupante questão da Katherine III e de seu próprio lapso de memória. A dor em sua cabeça, entretanto, era tanta que não dava para ele chegar a nenhuma conclusão.

Um enfermeiro foi ao encontro deles na recepção e os levou até o quarto da Mabel. Aquele lugar era significativamente mais deprimente que o Sunset Acres. O único barulho que se ouvia era o zumbido de aparelhos, e não se via ninguém nos corredores. Na sala de convivência, uma TV sintonizada no Canal da Previsão do Tempo, o volume no máximo, não era vista por ninguém; as portas estavam quase todas fechadas; as poucas pessoas sentadas na sala de convivência pareciam confusas, alienadas ou – pior ainda – assustadas.

– *Sra. Mabel* – o enfermeiro disse, cantarolante, condescendentemente. – A senhora tem visita.

Colin ligou o minigravador. Aproveitara a fita do dia anterior e estava gravando em cima da confissão do OOC.

– Oi – Mabel disse.

Ela estava sentada numa poltrona reclinável de couro onde parecia ser um dormitório, com uma cama de solteiro, uma cadeira, uma mesa de madeira há muito esquecida e um frigobar. Os cabelos brancos ralinhos e crespos estavam arrumados num estilo meio judeu-afro coroa. Tinha as costas curvadas e aquele cheiro típico de velho, que lembra um pouco o formaldeído. Lindsey se inclinou, abraçou-a e beijou sua bochecha. Colin e Hassan se apresentaram e a Sra. Mabel sorriu, mas não disse nada.

Com certo atraso, Mabel perguntou:

– É a Lindsey Wells?

– É, sim – disse Lindsey, sentando ao lado dela.

— Ah, Lindsey, querida. Já fazia um tempão que eu não via ocê. Já faz uns bons *anos*, né? Ah, mas valha-me Deus, como é bom ver ocê.

— É bom ver a senhora também, Mabel.

— Andei pensando tanto nocê e ficava esperando que ocê viesse me fazer uma visitinha, mas ocê num veio mais. Que menina mais formosa e crescida. Nada daquele cabelo azul, né? Como vai minha criança?

— Tá tudo bem comigo, Mabel. E com a senhora?

— Tô com 94 anos! Como cê acha que eu tô?

Mabel riu, e Colin também.

— Qual é o seu nome? — ela perguntou a Colin.

Ele respondeu, e ela falou então com Lindsey:

— Hollis, aquele ali é o genro do Dr. Dinsanfar?

A senhora inclinou o tronco para a frente e apontou para Hassan um dedo que não ficava mais completamente esticado.

— Não, Sra. Mabel. Eu sou a filha da Hollis, Lindsey. A filha do Dr. Dinsanfar, Grace, era minha vó, e Corville Wells era meu vô. Esse é Hassan, um amigo meu que quer conversar com a senhora sobre os velhos tempos em Gutshot.

— Ah, tá, então tá bem — a Sra. Mabel disse. — Às vezes fico um pouco confusa — explicou.

— Não tem problema — afirmou Lindsey. — É bom demais ver a senhora.

— E ocê também, Lindsey. Não consigo parar de me admirar com sua beleza. Cê tá cada dia mais bonita.

Lindsey abriu um sorriso e, naquela hora, Colin percebeu que os olhos dela estavam marejados.

— Conte pra gente alguma história dos velhos tempos de Gutshot — Lindsey disse.

Ficou claro para Colin que aquele não era o momento apropriado para fazerem as quatro perguntas da Hollis.

— Eu venho matutando sobre o Dr. Dinsanfar. Antes de abrir aquela textilaria, ele era dono da mercearia. Eu era bem pequeninha, batia no joelho de um cão de caça. E ele só tinha um olho, num sabe? Lutou na Primeira Guerra. Então, um dia, nós tava na loja e papai me deu uma moedinha de cobre, e eu corri inté o balcão e perguntei: "Dr. Dinsanfar, cê tem algum doce de um centavo?" Ele olhou pra mim e disse: "Sinto muito, Mabel. Não existe doce de um centavo em Gutshot. Só o que tem aqui é doce *de graça*." — Mabel fechou os olhos enquanto todos absorviam a história aos poucos. Ela parecia estar quase pegando no sono, a respiração lenta e ritmada, quando, de repente, os olhos se abriram e ela disse: — Lindsey, senti tanta falta docê... Senti falta de pegar na sua mão.

E foi aí que Lindsey começou a chorar de verdade.

— Sra. Mabel, a gente tem de ir embora, mas vou voltar até o fim da semana pra ver a senhora de novo, prometo. Sinto... sinto muito ter ficado tanto tempo sem vir.

— Ah, tá tudo bem, meu docinho. Não vá ficar toda aperreada por isso. Da próxima vez que cê vier, apareça entre as doze e trinta e a uma hora que eu dou minha gelatina procê. É sem açúcar, mas não é tão ruim assim.

Por fim, Mabel largou a mão de Lindsey, que jogou um beijo para a velhinha e saiu.

Colin e Hassan ficaram para trás para dar tchau, e quando chegaram à sala de convivência encontraram Lindsey num choro convulsivo — parecia o grito de morte de uma hiena. Ela se enfiou num banheiro e Colin seguiu Hassan porta afora. Hassan sentou-se no meio-fio.

— Eu não consigo aguentar esse lugar — ele disse. — Nós nunca mais vamos entrar aí.

— Qual é o problema daqui?

— É triste, e de um jeito nada engraçado — Hassan disse. — Não é nem um pouco *fugging* engraçado. E está me afetando de verdade.

— Por que tudo tem de ser engraçado para você? — perguntou Colin. — Para nunca precisar se importar com nada na vida?

— Badalhocas, Dr. Freud. Para falar a verdade, eu vou sempre recorrer às badalhocas em todas as suas tentativas de me psicoanalisar.

— Sim, senhor, Capitão Palhaço.

Lindsey surgiu lá fora, parecendo completamente recuperada.

— Tô bem e não quero falar nisso — ela disse, sem ninguém perguntar.

Naquela noite, Colin finalizou o Teorema. Acabou sendo relativamente fácil, na verdade, porque, pela primeira vez em vários dias, não havia nada para distraí-lo. Lindsey estava trancada no quarto. Hollis continuava lá embaixo, tão absorta em seu trabalho e na TV, que nem chegou a dizer nada sobre o olho roxo de Hassan nem sobre o hematoma com formato de punho no maxilar de Colin. Hassan estava em algum lugar por ali. Muita gente poderia se perder na Mansão Cor-de-rosa e, naquela noite, muita gente se perdeu.

Foi quase injustamente fácil terminar o Teorema — agora que Colin tinha conhecimento de seu episódio como Terminante, a fórmula que criara no início estava muito perto da final. Ele só precisou alterar um radical para finalizá-la.

$$- T^7x^8+T^2x^3 - \frac{x^2}{A^3}Cx^2 - Px + \frac{1}{A} + 13P + \frac{\text{sen}(2x)}{2}\left[1 + (-1)^{H+1}\ \frac{(x+\frac{11\pi}{2})^H}{|x+\frac{11\pi}{2}|^H}\right]$$

Todas as Katherines acabaram sendo representadas corretamente, o que fez a Mutsensberger ficar assim:

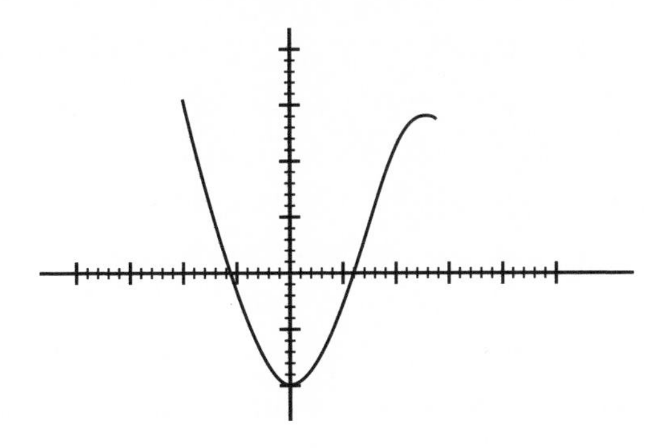

Um gráfico perfeito para uma história de amor do quarto ano.

Ao largar o lápis na mesa, Colin ergueu os braços, os punhos cerrados. Como um corredor ao vencer uma maratona. Como a lebre, vindo de trás e estragando a história toda ao ganhar da tartaruga.

Ele foi à procura de Lindsey e de Hassan e acabou encontrando os dois na Sala de Jogos.

— Concluí nosso Teorema — falou para Lindsey, que estava sentada no feltro cor-de-rosa da mesa de sinuca, os olhos castanhos ainda inchados.

Hassan estava esparramado no sofá de couro verde.

— Sério? — perguntou ela.

— Sério. Demorei, tipo, uns oito segundos. Na verdade, eu tinha quase chegado à fórmula final umas duas semanas atrás, só não sabia que funcionava.

— *Kafir* — disse Hassan —, essa é uma notícia tão boa que eu quase sinto vontade de levantar do sofá e apertar sua mão. Mas, Deus, aqui está muito confortável. Então quer dizer que você pode usar a fórmula agora para, tipo, qualquer coisa? Tipo, para qualquer casal?

— É, acho que sim.

— Vai usar isso para prever o futuro?

— Claro — respondeu Colin. — Você anda querendo namorar alguém em especial?

— Sem essa, cara. Eu tentei fazer como você com essa história de namorar, e de garotas, e de beijar, e de fazer drama e, cara, não gostei nada disso. Além do mais, meu melhor amigo é uma lenda admonitória ambulante do que acontece com uma pessoa quando os relacionamentos românticos não estão associados ao casório. Como você costuma dizer, *kafir*, tudo termina em rompimento, divórcio ou morte. Eu quero limitar minhas opções de infelicidade ao divórcio e à morte, só isso. Sendo assim, você poderia aplicar o Teorema a mim e Lindsey Lohan. Eu não me incomodaria em convertê-la ao islamismo, se é que você me entende.

Colin riu, mas ignorou a crítica.

— Tenta comigo e com o Colin — Lindsey disse baixinho, os olhos fixos em seus joelhos bronzeados. — O outro Colin, quer dizer — ela acrescentou.

E assim foi feito. Colin se sentou, apoiou um livro nos joelhos e, em seguida, pegou seu caderninho e um lápis. Enquanto inseria os dados das variáveis, falou:

— Agora, só para você saber, o outro trair você conta como o outro terminando o namoro. Não quero que fique chateada por causa disso; é simplesmente o modo como o Teorema funciona.

— Justo — Lindsey disse, seca.

Colin havia usado tanto o Teorema que já sabia, pelos números, qual forma teria o gráfico, mas ainda assim percorreu todo o processo de traçar cada ponto.

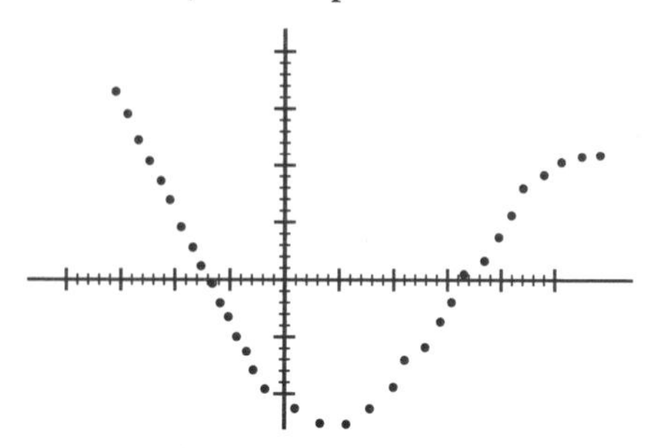

Quando mostrou o gráfico a Lindsey, ela disse:

— Peraí. O que é isso?

— Isso é OOC terminando com você — respondeu Colin.

— Então o Teorema funciona — ela disse, a voz sem emoção. — É estranho. Tô triste, mas não por causa dele. Tudo o que tô sentindo com o fim desse namoro é... só tô aliviada.

— O alívio é uma emoção sentida pelo Terminante — Colin observou com um quê de preocupação na voz.

Lindsey pulou da mesa de sinuca para o chão e caiu espalhada no sofá, ao lado de Colin.

— Acho que acabei de perceber que não quero namorar um babaca por quem eu nem me sinto atraída, no fim das contas. São duas revelações aqui: não quero namorar babacas e não me sinto atraída, de verdade, por caras musculosos. Mas chorei como uma garotinha de 2 anos na creche, então é possível que o alívio seja temporário.

Hassan pegou o caderninho da mão de Colin.

— Isso, *fugging*, parece realmente funcionar.

— É, eu sei.

— Bom, mas a questão é que, não que eu queira jogar areia na sua farofa, mas você comprovou o que eu já sabia: que caras que jogam futebol americano conseguem todas as *motherfugging* garotas do mundo, e que as Katherines terminam com os Colins do mesmo jeito que os Hassans comem Monster Thickburgers: com voracidade, apaixonadamente e muitas vezes.

— Agora, o verdadeiro teste é saber se a fórmula pode *prever* o arco de um relacionamento — Colin admitiu.

— Ah, ei — Lindsey falou, parecendo ter se lembrado de alguma coisa. — Pergunte ao Hassan o que ele tava fazendo na Sala de Jogos uns vinte minutos antes docê aparecer.

— O que você estava fazendo na Sala de Jogos uns vinte min...

— Deus, você não precisa repetir tudo ao pé da letra — disse Hassan. — Eu estava na Internet.

— E por que você estava na Internet?

Hassan pôs-se de pé e abriu um sorriso de lábios inchados. Bagunçou o cabelo judeu-afro de Colin ao passar por ele, deu uma parada na porta e disse:

— Rojão e eu resolvemos levar nosso show para a faculdade.

Colin abriu a boca para falar alguma coisa, mas Hassan continuou:

— Eu só me inscrevi em duas matérias no semestre que vem, então não comece a soltar fogos de artifício ainda. Preciso ir devagar com essa história. Não me diga o quanto *fugging* feliz você está. Eu sei.[82]

[82] E, assim, no dia 9 de setembro, Hassan se sentaria numa turma de Redação Técnica às dez da manhã, mesmo apesar do conflito de horário com o programa da sua amada companheira, amiga e talvez fantasia amorosa, juíza Judy.

(DEZOITO)

Colin tinha conseguido continuar dormindo mesmo com o galo cantando, naquela manhã de quinta-feira, mas isso acabou quando Lindsey pulou em sua cama dizendo:

– Levanta daí. A gente vai pra Memphis.

Num movimento gracioso, ela largou o corpo e caiu de bunda na cama, e cantarolou:

– Memphis. Memphis. A gente vai matar o trabalho e vai pra Memphis. Pra espionar a Hollis e descobrir por que ela tava enchendo o pote do palavrão.

– Hum-hum – Colin murmurou como se estivesse com sono, mas a presença dela o deixara imediatamente desperto.

Quando Colin desceu a escada, Hassan já estava de pé, arrumado e de café tomado. Após alguns dias de recuperação, seu rosto quase havia voltado ao normal. Ele procurava alguma coisa em meio a uma bagunça de papéis.

– *Kafir* – disse bem alto –, venha cá me ajudar a encontrar o endereço do depósito. Estou perdido num mar de planilhas.

Colin levou só uns trinta segundos para achar o endereço em Memphis. Ele o viu no cabeçalho de uma carta comercial endereçada à Indústria Têxtil Gutshot, Inc.

Hassan gritou:

– MapQuest 2246 Trial Boulevard, Memphis, Tennessee 37501.

E Lindsey Lee Wells gritou em resposta:

– Belezura! Bom trabalho, Hassan!

– Bem, tecnicamente, o trabalho foi meu – Colin observou.

– Deixe eu levar o crédito. Tive uma semana difícil – Hassan disse ao se jogar dramaticamente no sofá. – Ei, o que acha disso, Singleton? Você é o Terminado menos recente da casa.

Isso lá era verdade. Mas Hassan parecia ter esquecido Katrina de uma hora para outra e Lindsey acabara de entrar como um raio no quarto de Colin, ainda por cima cantando, então ele se sentiu no direito de reclamar o título de Terminado Mais Arrasado da Casa, embora tivesse de admitir que não queria mais a K-19 de volta; não exatamente. Ele queria que ela ligasse; queria que sentisse falta dele; mas, por incrível que pareça, estava bem. Nunca havia achado a vida de solteiro tão interessante.

Hassan falou primeiro que ia dirigindo, e Lindsey falou primeiro que ia no banco da frente; então, mesmo sendo o dono do carro, Colin foi relegado ao banco de trás, encostou-se à janela e leu *Seymour, uma introdução*, de J. D. Salinger. Ele terminou o livro assim que começaram a avistar o topo dos prédios de Memphis, a distância. Não era nenhuma Chicago, mas Colin vinha sentindo falta dos arranha-céus.

Eles passaram pelo Centro e saíram da interestadual numa parte da cidade que parecia ser composta somente de prédios baixos, com poucas janelas e uma quantidade ainda menor de placas que indicassem aos visitantes o que seria aquilo tudo. A alguns quarteirões, Lindsey apontou para um deles, e Hassan parou o carro num estacionamento com vagas para quatro veículos, mas que estava vazio.

— Tem certeza de que é aqui?

— É o endereço que cê achou — Lindsey respondeu.

Eles foram andando até um pequeno escritório com uma mesa na recepção, mas sem recepcionista, por isso saíram e contornaram a construção, um depósito.

O dia estava quente, mas com vento bastante para amenizar o calor. Colin escutou um estrondo, levantou os olhos e viu uma escavadeira num terreno atrás do depósito. As duas únicas pessoas à vista eram o cara ao volante da escavadeira e o cidadão que estava atrás dele, dirigindo uma empilhadeira. A empilhadeira continha três caixas de papelão enormes. Colin franziu a testa.

— Cês tão vendo a Hollis por aí? — Lindsey sussurrou.

— Não.

— Vá perguntar praqueles caras se eles já ouviram falar da Indústria Têxtil Gutshot — Lindsey disse.

Colin não tinha nenhuma predileção específica por falar com estranhos dirigindo empilhadeiras, mas começou a andar silenciosamente até lá.

A escavadeira levantou uma última porção de terra e saiu da frente para abrir espaço para a empilhadeira, que se aproximava. Colin também. Ele estava a um cuspe de distância[83] do buraco quando a empilhadeira parou, um cara contornou-a, alcançou uma caixa e virou-a no chão. Ela caiu com um baque surdo. Colin continuou andando.

— Como vai? — perguntou o homem, um negro baixinho com cabelo branco nas têmporas.

— Tudo bem — disse Colin. — Você trabalha para a Indústria Têxtil Gutshot?

— A-hã.

— O que é que você está jogando no buraco?

[83] O recorde mundial de cuspe de caroço de melancia a distância pertence a Jim Dietz, que em 1978 cuspiu um caroço da fruta a 20,27m de distância. Com certeza, Colin estava mais perto que isso do buraco.

— Não é da sua conta, já que ocê não é o dono do buraco.

Colin não tinha muito como contra-argumentar – afinal de contas, o buraco *não era* dele.

O vento soprou nesse momento e a terra seca subiu, passando por eles como uma nuvem. Colin girou 180 graus, para a poeira bater nas suas costas, e não no rosto, e então viu Hassan e Lindsey andando depressa na direção dele. Ouviu o barulho de outra caixa caindo, mas não quis se virar. Não queria ficar com areia nos olhos.

Acabou se virando, contudo, porque não era só a poeira que voava. A segunda caixa havia rasgado e se abrira, de modo que milhares de cordinhas de tampões cuidadosamente trançadas passavam por Hassan, Lindsey e ele – flutuando por cima e ao redor dos três. Colin olhou para o alto e ficou vendo as cordinhas voando, envolvido numa nuvem delas. Pareciam um peixe-agulha, ou uma luz branca cintilante. Colin pensou em Einstein. Cientista maluco (que, definitivamente, nunca foi prodígio), Einstein descobriu que a luz pode se comportar, num paradoxo aparente, tanto como partícula quanto como onda. Colin nunca havia entendido isso direito mas, naquele momento, milhares de cordinhas voavam perto dele, ao sabor do vento, e eram tanto pequenos feixes de luz interrompidos quanto ondas infinitas e ondulantes.

Ele levantou o braço para pegar uma e acabou capturando várias, e elas continuavam chegando, cascateando, flutuando pelo espaço. Nunca as cordinhas de absorventes internos foram tão belas como quando subiam e desciam com o vento, pousando no solo e depois girando num rodamoinho e voando novamente, caindo e subindo e caindo e subindo.

— Merda – disse o homem. – Mas num é coisa bonita de se ver?

— Se é – disse Lindsey, surgindo de repente ao lado de Colin, o dorso da mão encostando no dorso da dele.

Uma ou outra cordinha ainda saía da caixa, mas a maior parte do exército de cordinhas de absorvente interno libertado desaparecia ao longe.

— Cê é a cara da sua mamãe — o homem disse.

— Preferiria não ser — disse Lindsey. — Por falar nisso, quem é você?

— Eu sou o Roy — ele respondeu. — Diretor de operações da Indústria Têxtil Gutshot. Sua mamãe vai chegar já, já. Melhor esperar pra ela falar com ocê. Cês todos venham comigo até lá dentro beber alguma coisa.

Eles queriam *espionar* a Hollis, e não chegar primeiro que ela no depósito, mas Colin calculou que o sigilo tinha ido mais ou menos totalmente por água abaixo.

Roy empurrou a última caixa no buraco e essa não rasgou. Depois, colocou o polegar e o indicador na boca, deu um assovio agudo e fez um gesto na direção da escavadeira, que voltou desajeitadamente à vida.

Todos caminharam até o depósito, desprovido de ar condicionado. Roy pediu que ficassem sentados esperando e, em seguida, voltou para o terreno.

— Ela endoideceu — Lindsey disse. — O "diretor de operações" é um cara que eu nunca vi e ela tá dizendo pra ele enterrar nosso maldito produto atrás do depósito? Tá maluca. O que ela quer, acabar com a cidade inteira?

— Não acho que seja isso — disse Colin. — Quer dizer, acho que ela está mesmo maluca. Mas não acho que queira acabar com...

— Neném?

Colin ouviu alguém dizer atrás dele, então virou-se e viu Hollis Wells com o terninho cor-de-rosa que era sua marca registrada das quintas-feiras.

— O que cês tão *fazendo* aqui? — Hollis perguntou, e não parecia muito zangada.

— Qual é o raio do seu problema, Hollis? Cê enlouqueceu? Quem diabos é esse Roy? E por que cê tá *enterrando* tudo?

— Lindsey, neném, a empresa não tá indo muito bem.

— Jesus, Hollis, cê fica acordada a noite toda, todas as noites, tentando descobrir um jeito de acabar com a minha vida? Vende as terras, fecha a fábrica e aí a cidade toda vai pro buraco, e aí com certeza eu vou ter que ir embora.

Hollis fez cara de quem não estava entendendo nada.

— O quê? Lindsey Lee Wells, não. Não! Não tem ninguém pra *comprar* isso, Lindsey. A gente só tem um cliente, StaSure, e eles compram um quarto do que a gente produz. A gente perdeu a venda de todo o resto prumas empresas estrangeiras. Tudo.

— Peraí, o que foi que cê disse? — Lindsey perguntou baixinho, mas Colin calculou que Hollis havia escutado.

— Elas ficaram se acumulando no depósito. Formando pilhas cada vez mais altas. E só foi piorando, piorando, até que chegou nisso.

E foi aí que Lindsey compreendeu.

— Cê não quer demitir ninguém.

— Isso mesmo, neném. Se a gente diminuísse a produção pra quantidade que tá vendendo, ia perder a maioria do pessoal. Isso ia acabar com Gutshot.

— Peraí, então por que diabos cê contratou *esses dois* pra fazer esse trabalhinho inventado? — Lindsey perguntou, balançando a cabeça na direção de Colin e Hassan. — Quer dizer, já que a gente tá tão sem dinheiro.

— Não é inventado. Na próxima geração pode ser que a fábrica não exista mais, e eu quero que seus filhos e os filhos deles saibam como era, como a gente era. E eu gostei dos dois. Achei que fariam bem procê. O mundo não vai ser mais como ocê imagina, querida.

Lindsey deu um passo na direção da mãe.

— Agora sei por que cê trabalha de casa — ela disse. — Pra ninguém saber o que tá acontecendo. Ninguém sabe mesmo?

— Só o Roy — disse Hollis. — E cê não pode contar pra ninguém. A gente consegue continuar com isso pelo menos uns cinco anos ainda, então é isso o que a gente vai fazer. E até lá eu vou trabalhar como os diabos pra descobrir novos jeitos de ganhar dinheiro.

Lindsey abraçou a cintura da mãe e encostou o rosto no peito dela.

— Cinco anos é um tempão, mãe — ela disse.

— É e não é — Hollis respondeu, passando a mão no cabelo de Lindsey. — É e não é. Mas essa briga não é sua; é minha. Sinto muito, meu amor. Sei que tenho ficado mais ocupada do que uma mãe deveria.

E tudo isso, ao contrário da traição de OOC, era um segredo para ser guardado, pensou Colin. As pessoas não gostam de saber que três quartos de suas cordinhas para tampões estão sendo enterrados, nem que seus salários têm menos a ver com a lucratividade da empresa do que com a compaixão da dona.

Hollis e Lindsey acabaram voltando para casa juntas, deixando Colin e Hassan sozinhos no Rabecão. Eles mal tinham se afastado uns oito quilômetros de Memphis quando Hassan disse:

— Eu tive um, humm, despertar espiritual iluminado por uma luz forte e cegante.

Colin virou-se para ele.

— Hein?

— Olhe para a estrada, *kafir*. Começou há algumas noites, na verdade, então acho que não foi um momento tão dramático assim, lá no asilo dos velhinhos, quando você disse que eu era o Sr. Palhaço porque queria evitar sofrer.

— Não tenho a menor dúvida disso — Colin disse.

— É, bem, isso é papo-furado, e eu sabia que era papo-furado, mas aí comecei a me perguntar por que exatamente eu seria o Sr. Palhaço, e não achei nenhuma resposta que me agradasse. Mas então, ali atrás, eu comecei a pensar no que a Hollis está fazendo. Tipo, ela está perdendo todo o tempo dela e todo o dinheiro dela para que os outros não percam o emprego. Ela está *fazendo* alguma coisa.

— Tá... — disse Colin, sem entender onde ele queria chegar.

— E eu sou um faz-nada. Tipo, eu sou preguiçoso, mas também sou bom em não fazer coisas que não são mesmo para fazer. Eu nunca bebi, nem usei drogas, nem namorei, nem bati em ninguém, nem roubei, nem nada. Sempre fui muito bom nisso, embora não tanto agora, nesse verão. Mas, ao mesmo tempo, fazer essas coisas aqui pareceu estranho e errado, por isso voltei feliz para a minha vida de faz-nada. Eu nunca fui um *fazedor*, é isso. Nunca *fiz* nada que ajudasse ninguém. Até mesmo os lances religiosos que envolvem ações, eu não faço. Eu não pago o *zakat*.[84] Eu não jejuo no Ramadã. Eu sou um completo faz-nada. Só estou sugando a comida, a água e o dinheiro do mundo, e tudo o que dou em troca é "Ei, eu sou um ótimo faz-nada. Veja todas as coisas ruins que eu não faço! Agora vou contar algumas piadas!".

Colin deu uma olhada para o lado e viu Hassan bebendo uma lata de Mountain Dew. Achando que deveria dizer alguma coisa, falou:

— Essa foi uma boa revelação espiritual.

— Ainda não acabei, *fugger*. Só estava bebendo o refrigerante. Mas, então, de qualquer forma, ser engraçado é um jeito de não fazer nada. Ficar sentado coçando o saco, fazer piadas, ser o Sr. Palhaço e só zoar a tentativa dos outros de fazer alguma coisa. Tirar onda com a sua cara sempre que você dá a volta por

---

[84] Tributo religioso destinado aos pobres, um dos pilares da fé islâmica.

cima e tenta se apaixonar por outra Katherine. Ou ironizar a Hollis por cair no sono embaixo da papelada dela todas as noites. Ou reclamar com você por atirar no ninho das vespas, se eu mesmo nem cheguei a atirar. Então, acho que é isso. Vou começar a fazer alguma coisa.

Hassan terminou de beber o Mountain Dew, amassou a lata e jogou-a perto dos pés.

– Viu? Eu acabei de fazer alguma coisa. Normalmente – ele disse –, eu teria jogado essa merda no banco de trás, onde ela sairia do meu campo de visão, e você ia precisar tirar a lata dali da próxima vez que fosse sair com uma Katherine. Mas vou deixar a lata aqui, para me lembrar de pegar o lixo quando chegarmos à Mansão Cor-de-rosa. Cara, alguém devia me dar uma Medalha de Honra do Congresso por Fazer Algo.

Colin riu.

– Você continua engraçado. E está fazendo alguma coisa. Você se matriculou na faculdade.

– É. Estou chegando lá. Mas, se eu vou ser um faz-tudo dedicado mesmo – Hassan observou, fingindo estar aborrecido –, talvez deva me inscrever em *três* matérias. A vida é dura, *kafir*.

(DEZENOVE)

Lindsey e Hollis chegaram em casa primeiro, porque Colin e Hassan tiveram que parar no Hardee's para comer um Monster Thickburger. Quando todos estavam reunidos na sala de estar da Mansão Cor-de-rosa, Hollis falou:

— Lindsey foi passar a noite na casa da Janet, uma amiga dela. A coitada veio chorando tanto no carro, de lá até aqui... Acho que é por causa daquele garoto.

Hassan assentiu e se sentou no sofá modulado, ao lado dela. Colin botou a cabeça para funcionar. Ele se deu conta de que precisava arrumar um jeito de sair da Mansão Cor-de-rosa o mais rápido possível, sem levantar suspeitas.

— Posso ajudar você de alguma forma? — perguntou Hassan.

Hollis pareceu se animar e respondeu:

— Claro, claro. Cê pode ficar sentado aqui do meu lado e me ajudar a pensar, a noite toda, se tiver tempo.

— Legal — completou Hassan.

Colin meio que deu uma tossida, e desandou a falar:

— Acho que eu vou dar uma saidinha. Talvez acampar. Há uma chance de eu acabar dando uma de *sitzpinkler* e dormindo no carro, mas, mesmo assim, vou tentar.

— O quê? — perguntou Hassan, sem acreditar no que estava ouvindo.

— Vou acampar — Colin disse.

— Com os porcos, as vespas, OOC e sei lá mais o quê?

— É. Acampar — disse Colin, tentando lançar um olhar bastante expressivo para Hassan.

Depois de ficar encarando o amigo com uma expressão interrogativa, os olhos de Hassan se arregalaram de repente, e ele disse:

— Bom, eu é que não vou nessa. Nós já aprendemos que eu sou um gato doméstico.

— Deixe o celular ligado — Hollis falou. — Cê tem barraca?

— Não, mas está um fim de tarde lindo lá fora e eu vou só levar um saco de dormir mesmo, se não tiver problema.

E então, antes que Hollis pudesse fazer alguma objeção, ele subiu a escada, saltando os degraus de dois em dois, pegou suas coisas e deu o fora.

Era quase noite — os campos sumiam numa invisibilidade cor-de-rosa ao se juntarem com o horizonte. Colin sentiu o coração batendo forte. Ficou se perguntando se ela queria mesmo vê-lo. Ele havia deduzido que o "dormir na casa da Janet" era uma pista, mas poderia não ser. Talvez ela tivesse mesmo ido para a Janet, quem quer que fosse essa Janet, o que significaria muita caminhada por nada.

Após dirigir cinco minutos, Colin chegou ao terreno cercado que um dia servira de lar para Hobbit, o cavalo. Ele pulou a cerca de ripas e saiu correndo pelo campo. Obviamente, não acreditava na corrida quando uma caminhada pudesse ser o suficiente — mas ali, naquele momento, andar não servia. Porém, quando começou a subir a colina, Colin diminuiu o passo, o facho da lanterna como um feixe estreito e tremulante de luz amarelada na paisagem escurecida. Ele o manteve bem à sua frente, enquanto ia abrindo caminho por entre arbustos, trepadeiras e árvores; o solo grosso e humoso da floresta sendo esmigalhado sob seus pés – um lembrete do lugar para onde todos iremos. Virar semente, semear a terra. E mesmo ali ele não se conteve e criou um anagrama. Semear a terra: este ama errar; área sem terra. A magia pela qual "semear a terra" pode virar "área sem terra", combinada à sensação recém-descoberta de que ele, havia pouco tempo, *tinha preenchido* a "área sem terra" dentro dele, foi suficiente para manter seu ritmo acelerado. E mesmo quando a escuridão se tornou tão intensa que árvores e rochas se transformaram de objetos em meras sombras, ele continuou subindo, até que finalmente chegou ao afloramento rochoso. Andou ao largo da pedra, a luz da lanterna vasculhando o local de cima a baixo, até que o facho iluminou a abertura. Colin enfiou a cabeça por ali e falou:

– Lindsey?

– Jesus! Achei que cê fosse um urso.

– Quem me dera. É que eu estava passando aqui pelas redondezas e resolvi fazer uma visita – ele disse, e ouviu a risada dela ecoando pela caverna. – Mas não quero atrapalhar.

– Entra logo – ela ordenou.

Colin se espremeu todo pela abertura pontiaguda e foi se arrastando de lado até chegar ao salão da caverna.

Lindsey acendeu a lanterna; os dois cegaram um ao outro.

– Achei que cê viesse, talvez – ela disse.

– Bem, você disse à sua mãe que ia dormir na casa da Janet.

– É – ela falou. – Foi meio que um código.

Lindsey apontou a lanterna para o espaço a seu lado e, em seguida, desenhou uma linha até Colin com o facho de luz, como se estivesse ajudando uma aeronave a chegar a seu portão. Ele andou até lá, ela ajeitou os travesseiros imitando um assento e ele se sentou.

– Fora daqui, luz maldita – ela disse, e tudo ficou escuro de novo.

— A parte mais triste disso tudo é que eu não tô nem triste nem nada. Com o lance do Colin, quer dizer. Porque eu... no fim das contas, eu já não tava mais nem aí. Não tava nem aí pra ele, pro fato de ele gostar de mim, de tá transando com a Katrina. Eu só... não tô nem aí. Ei, cê ainda tá aqui?

— Estou.

— Cadê?

— Aqui. Oi.

— Ah, oi.

— Continue.

— Tá. Então, sei lá. É que foi tão fácil de esquecer... Volta e meia eu acho que vou ficar triste, mas já tem três dias e eu nem sequer penso nele. Lembra quando eu disse que, ao contrário de mim, ele era *verdadeiro*? Não acho que ele seja, na verdade. Acho ele simplesmente um tédio. E tô tão chateada com isso porque... tipo, eu desperdicei tanto tempo da minha vida com ele... e aí ele me trai e eu não tô nem um pouco, sabe, *deprimida* por causa disso?

— Eu adoraria ser assim.

— É, só que cê não seria, acho. *É natural* que as pessoas se importem umas com as outras. É bom quando alguém significa alguma coisa procê, é bom sentir falta de alguém quando ele vai embora. Eu não sinto a menor falta do Colin. Tipo, literalmente. O tempo todo eu só gostava da *ideia* de ser namorada dele, o que é um maldito de um desperdício! A ficha caiu... e por causa *disso* eu fui chorando até em casa. De um lado tem a Hollis, fazendo alguma coisa de verdade pros outros. Quer dizer, ela trabalha que nem uma desgraçada, o tempo todo, e agora eu sei que não faz isso para si mesma; faz por todas aquelas *fugging* pessoas de Sunset Acres, que ganham uma pensão para cobrir as despesas delas com fraldas. E é por todo mundo na fábrica.

— ...

— Antigamente eu era uma pessoa legal, sabe. Mas, agora, eu. Nunca. Faço. Nada. Pra ninguém. Só pros retardados que não são nada importantes pra mim.

— Mas o pessoal ainda gosta de você. Todos os velhotes, todo mundo lá na fábrica...

— Tá. É. Mas eles gostam de mim do jeito que eles lembram que eu era, não como sou agora. Tipo, sinceramente, Colin, eu sou a pessoa mais egocêntrica do mundo.

— ...

— Cê tá aí?

— É que acabou de me ocorrer que, de fato, o que você disse não pode ser verdade porque *eu* sou a pessoa mais egocêntrica do mundo.

— Hein?

— Ou então nós estamos empatados. Porque eu também sou assim, não sou? O que foi que eu já fiz por alguém?

— Cê não ficou atrás do Hassan e deixou, tipo, umas mil vespas ferroarem ocê?

— Ah. É. Teve isso. Tá, você é a pessoa mais egocêntrica do mundo, no fim das contas. Mas eu estou no páreo!

— Vem até aqui.

— Eu estou aqui.

— Mais aqui.

— Tá. Aqui?

— É. Tá melhor assim.

— Então, o que se pode fazer? Como é que se faz para consertar isso?

— Era nisso que eu tava pensando antes de cê chegar. Tava pensando no seu lance de ser importante. Eu acho que, tipo... tipo, que a sua importância é definida pelas coisas que são importantes procê. Seu valor é o mesmo das coisas que ocê valoriza. E eu fiz tudo ao contrário, tentando me tornar importante pra ele. Esse tempo todo existiam coisas verdadeiras com as quais eu podia me ocupar: pessoas de verdade, pessoas boas que gostam de mim, esse lugar. É fácil demais ficar empacado. Cê só fica com essa ideia fixa de ser alguma coisa, de ser especial ou maneiro ou sei lá o quê, ao ponto de nem saber mais por que precisa disso; cê só acha que precisa.

— Você nem sabe mais por que precisa ser mundialmente famoso; você só acha que precisa.

— É. Isso mesmo. A gente tá no mesmo barco, Colin Singleton. Mas virar uma pessoa popular não acabou com o problema de verdade.

— Eu não acho que seja possível preencher um espaço vazio com aquilo que você perdeu. Tipo, fazer OOC namorar você não consertou o episódio do Alpo. Não acho que nossos pedaços perdidos caibam mais dentro da gente depois que eles se perdem. Como a Katherine. Agora foi a minha ficha que caiu: se eu de alguma forma a tivesse de volta, ela não encheria o buraco que a perda dela deixou.

— Talvez nenhuma garota vá preencher isso.

— Pois é. Ser o criador de um Teorema mundialmente famoso também não. É nisso que eu venho pensando, que talvez a vida não seja só completar alguns marcadores idiotas. Peraí, qual é a graça?

— Nada, é só que, tipo, eu tava me dando conta de que essa sua tomada de consciência é como se um viciado em heroína de repente dissesse: "Sabe, em vez de ficar sempre injetando mais heroína, talvez eu devesse, tipo, *parar*.

— ...

— ...

— ...

— ...

— Acho que sei quem está enterrado no túmulo do arquiduque Francisco Ferdinando, e não acho que seja o arquiduque.

— Eu tinha certeza de que cê ia acabar descobrindo! É, eu já sabia. Meu bisavô.

— Você sabia?! Fred Ocicon Dinsanfar, aquele maldito anagramatista.

— Todo o pessoal das antigas daqui sabe. Dizem que ele insistiu nisso no testamento. Mas aí, alguns anos atrás, a Hollis fez com que a gente colocasse aquela placa e começasse com as visitas guiadas... agora dá pra imaginar que devia ser pelo dinheiro.

— É engraçado o que as pessoas fazem para serem lembradas.

— Bom, ou para serem esquecidas, porque algum dia ninguém vai saber quem tá enterrado ali de verdade. Já tem um monte de criança na escola, e coisa e tal, que acredita que é o arquiduque mesmo quem tá ali, e eu gosto disso. Gosto de saber de uma história e fazer com que todo mundo saiba de outra. É por isso que aquelas fitas que a gente gravou vão ser tão maravilhosas algum dia, porque vão contar histórias que o tempo enterrou ou distorceu ou sei lá o quê.

— Para onde foi a sua mão?

— Ela tá suada.

— Eu não lig... ah, oi.

— Oi.

— ...

— ...

— Eu contei para você que fui eu que terminei com uma das Katherines?

— Cê o quê? Não.

— Aparentemente, foi o que aconteceu. Katherine Terceira. Eu confundi totalmente as minhas lembranças dela. Quer dizer, eu sempre presumi que o tanto que eu *lembrava* fosse *a verdade*.

— Ahn.

— O quê?

— É, mas não é uma história tão boa assim se ocê terminou com ela. É assim que eu me lembro das coisas, pra falar a verdade. Eu me lembro das histórias. Eu ligo os pontos e daí elas surgem. E os pontos que não se encaixam podem acabar saindo. Tipo, quando cê acha uma constelação. Cê olha pro céu e não vê todas as estrelas. Todas as estrelas só vão parecer uma grande e *fugging* bagunça aleatória, que é o que elas são. Mas cê quer ver formatos, quer ver histórias, então cê cria um desenho com elas no céu. Uma vez Hassan me disse que é assim que cê pensa, também, que cê vê ligações em todo lugar, então acaba que cê é um contador de história nato.

— Eu nunca pensei nisso dessa forma. Eu... ahn. Faz sentido.

— Então conta a história pra mim.

— O quê? Desde o começo?

— É. Romance, aventura, moral, tudo.

O Começo, o Meio e o Fim

— A Katherine I era a filha do meu tutor, Keith Louco, e uma noite, na minha casa, ela perguntou se eu queria namorar com ela. Respondi que sim. Então, mais ou menos uns dois minutos e meio depois, ela terminou comigo, o que pareceu engraçado na época, mas agora, em retrospecto, é possível que aqueles dois minutos e meio tenham sido um dos espaços de tempo mais significativos da minha vida.

"A K-2 era uma garota da escola, de 8 anos e um pouco gorduchinha. Ela apareceu na minha casa um dia e disse que havia um rato morto no beco, e eu, por ter 8 anos, corri lá fora para ver o cadáver do bicho, mas, em vez disso, só encontrei a melhor amiga dela, Amy. A Amy disse: 'A Katherine gosta de você. Quer namorar com ela?', e eu respondi que sim. Mas então, oito dias depois, a Amy apareceu à minha porta de novo para dizer que a Katherine não gostava mais de mim e que não sairia mais comigo dali em diante.

"A Katherine III foi uma moreninha completamente charmosa que eu conheci no meu primeiro verão no acampamento de superdotados, que com o tempo viraria *o* lugar para os meninos prodígios pegarem as garotinhas, e, já que a história fica melhor assim, eu escolhi lembrar que ela terminou comigo certa manhã, na aula de arco e flecha, depois que um prodígio da matemática chamado Jerome correu na frente do arco dela e se jogou no chão, dizendo que havia sido atingido pelo Cupido.

"A Katherine IV, vulgo Katherine, a Ruiva, era uma ruivinha tímida que usava óculos de armação vermelha. Eu a conheci nas aulas de violino pelo Método Suzuki e ela tocava lindamente bem. Eu quase não tocava, porque nunca tinha vontade de estudar violino em casa, e, assim, depois de quatro dias, ela terminou comigo para ficar com um pianista prodígio chamado Rober Vaughan, que acabou fazendo um recital no

Carnegie Hall aos 11 anos, então eu acho que ela tomou a decisão certa.

"No quinto ano, eu saí com a K-5, popularmente conhecida como a garota mais repugnante da escola, porque era ela quem sempre começava as epidemias de piolho. Ela me deu um beijo na boca sem mais nem menos no recreio, certo dia, enquanto eu tentava ler *As aventuras de Huckleberry Finn* na caixa de areia. Foi meu primeiro beijo. Mais tarde, no mesmo dia, ela terminou comigo porque os garotos eram nojentos.

"Aí, depois de um período de seis meses de seca, conheci a Katherine VI no meu terceiro ano no acampamento de superdotados. Ficamos juntos pelo recorde de dezessete dias. Ela era ótima tanto confeccionando objetos de cerâmica quanto fazendo exercícios na barra fixa, duas áreas nas quais nunca me sobressaí. E ainda que, juntos, pudéssemos formar um esquadrão invencível combinando inteligência, força na parte superior do corpo e fabricação de canecas, ela terminou comigo, mesmo assim.

"Então cheguei ao segundo segmento do ensino fundamental e o caso grave de impopularidade começou para valer, mas o lado bom de se estar perto do fim na curva da maneirice é que, de tempos em tempos, as pessoas ficam com pena de você, como Katherine, a Bondosa, que era do sexto ano. Uma gracinha de menina que, com frequência, usava um sutiã fechado com colchetes de pressão, e a quem todos chamavam de cara de pizza, por causa de um problema com acne que não era nem tão ruim assim. Ela acabou terminando comigo não porque percebeu que eu estava arruinando seu quase nulo prestígio social, mas porque achou que nosso relacionamento de um mês tinha atrapalhado minhas atividades acadêmicas, que ela acreditava serem muito importantes.

"A Oitava não era tão doce assim, e eu deveria ter previsto isso, já que um dos anagramas para o nome dela, Katherine

Barker, é Heart Breaker, Inc. Era a verdadeira CEO do término de namoro. Mas ela me convidou para sair e eu aceitei, e então ela me chamou de aberração e disse que eu não tinha nenhum pelo púbico e que na realidade jamais sairia comigo, o que, para ser sincero, era tudo verdade.

"A K-9 era do sexto ano quando eu já estava no sétimo, e foi, de longe, a Katherine mais bonita de todas, com um queixinho lindo e covinhas nas bochechas, a pele sempre bronzeada, não muito diferente da sua, e ela achou que namorar um cara mais velho poderia melhorar seu status social, mas estava enganada.

"A Katherine X – e, sim, àquela altura eu, com certeza, já tinha percebido que havia nisso tudo uma estatística estranha demais, mas não estava ativamente atrás de Katherines tanto quanto estava ativamente atrás de garotas – foi um namoro no acampamento de superdotados. Eu conquistei o coração dela quando, como você já deve ter imaginado, corri na frente do seu arco na aula de arco e flecha e disse que tinha sido atingido pelo Cupido. Ela foi a primeira garota em quem dei um beijo de língua na vida, e eu não sabia direito o que fazer, então meio que fiquei colocando a língua para fora com os lábios meio fechados, como se fosse uma cobra, e não foi preciso muito disso para que ela resolvesse que era melhor nos tornarmos apenas bons amigos.

"A K-11 foi mais um caso de fomos-ao-cinema-uma-vez-de-mãos-dadas-e-depois-eu-liguei-e-a-mãe-dela-disse-que-ela-não-estava-e-ela-nunca-retornou-a-ligação do que um namoro propriamente dito, mas eu conto como tal por causa das mãos dadas e também pelo fato de ela ter me chamado de gênio.

"No início do segundo semestre do nono ano, surgiu uma aluna nova, vinda de Nova York, que era o mais rica que uma pessoa pode ser, mas odiava ser rica e adorava *O apanhador no campo de centeio*, e dizia que eu lembrava Holden Caulfield, provavelmente porque ambos éramos babacas egoístas. Ela gostava de mim porque eu sabia falar várias línguas e tinha lido muitos livros. Então terminou o namoro depois de 25 dias porque queria alguém que não passasse tanto tempo lendo e aprendendo novos idiomas.

"Nessa época eu já conhecia o Hassan e tinha uma paixão obsessiva, havia uns dez anos, por uma morena de olhos azuis lá da escola, a quem sempre chamei de Katherine, a Melhor. Hassan deu uma de Cyrano de Bergerac e me disse exatamente como cortejá-la, porque, como sabemos agora, por conta da Katrina, Hassan é bastante bom nessas coisas. A tática funcionou, e eu a amei, ela me amou, e isso durou três meses, até novembro do primeiro ano do ensino médio, quando ela finalmente terminou, porque, e aqui cito exatamente suas palavras, disse que eu era ao mesmo tempo 'muito inteligente e muito burro' para ela, o que marcou o início da fase em que as Katherines passaram a ter motivos ridículos, idiotas e frequentemente paradoxais para terminar comigo.

"Um padrão que continuou a se repetir com a sempre-vestida-de-preto Katherine XIV, que conheci naquela primavera, quando ela me abordou numa cafeteria e perguntou se eu estava lendo Camus, que eu estava, então respondi que sim, e aí ela perguntou se eu já tinha lido Kierkegaard, e respondi que sim, porque tinha, e, então, quando chegou a hora de sair da cafeteria, nós já estávamos de mãos dadas e o número do telefone dela já estava no meu celular novinho em folha. Ela gostava de me levar para passear em volta do lago, ficávamos vendo as ondas batendo nas pedras da margem, e ela disse que aquilo era a única metáfora que existia, a da água batendo nas pedras, porque, conforme falou, tanto a água quanto as pedras saem perdendo. Ela terminou comigo na mesma cafeteria onde tínhamos nos conhecido, três meses antes, dizendo que ela era a água e eu, as pedras, e que nós simplesmente ficaríamos nos chocando até que não sobrasse nada de nenhum dos dois. Quando eu argumentei que, na verdade, a água não sofre efeito negativo nenhum ao erodir vagarosamente as pedras na margem do lago, ela concordou com meu argumento, mas mesmo assim terminou.

"Aí, no verão, no acampamento, conheci a K-15, que tinha aquele tipo de rosto que parece o de um cãozinho, com grandes olhos castanhos e pálpebras caídas, que meio que fazem você querer cuidar do bicho, só que a K-15 não queria que eu cuidasse dela, porque era uma feminista autossuficiente que gostou de mim porque me achava o grande cérebro da minha geração, mas depois resolveu que eu, de novo, citando as palavras dela, nunca seria 'um artista'. O que aparentemente foi o motivo da dispensa, mesmo eu nunca tendo me intitulado artista. Na verdade, se você estava prestando atenção direito, já me ouviu admitir espontaneamente que sou péssimo em fazer peças de cerâmica.

"E aí, passada uma seca terrível, conheci a Katherine XVI no terraço de um hotel em Newark, Nova Jersey, durante uma competição de Decatlo Acadêmico, no mês de outubro do segundo ano do ensino médio. Vivemos o mais selvagem e tórrido caso de amor que alguém pode conseguir em quatorze horas seguidas de uma competição de Decatlo Acadêmico, o que significa dizer que, em determinado momento, tivemos que expulsar as três colegas que dividiam o quarto com ela para podermos dar uns pegas direito. Porém, mesmo depois de eu ter saído do torneio com nove medalhas de ouro – fui muito mal em oratória –, ela terminou comigo porque tinha um namorado no Kansas e não queria terminar com *ele*. Pela lógica, eu era o próximo na fila.

"A Katherine XVII eu conheci, não vou mentir para você, pela Internet, em janeiro do ano seguinte. Ela tinha um piercing de argola no nariz e um vocabulário impressionantemente enorme, que usava para falar de rock indie (indie, sendo, na verdade, uma das palavras cujo significado, no início, eu não sabia), e era divertido ouvi-la falando de música. Uma vez eu a ajudei a pintar o cabelo, mas aí ela terminou comigo depois de três semanas porque eu era meio que um 'emo nerd', e ela estava procurando alguém mais para 'emo core'.

"Ainda que, no geral, eu não goste de usar a palavra 'coração', a menos que esteja me referindo ao órgão que bombeia o sangue e bate-bate-bate, não há dúvida alguma de que a Katherine XVIII partiu meu coração, porque eu a amei imensamente desde o momento em que a vi, num show ao qual Hassan me fez ir nas férias da primavera. Era uma mulher baixinha e fogosa, que odiava ser chamada de menina, gostou de mim e, a princípio, parecia compartilhar do meu enorme senso de insegurança, então eu simplesmente criei expectativas ridículas, e me vi escrevendo uns e-mails extravagantemente grandes e dolorosamente filosóficos, e aí ela terminou comigo por e-mail depois de apenas dois dias e quatro beijos, ao que eu me vi escrevendo uns e-mails extravagantemente grandes e dolorosamente patéticos.

"E só duas semanas depois, Katherine I apareceu à minha porta e logo se tornou K-19. Ela era uma garota legal, uma pessoa boa, que gostava de ajudar os outros. Nenhuma das Katherines jamais acendeu o fogo do meu coração (cara, eu não consigo mais parar de falar essa palavra) como a K-19, mas eu precisava muito dela, e nunca parecia bastar. E ela não era consistente. A inconsistência dela e a minha insegurança formavam uma combinação terrível, mas, ainda assim, eu a amava, porque todo o meu ser estava envolvido com ela. Porque eu havia colocado todos os meus ovos na cesta de uma pessoa só. E, no fim das contas, depois de 343 dias, fui deixado com uma cesta vazia e com esse buraco infinito e persistente dentro de mim. Só que aí, agora, eu me pego preferindo me lembrar dela como uma pessoa boa com a qual passei bons momentos, até que nós, os dois, nos colocamos numa situação inerradicavelmente complicada.

"E a moral da história é que não é a gente que lembra o que aconteceu. É o que a gente lembra que se transforma no que aconteceu. E a segunda moral da história, se é que uma história pode ter várias morais, é que os Terminantes não são intrinsecamente piores que os Terminados. O término do namoro não é algo que acontece *a* você; é algo que acontece *com* você."

— E a outra moral é que ocê, sabichão, acabou de contar uma história *incrível*, provando que, no tempo certo, com o treinamento certo e com a experiência de ouvir as histórias dos funcionários atuais e aposentados da Indústria Têxtil Gutshot, qualquer um, *qualquer um*, pode aprender a contar uma história danada de boa.

— Alguma coisa na contação dessa história fez com que meu buraco se regenerasse.

— O quê?

— Ah, nada. Estou pensando alto.

— Essas são as pessoas de quem a gente gosta de verdade. As pessoas na frente de quem cê pode pensar alto.

— As pessoas que estiveram nos seus esconderijos.

— As pessoas na frente de quem cê mordisca o polegar.

— Oi.

— Oi.

— ...

— ...

— Uau. Minha primeira Lindsey.

— Meu segundo Colin.

— Isso foi divertido. Vamos tentar de novo.

— Negócio fechado.

— ...

— ...

— ...

— ...

— ...

— ...

— ...

— ...

Eles saíram juntos da caverna no meio da madrugada e voltaram para casa separados. Colin dirigindo o Rabecão e Lindsey, a picape cor-de-rosa. Eles se beijaram mais uma vez na entrada de veículos — um beijo tão gostoso quanto o sorriso dela denunciou que seria —, e depois entraram sorrateiramente na casa para algumas horas de sono.

(EPÍLOGO, OU O CAPÍTULO DA LINDSEY LEE WELLS)

Colin acordou, exausto, com o canto do galo, e ficou rolando na cama por uma hora inteirinha antes de descer. Hassan já estava sentado à mesa de carvalho, com uma coleção de papéis à sua frente. Colin reparou que Hollis não estava dormindo no sofá; no fim das contas, ela devia ter um quarto em algum lugar.

— Margem de lucro/prejuízo — Hassan explicou. — Por incrível que pareça, isso é muito interessante. A Hollis me explicou tudo ontem à noite. E aí, você ficou com ela ou o quê?

Colin sorriu.

Hassan ficou de pé, um sorriso bobo na cara, e bateu nas costas de Colin, todo alegre.

— Você é um abutre de marca maior, Singleton. Fica só rodeando, neném. Você rodeia e vai voando cada vez mais baixo, devagarinho, sempre voando em círculos e esperando pelo momento em que pode simplesmente aterrissar na carcaça de um relacionamento e fazer a *fugging* festa. Isso é algo lindo de se ver, principalmente dessa vez, porque eu gosto da garota.

— Vamos tomar café da manhã na rua — disse Colin —, no Hardee's?

— Hardee's — concordou Hassan, animado. — Linds, acorda, que nós vamos ao Hardee's!

— Tenho que visitar a Mabel agora de manhã — Lindsey gritou de volta. — Comam sete Monster Thickburgers por mim, por favor.

— Pode deixar! — Hassan prometeu.

— Então, quando cheguei em casa ontem à noite, coloquei nós dois, Lindsey e eu, na fórmula — Colin disse. — Ela vai terminar comigo. A curva ficou maior que a da K-1 mas menor que a da K-4. Isso significa que vai ser com quatro dias de namoro.

— Pode ser. Esse mundo é um globo de neve muito doido.

Três dias depois, a data indicada pelo Teorema como sendo o dia em que a Lindsey e o Colin não estariam mais juntos, ele acordou com o galo, rolou na cama ainda meio grogue e deparou com um pedaço de folha de caderno encostado em seu rosto. Estava dobrado como um envelope.

E pela primeira vez Colin anteviu o que ia acontecer. Enquanto desdobrava cuidadosamente o papel, viu que a profecia do Teorema havia se concretizado. E, mesmo assim, saber o que estava para acontecer não tornou aquilo menos terrível. Por quê? Tudo tem sido tão maravilhoso! Os melhores primeiros quatro dias de todos. Será que estou maluco? Eu devo estar maluco. Ao abrir o bilhete, ele já estava tentando resolver se iria ou não embora de Gutshot imediatamente.

> Colin,
>
> Eu odeio ter que concretizar o Teorema, mas não acho que devamos nos envolver romanticamente. O problema é que eu estou nutrindo uma paixão secreta por Hassan. Não consigo evitar. Eu seguro os seus ombros ossudos e

lembro das costas carnudas dele. Eu beijo sua barriga e lembro da pança fenomenal dele. Gosto de você, Colin. De verdade. Mas... sinto muito. Simplesmente não vai dar certo.

Espero que possamos ser amigos.

Atenciosamente,

Lindsey Lee Wells

P.S.: Brincadeirinha.

Colin quis ficar totalmente feliz, sério – porque desde o momento em que viu o declive da curva com Lindsey, ficou torcendo para que a fórmula estivesse errada. Mas enquanto permanecia ali, sentado na cama, o bilhete nas mãos ainda trêmulas, não pôde evitar a sensação de que jamais seria um gênio. Por mais que acreditasse na Lindsey quando ela dizia que o que é importante para você define o seu nível de importância, ele ainda queria que o Teorema funcionasse, ainda queria ser tão especial quanto todo mundo sempre tinha dito.

No dia seguinte, Colin tentava freneticamente consertar o Teorema enquanto Hassan e Lindsey jogavam pôquer, Texas hold'em, apostando centavos, na varanda toda cercada de tela da Mansão Cor-de-rosa. Um ventilador de teto fazia o ar quente circular sem chegar a refrescar o ambiente. Colin prestava alguma atenção ao jogo enquanto rabiscava gráficos, tentando fazer o Teorema dar conta do fato de que Lindsey Lee Wells ainda era, claramente, sua namorada. E foi então que o pôquer finalmente evidenciou a falha sem chance de conserto do Teorema.

Hassan gritou:

– Ela apostou tudo por treze centavos, Singleton! É uma aposta grande. Devo pagar para ver?

– Ela costuma blefar – Colin respondeu sem levantar os olhos.

— É melhor que você esteja certo, Singleton. Pago para ver. Tá, mostre as cartas, garota! A boneca de Gutshot tem uma trinca de damas! É uma senhora mão, mas será que vai ganhar de um FULL HOUSE?!

Lindsey resmungou, decepcionada, quando Hassan abriu suas cartas.

Colin não sabia nada de pôquer, só que era um jogo que envolvia comportamento humano e probabilidade, e, portanto, o tipo de sistema quase fechado no qual um Teorema como o Teorema Fundamental da Previsibilidade das Katherines deveria funcionar. E quando Hassan mostrou o seu full house, de uma hora para outra, Colin entendeu: é possível elaborar um Teorema que explique por que você ganhou ou perdeu as rodadas de pôquer que já aconteceram, mas não dá para criar um que preveja as rodadas *que não aconteceram*. O passado, como Lindsey lhe dissera, é uma história que segue uma lógica. É uma percepção do que aconteceu. Já o futuro, como ainda não é lembrança, não precisa fazer nenhum *fugging* sentido.

Naquele instante, o futuro — não controlável por Teorema algum, seja matemático ou não — se descortinou para Colin: infinito, indecifrável e lindo.

— *Eureca* — ele disse, e só após falar foi que percebeu que havia acabado de sussurrar pela primeira vez. — Eu me dei conta de uma coisa — falou em voz alta. — O futuro é imprevisível.

Hassan comentou:

— Às vezes o *kafir* gosta de dizer coisas extremamente óbvias num tom de voz profundamente sério.

Colin riu e Hassan voltou a contar os centavos da vitória, mas a mente de Colin ficou a mil por hora com as implicações: *se o futuro é para sempre*, ele pensou, *então um dia vai acabar nos engolindo a todos*. Até mesmo Colin só conseguia listar no máximo umas dez pessoas que tinham vivido há, digamos, 2.400 anos. Dali a outros 2.400 anos, até Sócrates, o gênio mais conhecido daquele século, poderá ter sido esquecido. O futuro vai apagar tudo – não existe nenhum nível de fama ou genialidade que permita a alguém transcender o esquecimento. O futuro infinito torna esse tipo de importância impossível.

Mas há um outro jeito. As histórias. Colin observava Lindsey, cujos olhos se enrugavam num sorriso enquanto Hassan lhe emprestava nove centavos, para que os dois pudessem continuar jogando. Colin pensou nas aulas de contação de histórias de Lindsey. As histórias que haviam contado um para o outro representavam uma grande parcela do como e do porquê de ele gostar dela. Tá. Amar. Depois de quatro dias apenas e já, indiscutivelmente, amando. Ele se pegou pensando que, talvez, as histórias não apenas façam com que tenhamos importância um para o outro – talvez elas sejam também o único passaporte para a importância infinita que ele vinha perseguindo há tanto tempo.

E Colin pensou: *Porque, tipo, digamos que eu conte a alguém da minha caça ao javali. Mesmo sendo uma história boba, o ato de contá-la gera uma mudança pequenininha na outra pessoa, da mesma forma que viver a história causou uma mudança em mim. Infinitesimal. E essa mudança infinitesimal se propaga em ondas – sempre pequenas, mas duradouras. Eu serei esquecido, mas as histórias ficarão. Então, nós todos somos importantes – talvez menos do que muito, mas sempre mais do que nada.*

E não foram importantes só as histórias de que ele se lembrou. Esse foi o verdadeiro significado da anomalia da K-3: ter obtido o gráfico correto desde o início comprovou não que o Teorema estava certo, mas que há um lugar no cérebro para se saber o que não pode ser lembrado.

Quase sem perceber, ele havia começado a escrever. Os gráficos no caderno foram substituídos por palavras. Colin levantou os olhos nesse momento e limpou uma gota de suor da testa bronzeada e cicatrizada.

Hassan virou-se para ele e disse:

– Eu entendo que o futuro seja imprevisível, mas estou pensando aqui, cá com meus botões, se ele não poderia, quem sabe, talvez, incluir um Monster Thickburger.

– Eu prevejo que sim – Lindsey disse.

Enquanto eles saíam apressados pela porta, Lindsey gritou:

– Eu vou na frente.

Colin falou:

– Eu vou dirigindo.

E Hassan disse:

– Merda.

Então Lindsey correu e ultrapassou Colin, chegando antes no carro. Ela segurou a porta aberta para ele e esticou o corpo para lhe dar um selinho.

O pequeno percurso da varanda telada até o Rabecão foi um daqueles momentos de que Colin sabia que iria se lembrar, e no qual sempre pensaria, um daqueles momentos que tentaria capturar nas histórias que contasse. Não havia nada acontecendo, na verdade, mas foi um momento carregado de importância. Lindsey entrelaçou os dedos nos de Colin e Hassan cantou uma música intitulada: "Eu amo o / Monster Thickburger no Ha-ar-dee's / Para o meu estômago / É uma festa de compadree's", e os três se amontoaram no Rabecão.

Eles haviam acabado de passar pela mercearia quando Hassan disse:

– Nós não temos que ir ao Hardee's, na verdade. Poderíamos ir a qualquer lugar.

– Ai, que bom, porque eu não quero mesmo ir – Lindsey disse. – É meio que um horror lá. Tem um Wendy's na segunda saída da interestadual, em Milan. O Wendy's é muito melhor. Eles têm, tipo, saladas.

Assim, Colin passou batido pelo Hardee's e pegou a interestadual no sentido norte. Conforme as faixas de rodagem iam passando, ele pensou na distância que há entre o que lembramos e o que aconteceu, na distância entre o que prevemos e o que vai acontecer. E no espaço criado por essa distância, Colin pensou, havia espaço suficiente para se reinventar... espaço suficiente para se transformar em algo, que não um prodígio, para refazer sua história de um jeito melhor e diferente... espaço suficiente para renascer, quantas vezes quisesse. Um caçador de cobras, um arquiduque, um aniquilador de OOCs – até mesmo um gênio. Havia espaço suficiente para ser qualquer pessoa – qualquer uma, exceto a que ele já fora, porque se tinha uma coisa que Colin havia aprendido em Gutshot, era que não se pode impedir o futuro de acontecer. E, pela primeira vez na vida, Colin sorriu pensando no futuro infinito que se descortinava à sua frente.

E eles seguiam pela estrada.

Lindsey virou-se para Colin e disse:

– Sabe, a gente podia simplesmente continuar. A gente não precisa parar.

Hassan, no banco de trás, se enfiou entre o encosto do motorista e o do carona e falou:

– É. É. Vamos só continuar na estrada por um tempo.

Colin pisou fundo no acelerador. Ele pensava em todos os lugares que poderiam visitar e em todos os dias que ainda havia no verão deles três. Os dedos de Lindsey Lee Wells estavam apoiados em seu antebraço. E ela disse:

– É. Cara. A gente podia, não podia? Seguir em frente.

A pele de Colin tinia com a sensação de conexão com todos no carro e com todo o mundo fora dele. E se sentia nem um pouco único, da melhor forma possível.

(NOTA DO AUTOR)

Uma das notas de rodapé do livro que você acabou de ler (a menos que não tenha terminado e esteja pulando algumas páginas, caso em que deve voltar e ler tudo na ordem, e não tentar descobrir o que acontece no fim, sua criatura curiosa e impaciente) promete um apêndice repleto de matemática. Então, ei-lo aqui.

Na realidade, eu tirei uma nota C menos em álgebra, apesar dos esforços heroicos do meu professor de matemática do segundo ano do ensino médio, o Sr. Lantrip, e em seguida fiz uma matéria chamada "matemática finita", que a princípio era para ser mais fácil que álgebra. Escolhi a faculdade que cursei, em parte, porque não exigia nenhum pré-requisito matemático. Mas aí, logo depois de me formar, eu me tornei – e sei que isso é estranho – meio *fã* de matemática. Infelizmente, ainda sou uma negação na matéria. Sou fã de matemática da mesma forma que o meu "eu" de 9 anos era fã de skate. Falo muito disso, penso muito nisso, mas não consigo colocar isso *em prática*.

Felizmente, sou amigo de Daniel Biss, que por acaso é um dos melhores matemáticos dos Estados Unidos. Daniel é mundialmente famoso nos círculos especializados, um pouco por causa de um artigo que publicou há alguns anos que, aparentemente, comprova que os círculos são basicamente triângulos gordos e inchados. Ele também é um de meus melhores amigos. Daniel é totalmente responsável pelo fato de a fórmula conter matemática de verdade e funcionar no contexto da história. Eu lhe pedi que escrevesse um apêndice explicando a matemática por trás do Teorema de Colin. Esse, como qualquer outro apêndice, é uma leitura estritamente opcional, claro. Mas, cara, ele é fascinante. Divirta-se.

— John Green

(O APÊNDICE)

O momento eureca de Colin foi composto por três ingredientes.

Para começar, ele percebeu que é possível representar um relacionamento graficamente; tal gráfico teria a seguinte aparência:

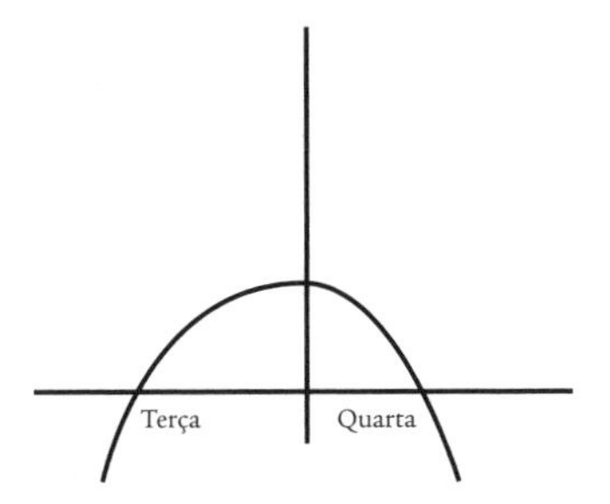

De acordo com a tese de Colin, a reta horizontal (que chamamos eixo *x*) representa o tempo. A primeira vez que a curva corta o eixo *x* corresponde ao começo do relacionamento; o segundo corte indica o fim do relacionamento. Se entre esses dois momentos a curva estiver acima do eixo *x* (como em nosso exemplo), então a garota terminou com o garoto; se, do contrário, a curva estiver abaixo do eixo *x*, o garoto terminou com a garota. (Nossa intenção com "garoto" e "garota" não é associá-los a um gênero específico; para relacionamentos homoafetivos, pode-se simplesmente chamá-los "garoto 1" e "garoto 2" ou "garota 1" e "garota 2".) Assim, no nosso gráfico, o primeiro beijo do casal aconteceu numa terça-feira e a garota terminou com o garoto na quarta-feira. (Em suma, um típico caso amoroso do tipo Colin-Katherine.)

Como a curva só corta o eixo *x* no começo e no fim do relacionamento, é de se esperar que, quanto mais tempo a curva demorar a tocar o eixo *x* pela segunda vez, mais distante estará o término do relacionamento, ou, dito de outro modo, melhor parece ser o andamento do relacionamento. Aqui está um exemplo um pouco mais complicado, que é o gráfico do meu relacionamento com uma ex-namorada.

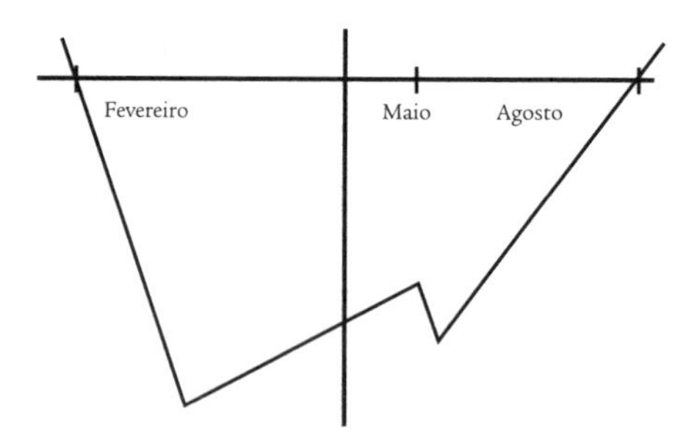

A arrancada inicial aconteceu em fevereiro quando, em questão de horas, nos conhecemos, uma nevasca atingiu a nossa cidade e ela bateu de carro numa estrada escorregadia, o que acarretou a perda total do carro e um pulso quebrado. Subitamente, estávamos ilhados no meu apartamento: ela, uma acidentada sob o efeito de analgésicos, e eu, distraído e inebriado pelas minhas novas ocupações de enfermeiro e namorado. Essa fase acabou abruptamente quando, duas semanas depois, a neve derreteu, a mão dela ficou boa e nós tivemos de sair do meu apartamento e interagir com o mundo. Imediatamente descobrimos que levávamos vidas radicalmente diferentes e que não tínhamos tanta coisa em comum assim. A arrancada seguinte, e menor, aconteceu quando viajamos de férias para Budapeste. Essa fase acabou logo, assim que percebemos que estávamos passando cerca de 23 horas dos nossos dias românticos budapestinos discutindo sobre absolutamente tudo. Por fim, a curva corta o eixo x em algum dia de agosto, que foi quando eu terminei o nosso namoro. Ela me expulsou do apartamento dela e eu fiquei sem casa e sem dinheiro, à meia-noite, vagando pelas ruas de Berkeley.

O segundo ingrediente do momento eureca de Colin é o fato de que gráficos (incluindo gráficos de relacionamentos românticos) podem ser representados por funções. Precisarei explicar alguns pontos sobre esse assunto. Acompanhe meu raciocínio:

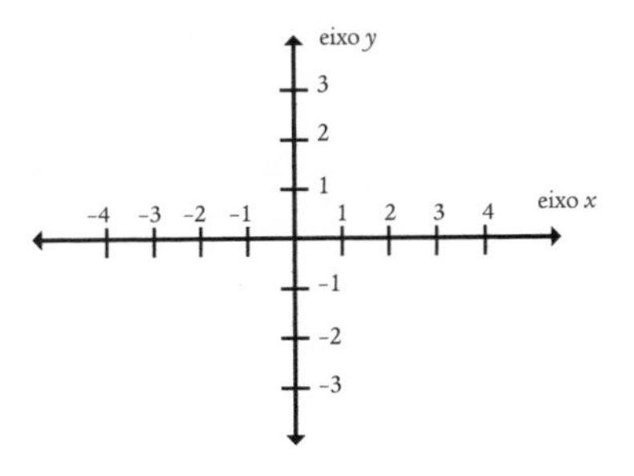

Acima, cada ponto pode ser representado por números, uma vez que tanto a reta horizontal (eixo x) como a reta vertical (eixo y) estão graduadas com números. Agora, para especificar um ponto qualquer do plano, basta listar dois números: um que nos diz o quão adiante o ponto está ao longo do eixo x e outro que nos diz o quão adiante o ponto está ao longo do eixo y. Por exemplo, o ponto (2,1) corresponde à bolinha localizada na posição 2 do eixo x e posição 1 do eixo y, ou seja, está localizado duas unidades à direita e uma unidade acima do ponto (0,0), que é o ponto de interseção dos eixos x e y. De modo análogo, o ponto (0,–2) está no eixo y, duas unidades abaixo do ponto de interseção; o ponto (–3,2) está três unidades à esquerda e duas unidades acima do ponto de interseção.

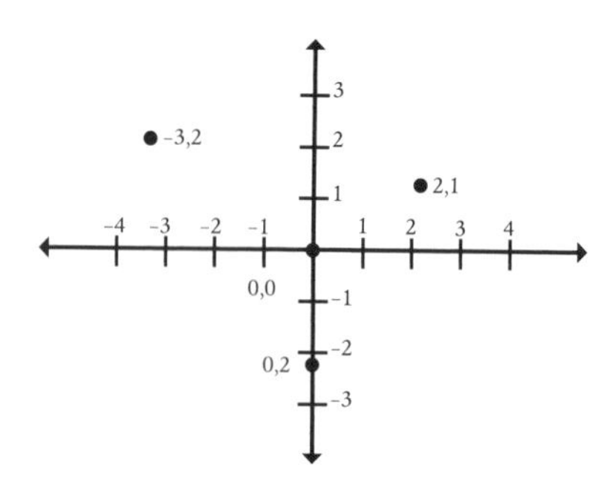

Agora, sim, funções: uma função é como uma máquina que transforma um número em outro. É uma regra para um jogo bem simples: eu lhe dou um número qualquer e você, de acordo com essa regra, me dá outro número. Por exemplo, se a regra da função for "Pegue um número e multiplique-o por ele mesmo (ou seja, eleve-o ao quadrado)", a nossa conversa seria assim:

EU: 1
VOCÊ: 1
EU: 2
VOCÊ: 4
EU: 3
VOCÊ: 9
EU: 9.252.459.984
VOCÊ: 85.608.015.755.521.280.256

Muitas funções podem ser representadas por equações algébricas. Por exemplo, a função acima pode ser escrita na forma

$$f(x) = x^2,$$

que significa que, quando eu lhe der o número x, essa função o instrui a pegar x, multiplicá-lo por ele mesmo (isto é, calcular x^2) e me devolver o novo número. Usando a expressão da função, podemos marcar todos os pontos da forma $(x,f(x))$. Juntando todos esses pontos teremos uma curva no plano, que chamamos "gráfico da função". Marquemos os pontos (1,1), (2,4) e (3,9).

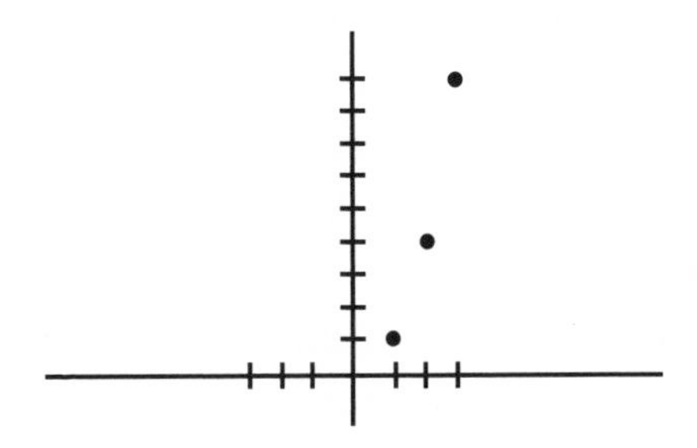

Para entender melhor o gráfico, marquemos também os pontos (0,0), (-1,1), (-2,4) e (-3,9). (Lembre-se de que, ao multiplicar um número negativo por ele mesmo, obtém-se um número positivo).

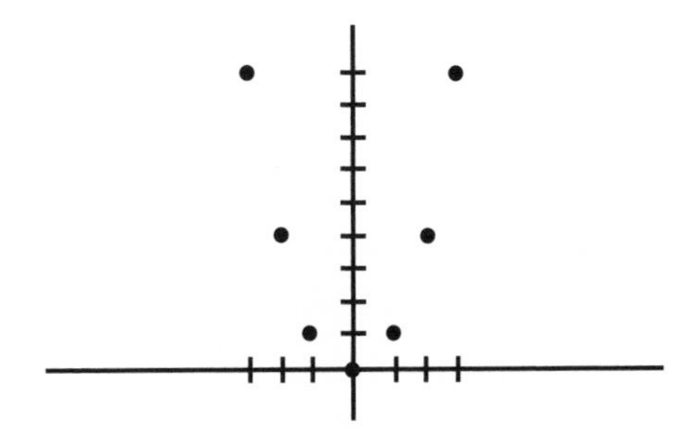

Você provavelmente já percebeu que o gráfico da função será algo do tipo:

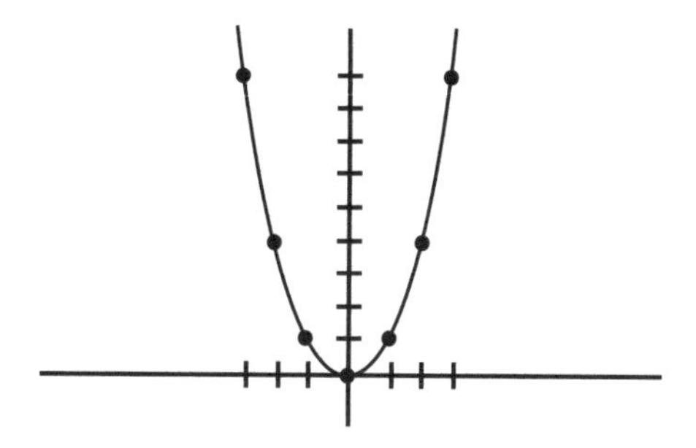

É fácil notar que, infelizmente, esse gráfico não é uma boa representação para um relacionamento. Os gráficos que Colin quer usar em seu Teorema precisam cortar o eixo x em dois pontos (um para o início do namoro e outro para o fim), ao passo que o gráfico que construímos toca o eixo x apenas uma vez. Esse problema pode ser facilmente resolvido se usarmos funções ligeiramente mais complicadas. Considere, por exemplo, a função $f(x) = 1 - x^2$.

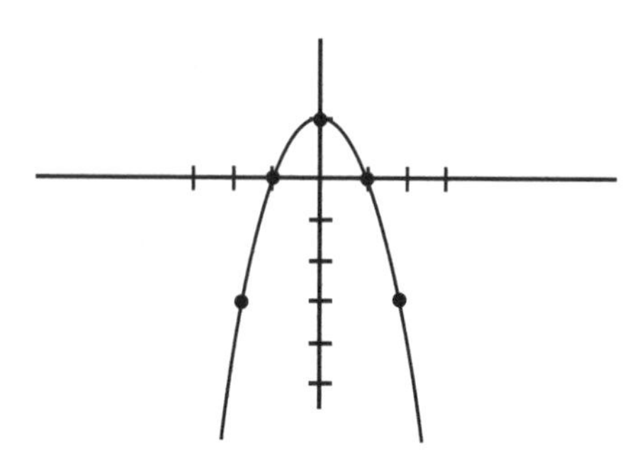

Esse gráfico Colin conhece bem — é o gráfico de um relacionamento curto, em que a garota termina com ele (sabemos que é a garota que termina com Colin, pois o gráfico está acima do eixo x, entre o primeiro beijo e o término). É o gráfico que representa o esboço da história da vida de Colin. Agora só nos resta descobrir como modificá-lo de modo que possamos perceber alguns detalhes.

• • •

Um dos grandes temas da matemática do século XXI é a tendência a estudar tudo em "famílias". (Quando matemáticos usam a palavra "família" eles querem dizer "qualquer coleção de objetos semelhantes ou relacionados". Por exemplo, uma cadeira e uma mesa são ambas membros da "família mobília".)

A ideia é essa: uma reta é nada mais do que uma coleção (uma "família") de pontos; um plano é simplesmente uma família de retas e assim por diante. Essa ideia deve ser suficiente para convencê-lo de que se um objeto (como um ponto) é interessante, muito mais interessante será estudar uma família inteira de objetos semelhantes (como uma reta). Esse ponto de vista tem dominado as pesquisas matemáticas nos últimos sessenta anos.

Isso nos leva à terceira peça do quebra-cabeça do eureca de Colin. Como todas Katherines são diferentes, cada fora que Colin leva de uma nova Katherine (fim de namoro) é diferente de todos os anteriores. Isso significa que não importa quão cuidadoso Colin seja ao traçar uma *única* função, um *único* gráfico, ele só vai entender uma *única* Katherine. O que Colin realmente precisa fazer é estudar, de uma só vez, todas as possíveis Katherines e suas funções. Em outras palavras, ele precisa estudar a família de todas as funções Katherines.

Essa foi, enfim, a grande sacada de Colin: que relacionamentos podem ser representados graficamente, que gráficos vêm de funções e que talvez seja possível estudar tais funções todas de uma vez, com uma única fórmula (bastante complicada), que possibilitaria prever quando (e mais ainda, se) alguma futura Katherine terminará com ele.[85]

---

[85] Sim, eu sei que é muita coisa para se aprender de uma vez, mas, conforme John *disse*, Colin é um prodígio.

Vejamos um exemplo do que isso significa. De fato, veremos o primeiro exemplo que Colin tentou. A fórmula usada foi a seguinte:

$$f(x) = T^3x^2 - T$$

Para explicar essa expressão tenho de responder muitas perguntas: para começar, o que raios significa *T*? É a diferença entre as diferenciais Terminante/Terminado (*T*/*T*): você pode atribuir a qualquer pessoa um número entre 0 e 5 de acordo com como elas se encaixam no espectro do sofrimento amoroso. Agora, se você está tentando prever como será o relacionamento entre um garoto e uma garota, deve subtrair a diferencial *T*/*T* do garoto pela diferencial *T*/*T* da garota; esse resultado é chamado T. (Logo, se a *T*/*T* do garoto é 2 e a da garota é 4, temos $T = -2$.)

Vejamos que efeito isso causa no gráfico. No exemplo que acabei de dar, onde a diferencial do garoto é 2 e a da garota é 4, de modo que $T = -2$, temos

$$f(x) = -8x^2 + 2$$

cujo gráfico é a curva:

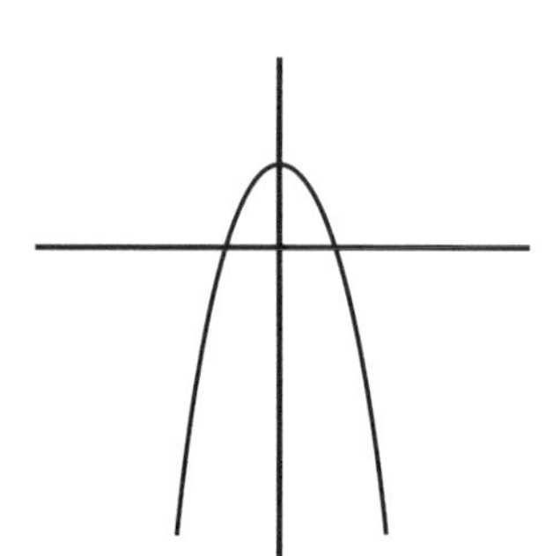

Como você pode ver, o relacionamento não dura muito e é a garota que termina com o garoto (situação que Colin conhece bem).

Se, por outro lado, a diferencial do garoto fosse 5 e a da garota 1, teríamos $T = 4$ e

$$f(x) = 64x^2 - 4$$

cujo gráfico é dado por:

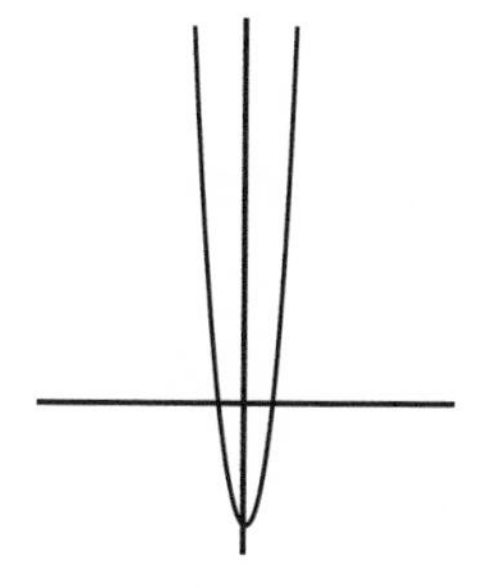

Esse relacionamento é mais curto ainda, mas parece mais intenso (o pico é ainda mais agudo). Dessa vez, o garoto terminou com a garota.

Infelizmente, essa fórmula tem problemas. Para começar, se $T = 0$, isto é, se eles são igualmente Terminantes e Terminados, temos que

$$f(x) = 0$$

O gráfico dessa função é uma reta horizontal, que não nos mostra quando o relacionamento começa e termina. O problema mais básico é que é, obviamente, um absurdo sugerir que relacionamentos são tão simples assim e que seus gráficos são tão uniformes. Foi Lindsey Lee Wells quem ajudou Colin a perceber tudo isso. Assim, a fórmula final de Colin acabou ficando ainda mais sutil.

O ponto principal já está claro: como *T* pode variar, uma *única* fórmula é capaz de representar uma *família* inteira de funções, onde cada função pode ser usada para descrever cada um dos diferentes casos Colin-Katherine. Logo, tudo que Colin precisa fazer é adicionar mais e mais variáveis à fórmula (mais ingredientes, como foi feito com *T*), de modo que a família de funções que ela vai abranger seja maior e mais complicada e, portanto, possa vir a epilogar os términos complexos e desafiadores das Katherines, algo que Colin finalmente percebeu, graças à sacada de Lindsey.

Essa é a história de Colin Singleton e seu momento eureca e o Teorema da Fundamentação da Previsibilidade das Katherines. Queria enfatizar que, apesar de que nenhum matemático razoável (pelo menos nenhum com alma) sugeriria que se pode prever um romance com uma única fórmula, existem, de fato, estudos recentes que levam a essa conclusão. Para dar um exemplo, o psicólogo John Gottman (há muito tempo diretor do "Love Lab" da Universidade de Washington) e um grupo de coautores, incluindo o matemático James Murray, publicaram o livro *The Mathematics of Marriage* (A matemática do casamento), que tem a intenção de usar a matemática para prever se um casal vai se separar. As características essenciais da filosofia básica do livro não são muito diferentes das do Teorema de Colin, mas a matemática usada é bem mais sofisticada e o resultado obtido é bem mais modesto (eles não fingem que podem prever *cada* divórcio, eles só fazem algumas estimativas refinadas[86]).[87]

---

[86] Grande coisa, né? – Também posso estimar refinadamente se os relacionamentos dos meus amigos vão durar. Acho que o ponto aqui é que eles foram capazes de justificar matematicamente o processo da estimativa refinada.

[87] Esse trabalho é muito técnico para mim e eu não conseguiria resumi-lo (a propósito, não entendi nada mesmo), mas se você quiser ler a respeito, pode

Há uma última coisa que eu gostaria de dizer: não obstante a notória tendência de John de canibalizar a vida de seus amigos em material literário e não obstante o fato de que era adiantado na escola, o personagem do Colin não foi de modo algum inspirado em mim. Com efeito, em toda a minha vida eu só beijei duas garotas chamadas Katherine. Curiosamente, em toda a minha carreira de Terminante patológico, as Katherines foram as únicas que terminaram comigo. Estranho. Isso quase me faz imaginar que existe uma fórmula para...

— Daniel Biss
Professor-assistente da Universidade de Chicago,
e Pesquisador Colaborador do Instituto Clay de Matemática

---

tentar o colossal e impenetrável livro *The Mathematics of Marriage*, de Gottman, Murray, Swanson, Tyson e (outro) Swanson, ou a bem mais viável e divertida resenha feita por Jordan Ellenberg, disponível em http://www.slate.com/articles/life/do_the_math/2003/04/love_by_the_numbers.html.

AGRADECIMENTOS

1. Minha incomparável editora e amiga, Julie Strauss--Gabel, que trabalhou neste livro quando estava, literalmente, *em trabalho de parto.* Eu confio tanto no trabalho de edição de Julie, que – e essa é a mais pura verdade – uma vez pedi que ela editasse um e-mail que escrevi para a mulher de quem eu era "apenas amigo" e com quem vivo atualmente "em sagrado matrimônio". O que me leva a...
2. Sarah. (Vide a página de dedicatória.)
3. Minha mentora, colaboradora, alterego e amiga para sempre Ilene Cooper, a pessoa responsável pela maioria das coisas boas que já aconteceram comigo. E que, pensando bem, também me ajudou a cortejar a número 2 desta lista.
4. Meu grande amigo Daniel Bliss que, para minha sorte, é um dos melhores matemáticos dos Estados Unidos – e também um dos melhores professores dessa matéria. Eu jamais teria imaginado esta história sem o Daniel, quanto mais escrito o livro.
5. Minha família: Mike, Sydney e Hank Green.

6. Sarah Shumway, minha *in loco editoris* muito talentosa na Dutton. Além de todo o restante do pessoal na Dutton, em especial a Margaret "Letras Dobradas" Woollatt.
7. Meu parceiro nos Emirados Árabes Unidos, Hassan al--Rawas, que tem compartilhado comigo as traduções do árabe e sua maravilhosa amizade por tantos anos.
8. Adrian Loudermilk.
9. Bill Ott; 10. Lindsay Robertson; 11. Shannon James e Sam Hallgren; 12. David Levithan e Holly Black; 13. Jessica Tuchinsky; 14. Bryan Doerries; 15. Levin O'Connor e Randy Riggs; 16. Rosemary Sandberg; 17. *Book-list*; 18. Todos os bibliotecários por toda parte e, obviamente...
10. As Katherines. Eu gostaria de poder nomear todas elas, mas (a) me falta espaço e (b) tenho medo dos processos por difamação.

www.intrinseca.com.br/blogdasseries

1ª edição	MARÇO DE 2013
impressão	RR DONNELLEY
papel de miolo	PÓLEN SOFT 70G/M²
papel de capa	CARTÃO SUPREMO ALTA ALVURA 250G/M²
tipologia	ITC LEGACY SERIF